1 MONTH OF
FREE
READING

at

www.ForgottenBooks.com

By purchasing this book you are eligible for one month membership to ForgottenBooks.com, giving you unlimited access to our entire collection of over 1,000,000 titles via our web site and mobile apps.

To claim your free month visit:

www.forgottenbooks.com/free994661

ISBN 978-0-332-28776-8
PIBN 10994661

Verlagskatalog

von

Paul Parey

Verlagsbuchhandlung

für

Landwirtschaft, Gartenbau und Forstwesen

in

Berlin

SW. 11, Hedemannstraße 10.

Mit systematischem Inhaltsverzeichnis.

Neujahr 1904.

Der vorliegende Katalog enthält die Veröffentlichungen meines Verlages vom Jahre 1865 ab vollständig bis zum 1. Januar 1904, die weiter zurückliegenden Veröffentlichungen nur, soweit noch Interesse für dieselben vorauszusetzen war. Es empfiehlt sich also immer noch die Anfrage bei mir, falls eine ältere Veröffentlichung meines Verlages gesucht wird, die in diesem Katalog nicht verzeichnet ist. Derartige Anfragen werden stets umgehend beantwortet.

Die Wiedergabe der Titel erfolgt teilweise in abgekürzter Form, jedoch immer mit der genügenden Deutlichkeit und Klarheit.

Von den zum Teil sehr seltenen älteren Jahrgängen von Zeitschriften meines Verlages ergänze ich selbst fortwährend mein Lager durch Rückkäufe, so daß ich öfters in der Lage sein dürfte, Bände noch liefern zu können, die bei Abschluß dieses Kataloges als vergriffen bezeichnet werden mußten.

Das systematisch geordnete Inhaltsverzeichnis am Schluß bietet, wie ich hoffe, einen wertvollen Schlüssel zur Benutzung meines Kataloges, ich empfehle es daher eingehender Berücksichtigung.

Berlin, Neujahr 1904.

Paul Parey,
Verlagsbuchhandlung für Landwirtschaft,
Gartenbau und Forstwesen.

Abendroth, A., Oberlandmesser in Hannover. Der Landmesser im Städtebau. Handbuch zur Erledigung aller landmesserischen Geschäfte im Gemeindedienst. Mit 4 Taf. u. 27 Abb. 1901. 8. (222 S.) Geb. 9 M.

Achtet auf den Kartoffelkäfer! Ein Plakat mit Abbildung des Käfers in Farbendruck. 1888. 40 Pf.

50 Expl. 15 M. 100 Expl. 20 M. 300 Expl. 55 M. 500 Expl. 75 M. 1000 Expl. 130 M. Aufziehen 25 Pf. für das Expl.

Acta Borussica. Denkmäler der Preuß. Staatsverwaltung im 18. Jahrhundert. Herausgegeben von der Königl. Akademie der Wissenschaften. 8.

Die Preußische Seidenindustrie im 18. Jahrhundert und ihre Begründung durch Friedrich den Großen.

Erster Band. Akten bis 1768, bearbeitet von G. Schmoller und O. Hintze. 1892. (652 S.) Geb. 15 M.

Zweiter Band. Akten seit 1769, bearbeitet von G. Schmoller und O. Hintze. 1892. (766 S.) Geb. 17 M.

Dritter Band. Darstellung von O. Hintze. 1892. (340 S.) Geb. 9 M.

Die Behördenorganisation und die allgemeine Staatsverwaltung Preußens im 18. Jahrhundert.

Erster Band. Akten von 1701 bis Ende Juni 1714, bearbeitet von G. Schmoller und O. Krauske. 1894. (986 S.) Geb. 21 M.

Zweiter Band. Akten vom Juli 1714 bis Ende 1717, bearbeitet von G. Schmoller, O. Krauske und V. Loewe. 1898. (639 S.) Geb. 15 M.

Dritter Band. Akten vom Januar 1718 bis Januar 1723, bearbeitet von G. Schmoller, O. Krauske und V. Loewe. 1901. (767 S.) Geb. 17 M.

(Siehe auch Seite 6.)

Verlag von Paul Parey in Berlin SW., Hedemannstraße 10.

Acta Borussica. (Siehe auch Seite 5.)

     Sechster Band.   Erste Hälfte. Einleitende Darstellung der Behörden-
organisation und allgemeinen Verwaltung in Preußen
beim Regierungsantritt Friedrichs II. Von O. Hintze.
1901. (17, 639 S.)   Geb. 15 M.

                   Zweite Hälfte. Akten vom 31. Mai 1740 bis Ende
1745, bearbeitet von G. Schmoller und O. Hintze.
1901. (1013 S.)   Geb. 22 M.

     Getreidehandelspolitik.

     Erster Band.   Die Getreidehandelspolitik der europäischen Staaten
vom 13. bis zum 18. Jahrhundert. Darstellung von
W Naudé. 1896. (443 S.)   Geb. 11 M.

     Zweiter Band.   Die Getreidehandelspolitik und Kriegsmagazinver-
waltung Brandenburg-Preußens bis 1740. Dar-
stellung und statistische Beilagen von W. Naudé.
Akten bearbeitet von G. Schmoller und W. Naudé.
1901. (670 S.)   Geb. 16 M.

     Das Preußische Münzwesen im 18. Jahrhundert. Von Friedrich
Freiherr von Schrötter.

         Beschreibender Teil. Erstes Heft. Die Münzen aus der Zeit der
Könige Friedrich I. und Friedrich Wilhelm I. Mit 19 Lichtdrucktafeln.
1902. Quartformat. (113 S.)   11 M. Geb. 13 M.

Von jedem Band der Acta Borussica wird auch eine Prachtausgabe in
Quartformat auf Büttenpapier, gebunden mit Goldschnitt, in beschränkter Anzahl
hergestellt, deren Preis das Doppelte von dem der einfachen Ausgabe beträgt.

Aderhold, Dr. R. Über die Sprüh- und Dürrfleckenkrankheiten des Stein-
obstes. Mit 1 Taf. 1901. 8. (62 S.)   2 M. 50 Pf.
     (Sonderabdruck aus: Landw. Jahrbücher. XXX. Bd. 1901.)

— — Untersuchungen über das Einsauern von Früchten und Gemüsen. I. Gurken.
Mit 1 Taf. 1899. 8. (64 S.)   1 M. 50 Pf.
     (Sonderabdruck aus: Landw. Jahrbücher. XXVIII. Bd. 1899.)

— — Monilia-Krankheiten, siehe „Flugblätter".

— — Das Mutterkorn, siehe „Flugblätter".

— — und **Goethe,** Krebs der Obstbäume, siehe „Flugblätter".

Adreßbuch für deutsche Viehzüchter. Herausgegeben von B. Martiny. 8.

     Rinder. Erste Abteilung. 1882. (84 S.)   1 M. 40 Pf.

            Zweite Abteilung. 1882. (74 S.)   1 M.

            Dritte Abteilung. 1884. (68 S.)   1 M.

Agrarkonferenz, Die, vom 28. Mai bis 2. Juni 1894. 1894. 8. (368 S.)   5 M.
     (Landw. Jahrbücher. XXIII. Bd. 1894. Ergänzungsband II.)

Albert, Dr. F., Prof. in Gießen. Die Konservierung der Futterpflanzen
nach verschiedenen Methoden. Mit 57 Abb. 1903. 8. (194 S.) (Thaer-
Bibliothek.)   Geb. 2 M. 50 Pf.

— — Untersuchungen über Grünpreßfutter. 1891. 8. (104 S.) 1 M. 50 Pf.
     (Sonderabdruck aus: Jahrbuch der Deutschen Landw.-Gesellschaft. Bd. VI.)

— — Fütterungslehre, siehe „Maercker".

Albert, Dr. J., Prof. in Aschaffenburg. Lehrbuch der Staatsforstwissenschaft 1875. 8. (492 S.)   10 M.

— — Lehrbuch der Forstgrundsteuer-Ermittelung. 1866. 8. (122 S.)
                                                        2 M. 40 Pf.

— — Lehrbuch der gerichtlichen Forstwissenschaft. 1864. 8. (124 S.)
                                                        2 M. 40 Pf.

— — Lehrbuch der Waldwertberechnung. 1862. 8. (112 S.) 2 M. 40 Pf.

— — Lehrbuch der forstlichen Betriebsregulierung. 1861. 8. (268 S.) 6 M.

Albert und **Schiller,** Landw. Geräte, siehe „Arbeiten der D. L.-G." Heft 65.

Albrecht, M., Geburtshilfe, siehe „Franck, Geburtshilfe".

Album, Anthropologisch-ethnologisches, von C. Dammann in Hamburg. 1873. 503 Photographieen auf 50 Taf. (Vergriffen.)   In Mappe 300 M.

Allendorff, W., in Leipzig-Eutritzsch. Kulturpraxis der besten Kalt- und Warm-hauspflanzen. 1893. 8. (422 S.)   Geb. 8 M.

Andrä, G., Ökonomierat, Braunsdorf. Die Waldplatterbse. Ihr Anbau und ihre Verwertung als Futter für Milchvieh. 1902. 8. (28 S.)   1 M.
        (Sonderabdruck aus: Landw. Jahrbücher. XXXI. Bd. 1902.)

Andreas, F., Städt. Verkaufsvermittler. Mitteilungen aus der Zentral-markthalle in Berlin. 1900. 8. (51 S.)   1 M.

Aninger, Dr. R. Hofgüll in der Wetterau. Hundert Jahre der Entwickelung eines intensiven Betriebes. Mit 1 Bodenkarte. 1903. 8. (205 S.)   3 M.

Anleitung zur Beurteilung des Pferdeheues nebst 129 Taf. farbiger Ab-bildungen der dabei besonders beachtenswerten Gräser und Kräuter. Heraus-gegeben im Auftrag des Kgl. Preuß. Kriegsministeriums. (36, 64 S. und 129 Taf.) 8. 1889.   In Halbleder geb. 12 M.

Anleitung zur Zuchtfarrenhaltung. Mit 4 Taf. 1885. 8. (48 S.) 50 Pf.

Annalen der Landwirtschaft in den Kgl. Preuß. Staaten. 8. Monatlich ein Heft.
        Jahrg. 1843—1860.   à Jahrgang 6 M.
          „   1861—1862.   à Jahrgang 12 M.
          „   1863—1873.   à Jahrgang 15 M.
          „   1874 und Folge bilden die „Landw. Jahrbücher" (siehe dort).

Anweisung für Spezialkommissare und Vermessungsbeamte im Bezirke der Kgl. Preuß. Generalkommission zu Kassel. 1887. 8. (768, 456 S. u. 3 Karten.) Zwei Bände.   25 M.

Äpfel und Birnen. Die wichtigsten deutschen Kernobstsorten. Herausgegeben von R. Goethe, H. Degenkolb und R. Mertens. 104 Farbendrucktafeln nebst Text. 1894. 8.   Geb. 17 M.
                                        28 Lieferungen à 50 Pf.

Aphorismen über Getreidezölle. 1878. 8. (30 S.)   60 Pf.

Appel, Einmieten der Kartoffeln, siehe „Flugblätter".

— — Der echte Mehltau, siehe „Mehltau".

— — und Jacobi, Bekämpfung der Kaninchenplage, siehe „Flugblätter".

Arbeiten der landw. Akademie Bonn-Poppelsdorf. Mit 16 Taf. 1902. 8. (463 S.)   14 M.
        (Landw. Jahrbücher. XXX. Bd. 1902. Ergänzungsband III.)

Arbeiten aus der Biologischen Abteilung für Land- und Forstwirtschaft am Kaiserlichen Gesundheitsamte. 4.

Erster Band. Mit 5 Taf. 1900. (551 S.)   25 M.

    (Heft 1: 5 M. Heft 2: 7 M. Heft 3: 13 M.)

Zweiter Band. Mit 12 Taf. 1902. (570 S.)   28 M.

    (Heft 1: 10 M. Heft 2: 8 M. Heft 3: 4 M. Heft 4: 2 M. Heft 5: 4 M.)

Dritter Band. Mit 10 Taf. 1903. (541 S.)   28 M.

    (Heft 1: 4 M. Heft 2: 2 M. Heft 3: 8 M. Heft 4: 8 M. Heft 5: 6 M.)

Vierter Band. Erstes Heft. Mit 3 Taf. 1903. (122 S.)   6 M.

Arbeiten der Deutschen Landwirtschafts-Gesellschaft. 8.

Heft 1.	Die keimtötende Wirkung des Torfmulls. Vier Gutachten. Herausgegeben von Dr. J. H. Vogel. 1894. (125 S.) 3 M.
Heft 2.	Über den direkten Einfluß der Kupfer-Vitriol-Kalk-Brühe auf die Kartoffelpflanze. Von B. Frank-Berlin und F. Krüger-Geisenheim. Mit 1 Taf. 1894. (46 S.) (Vergriffen.) 1 M. 20 Pf.
Heft 3.	Nordamerikanische Schweinezucht. Von Prof. Dr. Backhaus-Göttingen. 1894. (148 S.) (Vergriffen.) 3 M.
Heft 4.	Der Entwurf eines Preuß. Wassergesetzes. Von Graf von Arnim-Schlagenthin und Regierungsrat Frank-Breslau. 1894. (51 S.) (Vergriffen.) 1 M.
Heft 5.	Jahresbericht des Sonderausschusses f. Pflanzenschutz 1893. Bearbeitet von Prof. Dr. Frank und Prof Dr. Sorauer. 1894. (101 S.) 2 M. 50 Pf.
Heft 6.	Prüfung der Petroleum-Motoren 1894. Von Prof. W. Hartmann-Berlin und Prof. Dr. Schöttler-Braunschweig. Mit 49 Abb. 1895. (86 S.) (Vergriffen.) 2 M. 50 Pf.
Heft 7.	Zwischenfruchtbau auf leichtem Boden. Von Dr. Schultz-Lupitz. Dritte Auflage. Mit 14 Abb. 1897. (134 S.) 2 M.
Heft 8.	Jahresbericht des Sonderausschusses f. Pflanzenschutz 1894. Bearbeitet von Prof. Dr. Frank und Prof. Dr. Sorauer. 1895. (138 S.) 3 M.
Heft 9.	Die Braunheubereitung. Von Dr. Fr. Falke. Mit 3 Abb. 1895. (48 S.) 1 M. 20 Pf.
Heft 10.	Die Lüftung der Viehställe mit erwärmter Luft. Von L. v. Tiedemann. 1895. (14 S.) (Vergriffen.) 1 M.
Heft 11.	Die Verwertung der städtischen Abfallstoffe. Von Dr. J. H. Vogel. Mit 44 Abb. 1896. (702 S.) (Vergriffen.) 18 M.
Heft 12.	Verzeichnis der Bauentwürfe aus der Sammlung der Deutschen Landw.-Gesellschaft. Von Reg.-Baumeister Schiller. Mit 49 Abb. 1896. (32 S.) (Vergriffen.) 2 M.
Heft 13.	Anbau-Versuche mit verschiedenen Roggensorten. Von Prof. Dr. Liebscher-Göttingen. 1896. (85 S.) 2 M.
Heft 14.	Der Schutz gegen Flurschädigungen durch gewerbliche Einwirkungen. Von Prof. Dr. J. König-Münster, Dr. Steffeck-Halle, H. Heine-Posen. 1896. (44 S.) 2 M.
Heft 15.	Vergangenheit und Zukunft der Wanderausstellungen der Deutschen Landw.-Gesellschaft. Von Geh. Hofrat M. Eyth. Mit dem Bilde des Verfassers. 1896. (19 S.) 1 M.

(Siehe auch Seite 9.)

Verlag von Paul Parey in Berlin SW., Hedemannstraße 10.

Arbeiten der Deutschen Landwirtschafts-Gesellschaft. (Siehe auch Seite 8.)

Heft 16. Verbrauch an Kalirohsalzen in der deutschen Landwirtschaft in den Jahren 1890 und 1894. Von G. Siemssen. Mit 1 Karte. 1896. (31 S.) 2 M.

Heft 17. Neuere Erfahrungen auf dem Gebiete des Dünger-wesens. Zehn Vorträge. 1896. (215 S.) 2 M.

Heft 18. Schlachtversuche der Deutschen Landw.-Gesellschaft im Jahre 1896. Von B. Martiny und Gutsbesitzer M. Herter-Burschen. 1896. (80 S.) 2 M.

Heft 19. Jahresbericht des Sonderausschusses für Pflanzen-schutz 1895. Bearbeitet von Prof. Dr. Frank und Prof. Dr. Sorauer. 1896. (133 S.) 2 M.

Heft 20. Über die Wirkung der Kalisalze auf verschiedenen Boden-arten. Von Geh. Reg.-Rat Prof. Dr. Maercker-Halle und Dr. B. Tacke-Bremen. 1896. (58 S.) 2 M.

Heft 21. Untersuchungen über den Geldwert der landw. Pro-duktionsmittel. Von Dr. F. Aereboe. Mit 11 Abb. 1897. (115 S.) 2 M.

Heft 22. Landw. Gesellschaftsreise in Italien im Mai 1896. Be-richte von Rittergutsbesitzer Dr. Güntz und Kulturingenieur Reischle. Mit 17 Abb. 1897. (40 S.) 2 M.

Heft 23. Die Verbreitung der Rinderschläge in Deutschland. Von Bureau-Vorsteher O. Knispel. Mit 1 Karte. 1897. (144 S.) 5 M.

Heft 24. Düngungsversuch und Vegetationsversuch. Von H. Hell-riegel. 1897. (19 S.) 75 Pf.

Heft 25. Zitratlösliche und wasserlösliche Phosphorsäure im Anbau von Kartoffeln. Von Prof. Dr. J. H. Vogel. 1897. (65 S.) 2 M.

Heft 26. Jahresbericht des Sonderausschusses für Pflanzen-schutz 1896. Zusammengestellt von Prof. Dr. Frank und Prof. Dr. Sorauer. 1897. (142 S.) 2 M.

Heft 27. Statistische Untersuchungen über den Absatz der Mol-kereierzeugnisse. Von Dr. W. Schultze. 1897. (153 S.) 2 M.

Heft 28. Neuere Erfahrungen auf dem Gebiete der Tierzucht. Acht Vorträge. 1897. (231 S.) 2 M.

Heft 29. Jahresbericht des Sonderausschusses für Pflanzen-schutz 1897. Zusammengestellt von Prof. Dr. Frank und Prof. Dr. Sorauer. 1898. (160 S.) 2 M.

Heft 30. Versuche über Stallmist-Behandlung. Von Prof. Dr. J. Hansen-Oberglogau und Dr. A. Günther-Berlin. 1898. (141 S.) 2 M.

Heft 31. Absatzverhältnisse für Molkereiwaren. Von Ökonomierat Petersen-Eutin. 1898. (181 S.) 2 M.

Heft 32. Anbau-Versuche mit verschiedenen Sommer- und Winterweizen-Sorten. Bearbeitet von Prof. Dr. Edler-Jena. 1898. (130 S.) 2 M.

Heft 33. Vegetationsversuche mit Kalisalzen. Von Geh. Reg.-Rat Prof. Dr. Maercker-Halle. 1898. (52 S.) 2 M.

Heft 34. Vegetationsversuche über den Kalibedarf einiger Pflanzen. Von H. Hellriegel, H. Wilfarth, H. Römer und G. Wimmer. 1898. (101 S.) 2 M.

Heft 35. Versuche über Kartoffeldüngung. Von Dr. H. Thiesing. 1898. (176 S.) 2 M.

Heft 36. Neuere Erfahrungen auf dem Gebiete des Ackerbaues. Zehn Vorträge. 1898. (290 S.) 2 M.

(Siehe auch Seite 10.)

Arbeiten der Deutschen Landwirtschafts-Gesellschaft. (Siehe auch Seite 9.)

Heft 37. Prüfung der „Thistle"-Melkmaschine. Von B. Martiny. 1899. (117, 83 S.)   2 M.

Heft 38. Jahresbericht des Sonderausschusses für Pflanzen-schutz 1898. Zusammengestellt von Prof. Dr. Frank und Prof. Dr. Sorauer. 1899. (197 S.)   2 M.

Heft 39. Mast- und Schachtversuche mit Schweinen. Von Ökonomie-rat Boysen-Hamburg. Mit 10 Taf. 1899. (45 S.) 2 M.

Heft 40. Untersuchungen über die Ursachen der Rebenmüdigkeit. Von Prof. Dr. A. Koch in Oppenheim. Mit 5 Lichtbildern. 1899. (44 S.)   2 M.

Heft 41. Das deutsche Rind. Beschreibung der in Deutschland heimischen Rinderschläge. Von Geh. Ober-Reg.-Rat Dr. A. Lydtin-Baden-Baden und Geh. Reg.-Rat Prof. Dr. H. Werner-Berlin. Mit einem Atlas mit 41 Blatt bildlichen Darstellungen. 1899. (901 S.)   Geb. 40 M.

Heft 42. Der erste Rundgang der landw. Wanderausstellungen in Deutschland 1887—1898. Von Ökonomierat B. Wölbling. 1899. (220 S.)   2 M.

Heft 43. Die Hengste der Kgl. Preuß. Landgestüte 1896—1897. Von Dr. S. v. Nathusius in Breslau. 1899. (111 S.) 2 M.

Heft 44. Zur Frage der Jam- und Marmelade-Industrie, sowie des Zuckerverbrauchs in England. Von Dr. P. Degener in Braunschweig. 1899. (40 S.)   2 M.

Heft 45. Deutschlands Vieh- und Fleischhandel. Erster Teil: Außenhandel. Von Dr. W. Schultze. 1899. (137 S.) 2 M.

Heft 46. Die Kennzeichnung von Zuchttieren. Von B. Martiny. 1899. (32 S.)   1 M.

Heft 47. Beleuchtung der Abschätzungs-Verfahren und -Vorschriften der deutschen Bodenkreditanstalten. Von G. Sudeck. 1900. (55 S.)   2 M.

Heft 48. Die Drainage-Anlagen in den nordwestdeutschen und gro-ningischen Marschen. Von R. Wychgram. 1900. (19 S.) 1 M.

Heft 49. Die Verbreitung der Pferdeschläge in Deutschland nach dem Stande vom Jahre 1898. Von O. Knispel. Mit einer Übersichtskarte. 1900. (405 S.)   5 M.

Heft 50. Jahresbericht des Sonderausschusses für Pflanzen-schutz 1899. Zusammengestellt von Geh. Reg.-Rat Prof. Dr. Frank und Prof. Dr. Sorauer. 1900. (258 S.)   2 M.

Heft 51. Der Betrieb der deutschen Landwirtschaft am Schluß des 19. Jahrhunderts. Von Dr. Werner-Berlin, Geh. Reg.-Rat, und Dr. Albert-Halle a. S. 1900. (96 S.)   2 M.

Heft 52. Deutschlands Vieh- und Fleischhandel. Von Dr. W. Schultze. Zweiter Teil: Binnenhandel. Mit einem Atlas. 1900. (653 S.)   Kart. 10 M.

Heft 53. Anbauversuche mit verschiedenen Squarehead-Zuchten. Von Prof. Dr. Edler-Jena. 1900. (152 S.)   2 M.

Heft 54. Verbrauch an Kalirohsalzen in der deutschen Land-wirtschaft in den Jahren 1894 und 1898. Zusammengestellt von G. Siemßen. Mit einer Übersichtskarte. 1900. (30 S.) 2 M.

Heft 55. Landwirtschaftliche Rentabilitätsfragen. Von Dr. F. Aereboe. 1901. (63 S.)   2 M.

Heft 56. Untersuchungen über den Wert des neuen 40prozent. Kalidüngesalzes gegenüber dem Kainit. Zusammengestellt von Geh. Reg.-Rat Prof. Dr. Maercker-Halle a. S. 1901. (240 S.)   2 M.

(Siehe auch Seite 11.)

Verlag von Paul Parey in Berlin SW., Hedemannstraße 10.

Arbeiten der Deutschen Landwirtschafts-Gesellschaft. (Siehe auch Seite 10.)

Heft 57. Die notwendigsten Schutzvorrichtungen an den in landw.
Betrieben benutzten Maschinen. Von F. Schotte, Ingenieur,
Prof. in Berlin. 1901. (49 S.) 2 M.

Heft 58. Die Butterversorgung Berlins durch die Eisenbahn im
ersten Halbjahr 1899. Von B. Martiny. 1901. (34 S.) 2 M.

Heft 59. Die Haltbarkeit und Bewertung der Melassefuttermischungen. Von Prof. Dr. B. Schulze-Breslau. 1901.
(26 S.) 1 M.

Heft 60. Jahresbericht des Sonderausschusses für Pflanzen-
schutz 1900. Zusammengestellt von Prof. Dr. Sorauer und
Prof. Dr. Hollrung. 1901. (315 S.) 2 M.

Heft 61. Beiträge zur Kenntnis der Dauerweiden in den Marschen
Norddeutschlands. Von Geh. Reg.-Rat Prof. Dr. A. Emmer-
ling-Kiel und Dr. C. A. Weber-Bremen. 1901. (127 S.) 2 M.

Heft 62. Die Frostschäden an den Wintersaaten des Jahres 1901.
Von Prof. Dr. P. Sorauer-Berlin. 1901. (204 S.) 2 M.

Heft 63. Anbau-Versuche mit verschiedenen Sommer- und
Winterweizen-Sorten. Von Prof. Dr. Edler-Jena. 1901.
(174 S.) 2 M.

Heft 64. Neuere Fortschritte in Wirtschaftsbetrieb und Bodenkultur. Dreizehn Vorträge. 1901. (309 S.) 3 M.

Heft 65. Die landwirtschaftlichen Geräte auf der Pariser Welt-
ausstellung 1900. Von Dr. Albert-Münchenhof und Ingenieur Schiller-Berlin. 1901. (59 S.) 2 M.

Heft 66. Die Züchter-Vereinigungen im Deutschen Reiche nach
dem Stande vom 1. Januar 1901. Von Bureau-Vorsteher
O. Knispel. 1901. (257 S.) 3 M.

Heft 67. Untersuchungen über den Wert des neuen 40prozentigen
Kalidüngesalzes gegenüber dem Kainit. Zweites Versuchsjahr. Zusammengestellt von Geh. Reg.-Rat Prof. Dr. Maercker
und Dr. W. Schneidewind-Halle a. S. 1902. (170 S.) 2 M.

Heft 68. Die Wirkung des Kaliums auf das Pflanzenleben.
Nach Vegetationsversuchen von Dr. H. Römer, Dr. E. Mayer,
Dr. F. Katz, G. Geisthoff, von H. Wilfarth und G. Wimmer.
1902. (106 S.) 2 M.

Heft 69. Die deutsche Ziege. Beschreibung der Ziegenzucht Deutschlands von Fr. Dettweiler in Darmstadt. 1902. (207 S.) 2 M.

Heft 70. Die Rebendüngungs-Kommission in den Jahren 1892
bis 1901. Tätigkeitsbericht von Dr. Karl Windisch zu Geisenheim a. Rh. 1902. (53 S.) 2 M.

Heft 71. Elfter Jahresbericht des Sonderausschusses für
Pflanzenschutz 1901. Zusammengestellt von Prof. Dr.
Sorauer und Prof. Dr. Hollrung. 1902. (336 S.) 2 M.

Heft 72. Die Bekämpfung des Unkrautes. Erstes Stück: Der
Duwock. (Equisetum palustre.) Von Dr. C. A. Weber-
Bremen. Mit 3 Taf. 1902. (63 S.) 2 M.

Heft 73. Stallmist-Konservierung mit Superphosphatgips,
Kainit und Schwefelsäure. Versuche von Prof. Dr. Pfeiffer,
Direktor Dr. F. Moszeik, Dr. O. Lemmermann und Dr.
C. Wällnitz. 1902. (49 S.) 2 M.

Heft 74. Mustergültige Einführung des Torfstreuverfahrens
in kleineren und mittleren Städten. Von Prof. Dr.
Fraenkel-Halle a. S., Prof. Dr. Pfeiffer-Breslau und Stadt-
baurat Witt-Graudenz. 1902. (76 S.) 2 M.

(Siehe auch Seite 12.)

Arbeiten der Deutschen Landwirtschafts-Gesellschaft. (Siehe auch Seite 11.)

Heft 75. Die Probeschur in Halle a. S. im Jahre 1901. Von Prof. Dr. C. Lehmann-Berlin. 1902. (99 S.) 2 M.

Heft 76. Die Wirtschaft Lupitz und ihre Erträge. Von Rittergutsbesitzer C. Bibrans-Calvörde. 1902. (33 S.) 1 M.

Heft 77. Die öffentlichen Maßnahmen zur Förderung der Schweinezucht nach dem Stande vom Jahre 1902. Von Bureau-Vorsteher O. Knispel. 1903. (135 S.) 2 M.

Heft 78. Die Hauptprüfung der Spirituslokomobilen 1902. Von Prof. Dr. E. Meyer-Charlottenburg. 1903. (55 S.) 2 M.

Heft 79. Die Hauptprüfung der Bindemäher 1902. Von Prof. A. Nachtweh-Halle a. S. 1903. (68 S.) 2 M.

Heft 80. Die Düngung mit schwefelsaurem Ammoniak und organischen Stickstoffdüngern im Vergleich zum Chilisalpeter. Von Dr. R. Dorsch, E. Aschoff, Dr. H. Ruths, Dr. G. Hamann und Geh. Hofrat Prof. Dr. Paul Wagner. 1903. (340 S.) 4 M.

Heft 81. Untersuchungen über den Wert des neuen 40prozentigen Kalidüngesalzes gegenüber dem Kainit. Drittes Versuchsjahr und Gesamtergebnis. Zusammengestellt von Prof. Dr. W. Schneidewind-Halle a. S. 1903. (168 S.) 2 M.

Heft 82. Zwölfter Jahresbericht des Sonderausschusses für Pflanzenschutz 1902. Bearbeitet von Prof. Dr. Sorauer und Prof. Dr. Hollrung. 1903. (214 S.) 2 M.

Heft 83. Anbauversuche mit Rotklee verschiedener Herkunft. Ausgeführt von Prof. Fruwirth-Hohenheim, Geh. Reg.-Rat Prof. Dr. Wohltmann-Bonn, Prof. Dr. Kraus-Weihenstephan, Prof. Dr. von Seelhorst-Göttingen, Prof. Dr. Tacke-Bremen, Geh. Hofrat Prof. Dr. Nobbe-Tharand, Domänenrat Menzel-Halle a. S., Prof. Dr. von Rümker-Breslau und Prof. Dr. Gisevius-Königsberg i. Pr. 1903. (178 S.) 2 M.

Heft 84. Dreijährige Roggen-Anbauversuche 1899/1900 bis 1901/1902. Ausgeführt von Prof. Dr. W. Edler-Jena. Mit 9 Taf. 1903. (171 S.) 3 M.

Heft 85. Untersuchung elektrischer Pfluganlagen. Von Ingenieur M. Schiller-Berlin. 1903. (70 S.) 2 M.

Heft 86. Spirituskraftwagen für den landwirtschaftlichen Betrieb. Von A. Oschmann, Hauptmann im Kriegsministerium. 1903. (84 S.) 3 M.

Arbeiten der Kgl. landw. Versuchs-Station Möckern aus der Hinterlassenschaft des Prof. Dr. Gustav Kühn. Bericht, erstattet von Dr. O. Kellner, Kgl. Hofrat, Prof., Vorstand der Versuchs-Station Möckern. Mit 2 Abb. und 1 Taf. 1894. 8. (581 S.) 12 M.

(Landw. Versuchs-Stationen. Bd. XLIV.)

Archiv des deutschen Landwirtschaftsrats. Im Auftrage des Vorstandes herausgegeben vom Generalsekretär Dr. Dade. 8. Erscheint in zwanglosen Bänden.

XXVII. Jahrgang	1903. (624 S.)		4 M.
I.—VI. „	1876/1882.		à 6 M.
VII.—XXI. „	1883/1897.		à 5 M.
XXII.—XXIII. „	1898/99.		à 3 M. 50 Pf.
XXIV.—XXVI. „	1900/1902.		à 4 M.

Verlag von Paul Parey in Berlin SW., Hedemannstraße 10.

Aereboe, Dr. F. Buchführung. Anleitung für den praktischen Landwirt. Zweite Auflage.

> Teil I. Einfache Buchführung. 1898. 8. (154 S.) Kart. 2 M.
> Teil II. Systematische Buchführung. 1901. 8. (55 und 49 S. und 7 Anlagen.) Kart. 2 M.

— — Geldwert, siehe „Arbeiten der D. L.-G." Heft 21.

— — Rentabilitätsfragen, siehe „Arbeiten der D. L.-G." Heft 55.

Arndt, F., Klostergut Oberwartha bei Dresden. Gründüngung und System Schultz-Lupitz auf Lehmboden. 1890. 8. (104 S.) (Vergriffen.) 2 M. 50 Pf.

Arnim und Frank, Wassergesetz, siehe „Arbeiten der D. L.-G." Heft 4.

Arnold, F. von. Rußlands Wald. Herausgegeben vom Berliner Holz-Kontor. Mit 2 Karten. 1893. 8. (526 S.) Geb. 12 M.

Au, Dr. J., Direktor der Lehranstalt „Halina". Das höhere landw. Unterrichts-wesen und die höhere landw. Lehranstalt „Halina" zu Zabikowo bei Posen. 1875. 8. (78 S.) 1 M.

Auf dem Lande. Weihnachts-Nummer der „Deutschen Landw. Presse". 1891. Mit 40 Abb. und 4 Kunstbeilagen. Folio. (38 S.) 2 M.

Auf der Birsch. Brüche aus meinem Jägerleben. Vom „Wilden Jäger". Mit Abb. 1897. 8. (180 S.) Geb. 4 M.

Auf flüchtigem Jagdroß in Deutsch-Südwest-Afrika. Jagd- und Reisebilder vom „Wilden Jäger". Mit Abb. 1902. 8. (224 S.) Geb. 9 M.

Auhagen, Dr. O. Zur Kenntnis der Marschwirtschaft. Mit 5 Abb. 1896. 8. (256 S.) 6 M.

> (Sonderabdruck aus: Landw. Jahrbücher. XXV. Bd. 1896.)

— — Besiedelung Sibiriens, s. „Berichte über Land- und Forstwirtschaft". Heft 4.

Ausbildung und Prüfung der preuß. Landmesser und Kulturtechniker. Dritte Auflage. 1904. 8. (101 S.) Geb. 2 M. 50 Pf.

Babo, A. Freiherr von, Direktor der k. k. önolog. Lehranstalt in Klosterneuburg. Der Tabaksbau. Dritte Auflage. Mit 27 Abb. 1882. 8. (144 S.) (Thaer-Bibliothek.) Geb. 2 M. 50 Pf.

— — und E. Mach, Direktor der landw. Landes-Lehranstalt in San Michele. Handbuch des Weinbaues und der Kellerwirtschaft. 8.

> Erster Band. Weinbau. Zweite Auflage. Mit 492 Abb. und 2 Taf. 1893. (1042 S.) Geb. 22 M.
> Zweiter Band. Kellerwirtschaft. Dritte Auflage. Mit 280 Abb. 1896. (975 S.) Geb. 22 M.

— — und Th. Rümpler, Generalsekretär in Erfurt. Kultur und Beschreibung der amerikanischen Weintrauben. 1885. 8. (320 S.) Geb. 10 M.

— — Weinlaube, siehe dort.

Bachmann, H., Vorstand der landw. Schule in Zwischenahn. Einrichtung und Leitung landw. Betriebe. 1898. 8. (234 S.) 2 M. 50 Pf.

Backhaus, Dr. A., Prof. in Königsberg i. Pr. Das Versuchsgut Quednau, ein Beispiel der angewandten modernen Betriebslehre. Mit 44 Abb. 1903. 8. (270 S.) 7 M.

> (Siehe auch Seite 14.)

Backhaus, Dr. A. (Siehe auch Seite 13.)

— — siehe „Berichte des landw. Instituts".

— — Angehender Pachter, siehe „Stöckhardts Pachter".

— — Schweinezucht, siehe „Arbeiten der D. L.-G." Heft 3.

Bailly, J., Hühnerzüchter. Zucht, Behandlung und Mästung der vorzüglichsten Hühnerrassen. Zweite Ausgabe. 1872. 8. (112 S.)   1 M.

Baldamus, Dr. A. C. E., in Coburg. Das Leben der europäischen Kuckucke. Mit 8 Farbendrucktafeln. 1892. 8. (224 S.)   10 M.

Barfuß, J. Das Erdbeerbuch. Anzucht, Pflanzung, Pflege und Sorten der Erdbeere für Groß- und Kleinbetrieb. Mit Abb. 1901. 8. (66 S.) 1 M.

Barth, Dr. M., Direktor der landw. Versuchs-Station in Rufach. Die künst-lichen Düngemittel im Getreide-, Futter- und Handelsgewächsbau. Zweite Auflage. 1893. 8. (224 S.) (Vergriffen.)   3 M.

Bastian, Dr. A. Offener Brief an Herrn Prof. Dr. E. Haeckel. 1874. 8. (26 S.)   1 M.

— — Alexander von Humboldt. Zweite Auflage. 1870. 8. (31 S.) 80 Pf.

— — Die Weltauffassung der Buddhisten. Vortrag. 1870. 8. (40 S.) 1 M.

— — Über die ärztlichen Befugnisse des Kapitäns auf Kauffahrteischiffen. 1869. 8. (26 S.)   1 M. 25 Pf.

Baum, H., Anatomie des Pferdes, siehe „Ellenberger".

Baumeister, W., w. Prof. in Hohenheim. Anleitung zur Kenntnis des Äußeren des Pferdes. Siebente Auflage, neubearbeitet von Dr. F. Knapp in Groß-Umstadt. Mit 212 Abb. und 4 Taf. 1891. 8. (493 S.) 5 M.

— — Anleitung zur Schweinezucht und Schweinehaltung. Fünfte Auf-lage, neubearbeitet von Dr. F. Knapp in Groß-Umstadt. Mit 87 Abb. 1890. 8. (250 S.)   2 M. 50 Pf.

— — Anleitung zum Betriebe der Rindviehzucht. Fünfte Auflage, neu-bearbeitet von Dr. F. Knapp in Groß-Umstadt. Mit 87 Abb. 1889. 8. (250 S.)   2 M. 50 Pf.

— — Tierärztliche Geburtshülfe. Sechste Auflage, neubearbeitet von Dr. A. von Rueff in Stuttgart. Mit 70 Abb. 1878. 8. (560 S.) 7 M.

— — Anleitung zum Betriebe der Pferdezucht. Vierte Auflage, neube-arbeitet von Dr. A. von Rueff in Stuttgart. Mit Abb. 1874. 8. (236 S.)   3 M. 50 Pf.

— — Knochenlehre des Rindes. Dritte Auflage, herausgegeben v. F. A. Leyh, Prof. in Stuttgart. Mit 115 Abb. und 1 Taf. 1864. 8. (96 S.) 1 M. 20 Pf.

— — Anleitung zur Beurteilung des Rindes. Dritte Auflage, heraus-gegeben von Dr. A. von Rueff in Stuttgart. Mit 74 Abb. 1863. 8. (245 S.) (Vergriffen.)   4 M.

Baumert, Dr. G., Privatdozent in Halle a. S. Beiträge zur Kenntnis der kalifornischen Weine. 1886. 8. (50 S.)   1 M. 50 Pf.
        (Sonderabdruck aus: Landw. Versuchs-Stationen. XXXIII. Bd.)

— — Das Lupinin. 1881. 8. (50 S.)   1 M.
        (Sonderabdruck aus: Landw. Versuchs-Stationen. XXVII. Bd.)

Baumstark, Dr. E. Die Kgl. Staats- und Landw. Akademie Eldena bei der Universität Greifswald. 1870. 8. (77 S.) (Vergriffen.) 2 M.

Verlag von Paul Parey in Berlin SW., Hedemannstraße 10.

Baur, Dr. F., Prof. an der Universität in München. Lehrbuch der niederen Geodäsie. Fünfte Auflage. Mit 304 Abb. und 1 Taf. 1895. 8. (577 S.) Geb. 12 M.

— — Die Holzmeßkunde. Vierte Auflage. Mit 86 Abb. 1891. 8. (512 S.) Geb. 12 M.

— — Formzahlen und Massentafeln für die Fichte. Mit 3 Taf. 1890. 8. (111 S.) Kart. 5 M.

— — Handbuch der Waldwertberechnung. 1886. 8. (409 S.) Geb. 10 M.

— — Die Rotbuche in bezug auf Ertrag, Zuwachs und Form. Mit 6 Taf. 1881. 8. (203 S.) 6 M.

— — Über die Berechnung der zu leistenden Entschädigungen für die Abtretung von Wald zu öffentlichen Zwecken. 1869. 8. (110 S.) 2 M.

Becker, G., prakt. Landwirt und Winterschuldirektor a. D. Anleitung zur zweckmäßigen Aufstellung von Futtermischungen für Milchkühe, Jung-, Mast- und Zugrinder. Dritte Auflage. 1901. 8. (53 S.) 1 M. 20 Pf.
12 Expl. 12 M. 25 Expl. 22 M.

Becker, Dr. J., Direktor der landw. Schule zu Lage. Der Körper der landw. Haussäugetiere. Mit 67 Abb. 1902. 8. (94 S.) (Landw. Unterrichtsbücher.) Geb. 1 M. 40 Pf.

Bedeutung, Die, der landw. Bevölkerung für die Wehrkraft des Deutschen Reiches. 1902. 8. (110 S.) 2 M.
(Sonderabdruck aus: Archiv des deutschen Landwirtschaftsrats. 1902.)

Bedeutung der Tuberkulose, siehe „Tuberkulose".

Bedingungen, Allgemeine, zur Verpachtung der Kgl. Preuß. Domänen-Vorwerke. 1890. Fol. (16 S.) (Vergriffen.) 1 M.

Behandlung von Entwürfen und Bauausführungen für die Kgl. Preuß. Domänen. Zweite Auflage. Mit 24 Taf. 1897. Fol. (44 S.) Kart. 6 M.

Behmer, R., Viehzuchtsdirektor. Neues aus dem Gebiete der Züchtungskunde. 1897. 8. (58 S.) 1 M.

— — Über die Schafe auf der lbw. Ausstellung in Hamburg. 1884. 8. (60 S.) 1 M.
(Sonderabdruck aus: Deutsche Landw. Presse. 1884.)

— — Das landw. Prämiierungswesen von Tieren und Maschinen. Mit 3 Abb. 1878. 8. (142 S.) 3 M.

Behördenorganisation, Die Preußische, siehe „Acta Borussica".

Behrend, Dr. P., Prof. in Hohenheim. Max Maercker. Ein Rückblick. Mit Porträt. 1902. 8. (54 S.) 2 M.
(Sonderabdruck aus: Landw. Jahrbücher. XXXI. Bd. 1902.)

— — Felddüngungsversuche von Lawes und Gilbert und ihre Bedeutung für die deutsche Landwirtschaft. 1881. 8. (138 S.) (Vergriffen.) 4 M.
(Sonderabdruck aus: Landw. Jahrbücher. X. Bd. 1881.)

Behrend, Dr. W. Landw. und gewerbliche Brennereien im Lichte der Branntweinsteuer-Gesetzgebung. 1902. 8. (35 S.) 1 M.

— — Die Novelle von 1902 zum Branntweinsteuer-Gesetz. 1902. 8. (102 S.) 2 M.

Behrens, H., Lehrschmied in Rostock. Katechismus des englischen Hufbeschlags. Zweite Auflage. Mit 61 Abb. 1901. 8. (103 S.) Kart. 1 M. 20 Pf.

— — Englischer Hufbeschlag. Zweite Auflage. Mit 100 Abb. 1894. 8. (180 S.) (Thaer-Bibliothek.) Geb. 2 M. 50 Pf.

— — Die Erziehung des Pferdes mit Rücksicht auf die Vorbereitung zum Beschlag. Mit 8 Taf. 1894. 8. (32 S.) 2 M. 50 Pf.

Behrens, Dr. J., Privatdozent in Karlsruhe. Studien über die Konservierung und Zusammensetzung des Hopfens. 1896. 8. (63 S.) 1 M. 50 Pf. (Sonderabdruck aus: Wochenschrift für Brauerei. 1896.)

Beiche, W. E. Taschenbuch der Pflanzenkunde. Zweite Ausgabe. 1872. Taschenformat. (200 S.) Kart. 1 M.

Beißner, L., Garteninspektor in Bonn. Handbuch der Nadelholzkunde. Mit 138 Abb. 1891. 8. (576 S.) Geb. 20 M.

— — Der Straßengärtner. Nach J. Nanot bearbeitet. Mit 82 Abb. 1887. 8. (154 S.) 3 M.

— — E. **Schelle,** Universitätsgärtner in Tübingen, und H. **Zabel,** Gartenmeister in Gotha. Handbuch der Laubholzbenennung. Im Auftrage der Deutschen Dendrologischen Gesellschaft bearbeitet. 1903. 8. (625 S.) Geb. 15 M.

Beiträge zur landw. Statistik von Preußen, siehe „Landw. Jahrbücher", Ergänzungsbände.

Beiträge zur Kenntnis des preuß. Veterinärwesens und der Viehseuchen-Gesetzgebung. 1876. 8. (117 S.) 2 M. 50 Pf. (Landw. Jahrbücher. V. Bd. 1876. Ergänzungsband.)

Bendixen, N., in Kopenhagen. Die Mikroorganismen im Molkereibetriebe. Mit 19 Abb. 1897. 8. (44 S.) 1 M. 20 Pf.

— — Untersuchungsbuch für Brauereien, Brennereien und Hefefabriken. Mit 21 Abb. 1897. 8. (94 S.) 2 M.

Bendz, Dr. H. C. B., Prof. in Kopenhagen. Körperbau und Leben der landw. Haussäugetiere. Nach der dritten Auflage des dänischen Originals deutsch bearbeitet von H. C. Fock, Tierarzt in Ahrensböl. Mit 100 Abb. 1876. 8. (311 S.) 5 M.

Benecke, Dr. B., weil. Prof. in Königsberg. Die Teichwirtschaft. Vierte Auflage, bearbeitet von S. Jaffé-Sandfort. Mit 87 Abb. 1902. 8. (152 S.) Kart. 2 M. 25 Expl. 40 M. 50 Expl. 75 M.

— — Handbuch der Fischzucht und Fischerei, siehe „Borne".

Benecke, Dr. F., Dozent am Polytechnikum in Zürich. Anleitung zur mikroskopischen Untersuchung der Kraftfuttermittel. Mit 44 Abb. 1886. 8. (117 S.) 3 M.

— — Formen und Farben von Saccharum officinarum L., siehe „Mitteilungen der Versuchs-Station für Zuckerrohr".

— — und E. **Schulze,** Untersuchungen über den Emmenthaler Käse. 1887. 8. (84 S.) (Vergriffen.) 2 M. (Sonderabdruck aus: Landw. Jahrbücher. XVI. Bd. 1887.)

Bennigsen-Förder, R. von. Bodenkarte des Erd- oder Schwemm- und des Felslandes der Umgegend von Halle a. S. Maßstab 1:25000. In Mappe mit einem Hefte Text. 1876. Fol. 20 M.

Berg, C. H. E. Freiherr von, Kgl. Oberforstrat in Tharand. Anleitung zum Verkohlen des Holzes. Zweite Auflage. Neue Ausgabe. Mit 28 Abb. 1880. 8. (278 S.) 5 M.

Berge, Dr. H., Dozent in Zürich. Pflanzenphysiognomie. Besprechung der landschaftlich wichtigen Gewächse. Mit 328 Abb. 1880. 8. (288 S.) 6 M.

Berger, A., Weidwerk, siehe „Roth, Weidwerk".

Bericht über die Ausstellungen im Institut für Gärungsgewerbe zu Berlin 1903. Mit 2 Anlagen. 1903. 8. (40 S.) 1 M.

Bericht über die Dampfpflug-Konkurrenz zu Banteln vom 2.—8. September 1881. Herausgegeben von C. Boysen, Ökonomierat, und Dr. A. Wüst, Prof. in Halle. Mit 13 Abb. 1882. 8. (48 S.) 1 M.

Bericht über die erste Versammlung deutscher Forstmänner zu Braunschweig vom 8.—12. September 1872. 1873. 8. (175 S.) 3 M.

Bericht über die Saatreinigungsmaschinen-Prüfung zu Königsberg i. Pr. von Dr. Gisevius. Mit 19 Abb. 1903. 8. (45 S.) 1 M.
(Sonderabdruck aus: Landw. Jahrbücher. XXXII. Bd. 1903.)

Bericht des Herrn Clare Sewell und des Herrn Albert Pell über den Agrikulturzustand der Vereinigten Staaten in Kanada. 1881. 8. (140 S.) (Vergriffen.) 4 M.
(Sonderabdruck aus: Landw. Jahrbücher. X. Bd. 1881.)

Bericht über die Generalversammlung des Vereins zur Förderung der Moorkultur am 15. Februar 1892 zu Berlin. 1892. 8. (62 S.) 1 M.

Bericht, Zweiter, über die Verhältnisse und Wirksamkeit der landw. Versuchs-Station zu Rostock. Von Prof. Dr. R. Heinrich. Mit einer Bodenkarte und 4 Abb. 1894. 8. (383 S.) 4 M.

Berichte, Illustrierte, über Gartenbau, Blumen- und Gemüsezucht zc. Redigiert von von der Decken in Ringelheim und E. Robigas in Gand. 4.
Erster Band 1870. Mit 4 Taf. und 16 Abb. Geb. 6 M.
Zweiter Band 1871/72. Mit 25 Taf. und 59 Abb. Geb. 20 M.
Dritter Band 1873. Mit 17 Taf. und 71 Abb. Geb. 20 M.

Berichte, Amtliche, über die internationale Fischerei-Ausstellung zu Berlin 1880. Mit 323 Abb. 1881. 8. (768 S.) 26 M.
Daraus besonders:
I. Fischzucht von M. v. d. Borne, H. Haack, K. Michaelis. Im Anhange: Die Angelfischerei. Mit 39 Abb. (84 S.) 3 M.
II. Seefischerei von Dr. M. Lindeman. Mit 162 Abb. (244 S.) 8 M.
III. Süßwasserfischerei von Dr. A. Metzger. Mit Abb. (89 S.) 4 M.
IV. Fischereiprodukte und Wassertiere von Dr. H. Dohrn. Im Anhange: Perlen von S. Friedländer und Dr. H. Nitsche. (95 S.) 3 M.
V. Wissenschaftliche Abteilung von J. Asmus, E. Friedel, Dr. O. Hermes, Dr. F. Holdefleiß, Dr. P. Magnus, Dr. E. Thorner, Dr. L. Wittmack. Mit 101 Abb. (256 S.) 8 M.

Berichte des landw. Instituts der Universität Königsberg i. Pr. 8.

Erstes Heft. Mitteilungen aus dem landw.-physiolog. Laboratorium. Von Prof. Dr. Rörig. 1898. (104, LXV S.)   5 M.

Zweites Heft. Mitteilungen aus dem milchwirtschaftlichen Laboratorium. Von Prof. Dr. Backhaus. 1898. 8. (99 S.)   3 M.

Drittes Heft. Agrarstatistische Untersuchungen über den preuß. Osten im Vergleich zum Westen. Von Prof. Dr. Backhaus. 1898. (303 S.)   7 M.

Viertes Heft. Über landw. Verhältnisse der Provinz Posen. Von Prof. Dr. Backhaus. 1899. (37 S.)   1 M.

Fünftes Heft. Die Entwickelung der deutschen Landwirtschaft im 19. Jahrhundert. Von Prof. Dr. Backhaus. 1900. (136 S.)   3 M.

Berichte über Land- und Forstwirtschaft im Auslande. Mitgeteilt vom Auswärtigen Amt. 8.

1. Zur französischen Pferdezucht. Von Ökonomierat Fr. Oetken in Oldenburg. 1902. (166 S.)   2 M.

2. Die bäuerlichen Verhältnisse im südwestlichen und zentralen Rußland. Von A. Borchardt in St. Petersburg. 1902. (62 S.) 2 M.

3. Der Weizenbau im südwestlichen und zentralen Rußland und seine Rentabilität. Von A. Borchardt in St. Petersburg. 1902. (34 S.)   1 M.

4. Zur Besiedelung Sibiriens. Von Prof. Dr. Auhagen in St. Petersburg. 1902. (59 S.)   2 M.

5. Schaf- und Schweine-Hochzuchten in England. Von Dom.-Rat E. A. Brödermann-Knegendorf. 1903. (20 S.)   1 M.

Berichte über den landw. Teil der Pariser Welt-Ausstellung 1867, herausgegeben von C. von Salviati, Geh. Reg.-Rat. 4.

Erster Teil. Pflanzen- und Tierreich. Mit 11 Taf. und 73 Abb. 1868. (372 S.)   18 M.

Zweiter Teil. Landw. Maschinen und Geräte. Mit 15 Taf. und 80 Abb. 1868. (160 S.)   12 M.

Berichte über den landw. Teil der Pariser Welt-Ausstellung 1878, erstattet dem Kgl. Preuß. Ministerium für Landwirtschaft. 1879. 8. (322 S.) 8 M.

Berichte über die Leistungen von Trieurs und Milchzentrifugen bei Konkurrenzen der Maschinen-Prüfungs-Station der landw. Akademie Poppelsdorf und des landw. Vereins für Rheinpreußen. 1881. 8. (54 S.) 1 M. 50 Pf.
(Sonderabdruck aus: Landw. Jahrbücher. X. Bd. 1881.)

Berichte über die Versuchswirtschaft Lauchstädt der Landwirtschaftskammer für die Provinz Sachsen. 8.

Erster Bericht. Unter Mitwirkung von Prof. Dr. F. Albert, Dr. W. Schneidewind und Administrator C. Spallek herausgegeben von Dr. M. Maercker, Geh. Reg.-Rat, Prof. in Halle. Mit 9 Taf. 1898. (247 S.) (Vergriffen.)   6 M.
(Sonderabdruck aus: Landw. Jahrbücher. XXVII. Bd. 1898.)

(Siehe auch Seite 19.)

Berichte über die Versuchswirtschaft Lauchstädt. (Siehe auch Seite 18.)
Zweiter und Dritter Bericht. Umfassend die Jahre 1897 und 1898.
Unter Mitwirkung von Prof. Dr. F. Albert, Dr. W. Schneidewind
und Administrator C. Spallek herausgegeben von Dr. M. Maercker,
Geh. Reg.-Rat, Prof. in Halle. Mit 1 Taf. 1899. (464 S.) 10 M.
(Sonderabdruck aus: Landw. Jahrbücher. XXVIII. Bd. 1899.)
Vierter Bericht. Umfassend die Jahre 1899—1901. Unter Mitwirkung
von Dr. D. Meyer und Administrator W. Gröbler herausgegeben
von Dr. W. Schneidewind, Prof. in Halle. 1903. (148 S.) 3 M.
(Sonderabdruck aus: Landw. Jahrbücher. XXXI. Bd. 1902.)

Berlepsch, A. von, Bienenzucht nach ihrem jetzigen rationellen Standpunkte.
Vierte Auflage, bearbeitet von G. Lehzen. Mit Abb. 1899. 8. (162 S.)
(Thaer-Bibliothek.) Geb. 2 M. 50 Pf.

Berlin, Reg.-Rat, Forstwirtschaft, siehe „Meyers Forstwirtschaft".

Bermbach, Veterinär-Berichte, siehe „Veröffentlichungen".

Bersch, Dr. J., Redakteur der „Allgem. Wein-Zeitung" in Wien. Die Praxis der
Weinbereitung. Mit 306 Abb. 1889. 8. (779 S.) Geb. 20 M.
— — Gärungs-Chemie für Praktiker. 8.

Erster Teil.	Hefe- und Gärungs-Erscheinungen. Mit 75 Abb. 1879. (340 S.)	8 M.
Zweiter Teil.	Malz, Malzextrakt und Dextrin. Mit 121 Abb. 1880. (368 S.)	8 M.
Dritter Teil.	Bierbrauerei. Mit 160 Abb. 1880. (556 S.) 12 M.	
Vierter Teil.	Spiritusfabrikation und Preßhefebereitung. Mit 127 Abb. 1881. (448 S.) (Vergriffen.) 12 M.	
Fünfter Teil.	(Schluß.) Die Schnellessigfabrikation. Mit 50 Abb. 1886. (284 S.)	8 M.

Bertram, M., Garteningenieur in Blasewitz-Dresden. Gärtnerisches Planzeichnen. 16 Übungsblätter und 24 ausgeführte Gartenpläne in Folio
nebst Text. 1890. In Mappe 12 M.
Das einfache schwarze Blatt 25 Pf. Das einfache farbige Blatt 50 Pf.
— — Gärtn. Plankammer, siehe „Plankammer".

Beseler, O., Züchtung unserer Getreidearten, und K. **Rümker,** Ertragserhöhung des Getreidebaues. 1890. 8. (23 u. 14 S.) 50 Pf.
25 Expl. 10 M. 50 Expl. 18 M. 100 Expl. 30 M.
(Preisschriften und Sonderabdrücke der „Deutschen Landw. Presse". Nr. 5.)

Beßler, Jagdscheiben, siehe „Jagdscheiben".

Bevensee, H., Organist in Hohenwestedt. Landwirtschaftlicher Liederschatz.
1901. 12. (191 S.) Geb. 1 M. 20 Pf.
10 Expl. 10 M. 25 Expl. 22 M. 50 Pf.

Beyer, B., Wirkl. Geh. Ober-Reg.-Rat a. D. Viehseuchen-Gesetze. Textausgabe mit Anmerkungen. Vierte Auflage. 1897. 8. (492 S.) Geb. 6 M.

Bibow, H. Einträgliche Geflügelzucht im großen. Mit Original-Bau-
plänen. 1895. 8. (66 S.) 1 M. 50 Pf.
(Sonderabdruck aus: Deutsche Landw. Presse. 1894.)

Biedenkopf, Dr. H., Oberlehrer an der landw. Schule in Chemnitz. Lehrbuch
der Tierzucht. Mit 8 biolog. Rassebildern und 86 Textabb. 1904. 8.
(230 S.) (Landw. Unterrichtsbücher.)   Geb. 2 M. 80 Pf.

— — Leitfaden für einfache landw. Untersuchungen. Mit 35 Abb. 1902.
8. (86 S.) (Landw. Unterrichtsbücher.)   Geb. 1 M.

— — Leitfaden der Ackerbaulehre. Zweite Auflage. Mit 33 Abb. 1899. 8.
(122 S.) (Landw. Unterrichtsbücher.)   Geb. 1 M. 40 Pf.

Wieler, Dr. K., in Halle a. S. Die Rothamsteder Versuche nach dem Stande
des Jahres 1894. Mit 2 Abb. 1896. 8. (166 S.)   5 M.
(Sonderabbdruck aus: Landw. Jahrbücher. XXV. Bd. 1896.)

— — und Dr. W. **Schneidewind.** Die agrikultur-chemische Versuchs-Station
Halle a. S., ihre Einrichtung und Tätigkeit. Mit 26 Abb. und 1 Lichtdrucktafel. 1892. 8. (147 S.)   7 M.

Winzer, von, Forstmeister a. D. Insektenkalender. Dritte Auflage. 2 Taf.
in Farbendruck nebst Text. 1888. 12.   40 Pf.
                    12 Expl. 3 M. 100 Expl. 20 M.

— — Schädliche und nützliche Forstinsekten. Mit 50 Abb. 1880. 8. (149 S.) 2 M.

Birnbaum, Dr. E., w. Direktor der Landwirtschaftsschule in Liegnitz. Pflanzenbau. Sechste Auflage, neubearbeitet von Dr. Gisevius, Prof. in
Gießen. Mit 222 Abb. 1904. 8. (199 S.) (Landw. Unterrichtsbücher.)
                    Geb. 1 M. 60 Pf.

— — Wiesen- und Futterbau. Mit 146 Taf. farbiger Abb. 1892. 8.
(238 S.)   Geb. 18 M.

Birnbaums landw. Taxationslehre. Zweite Auflage. 1890. 8. (224 S.)
(Thaer-Bibliothek.) (Vergriffen.)   Geb. 2 M. 50 Pf.

Bischoff, Dr. W., Prof. an der Universität Bonn. Grammatik der englischen
Sprache. Zweite Auflage. 1887. 8. (424 S.)   Kart. 3 M.

— — Englisches Lesebuch für höhere Lehranstalten. 1881. 8. (464 und
130 S.) (Vergriffen.)   4 M.

Blasenrost, Der, der Weymouthskiefer. Farbendruck-Plakat mit Text. Herausgegeben von der Biolog. Abteilung am Kaiserl. Gesundheitsamte. Bearbeitet von Dr. C. Freih. von Tubeuf, Kais. Reg.-Rat. 1900. 50 Pf
100 Expl. 45 M. 500 Expl. 200 M. Aufziehen 25 Pf. für das Expl.

Blätter für Gersten-, Hopfen- und Kartoffelbau. Herausgegeben von
Geh. Reg.-Rat Prof. Dr. Delbrück, Prof. Dr. von Eckenbrecher,
Dr. Remy. 8.
        I.—III. Jahrgang 1899/1901.   à 4 M.

Blätter, Forstliche. Zeitschrift für Forst- und Jagdwesen. Herausgegeben von
Dr. B. Borggreve. 4. Dritte Folge. IX.—XV. Jahrgang. 1885 bis
1891. (Der ganzen Reihe XXII.—XXVIII. Jahrgang.) Jährlich 12 Hefte.
                    à Jahrgang 16 M.
        Daraus besonders erschienen:
Sach- und Autorenregister über die Jahrgänge 1877—1890.   3 M.

Bley, F. Deutsche Pionierarbeit in Ostafrika. 1891. 8. (140 S.) 3 M.

Verlag von Paul Parey in Berlin SW., Hedemannstraße 10.

Blomeyer, Dr. A., Prof. in Leipzig. Pachtrecht und Pachtverträge. 1873.
8. (342 S.) 6 M.

— — Mitteilungen aus dem landw. Institut, siehe „Mitteilungen".

Blutlaus, Die. Farbendruck-Plakat mit Text. 1888. 50 Pf.
100 Expl. 45 M. 500 Expl. 200 M. Aufziehen 25 Pf. für das Expl.

Bock, O., Ziegelei-Ingenieur in Berlin. Die Ziegelei als landw. und selb-
ständiges Gewerbe. Zweite Auflage. Mit 190 Abb. und 9 Taf. 1898.
8. (197 S.) (Thaer-Bibliothek.) Geb. 2 M. 50 Pf.

Bode, A., Obergärtner und Gartenbaulehrer zu Altenburg S.-A. Gärtnerische
Betriebslehre. 1903. 8. (153 S.) (Thaer-Bibliothek.) 2 M. 50 Pf.

Boedeker, E., Reg.-Rat zu Wetzlar. Die Zusammenlegung der Grundstücke der
Gemarkung Etzbach. Mit 3 Karten. 1892. 8. (24 S.) 2 M.
(Sonderabdruck aus: Landw. Jahrbücher. XXI. Bd. 1892.)

Boden, F., Forstmeister in Hameln. Kritische Betrachtung ausländischer
Holzarten. 1902. 8. (68 S.) 1 M. 20 Pf.
(Sonderabdruck aus: Forstwissenschaftliches Zentralblatt. 1902.)

Bogler, W., Landschaftsgärtner in Niederwalluf. Gärtnerische Zeichenschule.
24 Taf. nebst Text. 1887. 4. Heft I—IV à 6 Taf. à Heft 2 M.

Bohm, J., praktischer Züchter. Die Schafzucht. Neue Ausgabe. Mit Rassebildern in Farbendruck, Taf. und Abb. 2 Bde. 1883. 8. (1519 S.)
20 M. In Halbleder geb. 26 M.

— — Die Wollkunde. Mit 16 Farbendrucktafeln und 109 Abb. 1873. 8.
(469 S.) 13 M. 50 Pf. In Halbleder geb. 16 M.

Böhme, Dr. G., Ökonomierat, vorm. Direktor der landw. Winterschule in Görlitz.
Landwirtschaftliche Sünden. Fehler im Betriebe. Fünfte Auflage.
1903. 8. (244 S.) Geb. 3 M. 50 Pf.

— — Der Landwirtschaftslehrling. Ein Buch für angehende Landwirte
und deren Berater. Zweite Auflage. 1903. 8. (260 S.) Geb. 4 M.

Böhme, Dr. O., Landwirtschaftslehrer. Entwickelung der Landwirtschaft
auf den Kgl. Sächsischen Domänen. 1890. 8. (172 S.) 4 M.

Böhmer, Dr. C., Leipzig. Die Kraftfuttermittel, ihre Rohstoffe, Herstellung,
Zusammensetzung, Verdaulichkeit und Verwendung, mit besonderer Berücksichtigung der Verfälschungen und der mikroskopischen Untersuchung. Mit
194 Abb. 1903. 8. (650 S.) Geb. 15 M.

— — Ernten und Konservieren der landw. Futtermittel. Mit 26 Abb.
1900. 8. (178 S.) 3 M. 50 Pf.

— — Heubereitungsarten. 1890. 8. (32 S.) 50 Pf.
25 Expl. 10 M. 50 Expl. 18 M. 100 Expl. 30 M.
(Preisschriften und Sonderabdrücke der „Deutschen Landw. Presse". Nr. 2.)

Böhmerle, E., Forstassistent. Tafeln zur Berechnung der Kubikinhalte stehen-
der Kohlmeiler. 1877. 8. (62 S.) 2 M.

Bohn, Dr. C., Prof. in Aschaffenburg. Anleitung zu Vermessungen in Feld
und Wald. Mit 179 Abb. 1876. 8. (320 S.) 8 M.
In Halbleder geb. 9 M. 50 Pf.

Bohn, J., Lehrer zu Trier. Mechanik, Wärmelehre und Witterungskunde. Leitfaden der Physik für Wein- und Obstbau- und Landwirtschaftsschulen. Mit 178 Abb. 1901. 8. (133 S.) (Landw. Unterrichtsbücher.) Geb. 1 M. 50 Pf.

Pokorny, Dr. Th., Prof. in München. Lehrbuch der Pflanzenphysiologie. Mit 88 Abb. 1898. 8. (236 S.) Geb. 6 M.

Bonnet, Dr. R., Prof. in Gießen. Grundriß der Entwickelungsgeschichte der Haussäugetiere. Mit 201 Abb. 1891. 8. (282 S.) Geb. 8 M.
(Sonderabdruck aus: Ellenberger, Handbuch der Physiologie.)

Borchardt, Bäuerliche Verhältnisse in Rußland, siehe „Berichte über Land- und Forstwirtschaft". Heft 2.

— — Weizenbau in Rußland, s. „Berichte über Land- u. Forstwirtschaft". Heft 3.

Borggreve, Dr. B., Oberforstmeister in Wiesbaden. Die Holzzucht. Zweite Auflage. Mit Abb. und 15 Taf. 1891. 8. (363 S.) 12 M.

— — Die Forstabschätzung. Mit 16 Taf. 1888. 8. (432 S.) Geb. 13 M.

— — Heide und Wald. 1875. 8. (77 S.) 1 M. 25 Pf.

Born, Dr. L., Korpsroßarzt a. D., Prof. in Berlin, und Dr. H. **Möller,** Prof. in Berlin. Handbuch der Pferdekunde. Für Offiziere und Landwirte. Fünfte Auflage. Mit 211 Abb. 1902. 8. (468 S.) Geb. 10 M.

Borne, M. von dem, Rittergutsbesitzer auf Berneuchen. Taschenbuch der Angelfischerei. Vierte Auflage, neubearbeitet von Dr. H. Brehm. Mit 417 Abb. und 1 farbigen Taf. 1904. 12. (370 S.) Geb. 4 M. 50 Pf.

— — Künstliche Fischzucht. Vierte Auflage. Mit 88 Abb. 1895. 8. (202 S.) (Thaer-Bibliothek.) Geb. 2 M. 50 Pf.

— — Teichwirtschaft. Vierte Auflage. Mit 63 Abb. 1894. 8. (190 S.) (Thaer-Bibliothek.) Geb. 2 M. 50 Pf.

— — Süßwasserfischerei. Mit 204 Abb. 1894. 8. (157 S.) (Thaer-Bibliothek.) Geb. 2 M. 50 Pf.

— — Handbuch der Fischzucht und Fischerei. Herausgegeben unter Mitwirkung von Dr. B. **Benecke** und E. **Dallmer.** Mit 581 Abb. 1886. 8. (701 S.) 20 M. In Halbleder geb. 22 M. 50 Pf.

— — Der Schwarzbarsch und der Forellenbarsch. 1886. 8. (8 S.) 20 Pf.
(Sonderabdruck aus: Deutsche Landw. Presse. 1886.)

— — Fischerei und Fischzucht im Harz. Mit 9 Abb. 1883. 8. (72 S.) 1 M. 50 Pf.

— — Wegweiser für Angler durch Deutschland, Österreich und die Schweiz. 1877. Taschenformat. (302 S.) Geb. 4 M.

— — Bericht über die Fischerei-Ausstellung in Berlin 1880, siehe „Berichte".

Börnstein, Prof. Dr. R. Wetterkunde und Landwirtschaft. Festrede am 18. Januar 1901. 8. (18 S.) 1 M.

— — Regen oder Sonnenschein? Mit 27 Abb. 1882. 8. (112 S.) 3 M.

Bos, Dr. J. Ritzema, Prof. in Amsterdam. Zoologie für Landwirte. Dritte Auflage. Mit 194 Abb. 1900. 8. (234 S.) (Thaer-Bibliothek.) Geb. 2 M. 50 Pf.

— — Tierische Schädlinge und Nützlinge für Ackerbau, Viehzucht, Wald- und Gartenbau. Mit 477 Abb. 1891. 8. (876 S.) 18 M. 18 Lieferungen à 1 M. In Halbleder geb. 20 M.

Bosch, E. von der. Fährten- und Spurenkunde. Zweite Auflage. Mit
62 Abb. 1886. 12. (144 S.) Geb. 3 M.

— — Fang des einheimischen Raubzeugs. Mit 100 Abb. 1879. 8. (275 S.)
(Vergriffen.) 7 M.

Bose, H. L., Oberforstdirektor in Darmstadt. Das forstliche Weiserprozent.
1889. 8. (64 S.) 2 M.

(Sonderabdruck aus: Forstliche Blätter. 1889.)

Bosse, Dir. Prof. L. (Dahme in der Mark), und Prof. H. **Müller** (Friedrichs-
hagen). Geometrie der Ebene für Landwirtschaftsschulen. Zweite
Auflage. Mit 200 Abb. 1902. 8. (118 S.) · (Landw. Unterrichtsbücher.)
Geb. 1 M. 20 Pf.

— — Algebra für Landwirtschaftsschulen. 1900. 8. (148 S.) (Landw. Unterrichtsbücher.) 1 M. 80 Pf.

— — Stereometrie für Landwirtschaftsschulen. Mit 30 Abb. 1897. 8.
(40 S.) (Landw. Unterrichtsbücher.) 50 Pf.

Böttcher, D. F., Stallmeister. Reiten und Dressieren. Herausgegeben von
A. von Reuß. Mit 5 Abb. 1878. 8. (128 S.) (Thaer-Bibliothek.)
(Vergriffen, siehe „Schönbeck".) Geb. 2 M. 50 Pf.

Bouché, Fr., Gärtn. Plankammer, siehe „Plankammer".

Boyle, F. Über Orchideen. Deutsche Original-Ausgabe von Dr. F. Kränzlin,
Prof. in Berlin. Mit 8 Farbendrucktafeln. 1896. 8. (198 S.) Geb. 8 M.

Boysen, Mast- und Schlachtversuche, s. „Arbeiten der D. L.-G." Heft 39.

Brandt, Karl. Das Gehörn und die Entstehung monströser Formen.
Handbuch für Jäger und Naturforscher. Mit 118 Abb. 1901. 8. (212 S.)
Geb. 7 M. 50 Pf.

Brehm, H., Angelfischerei, siehe „Borne".

Bresgen, H., Landgerichts-Assessor in Trier. Der Handel mit verfälschten u. ver-
dorbenen Getränken u. Eßwaren. Zweite Auflage. 1876. 8. (211 S.) 3 M.

Bretfeld, Dr. Freiherr von, in Halle. Über Wertschätzung von Rübensaat.
1885. 8. (38 S.) 1 M. 50 Pf.

(Sonderabdruck aus: Landw. Jahrbücher. XIV. Bd. 1885.)

Breymann, C., w. Prof. in Mariabrunn. Sammlung geodätischer Aufgaben.
1869. 8. (126 S.) 2 M. 40 Pf.

— — Anleitung zur Holzmeßkunst, Waldertragsbestimmung und Wald-
ertragsberechnung. Mit 3 Abb. 1868. 8. (310 S.) 6 M.

— — Tafeln der fünfstelligen Logarithmen. 1866. 8. (200 S.) 3 M. 60 Pf.

— — Grundzüge der sphärischen Trigonometrie, analytischen Geometrie
und höheren Analysis. Mit 81 Abb. 1865. 8. (488 S.) 9 M.

— — Tafeln für Forstingenieure und Taxatoren. Mit 2 Taf. 1859.
8. (349 S.) 6 M.

— — Anleitung zur Waldwertberechnung. 1855. 8. (192 S.) 3 M.

— — Lehrbuch der niederen Geodäsie. 1854. 8. (446 S.) 7 M.

Bródermann, Schaf- und Schweine-Hochzuchten in England, siehe „Berichte über
Land- und Forstwirtschaft". Heft 5.

Bröse, M. Die Kanarienvogelzucht. Mit Abb. und 2 Farbendrucktafeln. 1893.
8. (108 S.) 1 M. 50 Pf.

Buchenberger, Dr. A., Präsident des Großh. Bad. Finanzministeriums. Grundzüge der deutschen Agrarpolitik. Zweite Auflage. 1899. 8. (299 S.)
Geb. 6 M.

Budde, Physik, siehe „Kießling".

Buer, Dr. H., Generalsekretär in Münster i. W. Die dänischen Kontrollvereine u. Zuchtzentren als Mittel zur Förderung u. Hebung der Viehzucht. Mit 6 Rindertafeln. 1902. 8. (64 S.) 2 M. 50 Pf. 10 Expl. 20 M.

Bülow, C. Freiherr von, Reichsgerichtsrat in Leipzig, und C. **Fastenau,** Generalkommissions-Präsident in Hannover. Gesetz, betreffend die Bildung von Wassergenossenschaften, vom 1. April 1879. Zweite Auflage. 1886. 8. (104 S.)
Kart. 2 M.

Bungartz, J. Illustr. Katzenbuch. Rassenbeschreibung, Zucht, Pflege, Fütterung und Krankheiten der Katzen. Mit 21 Abb. 1896. 8. (118 S.) Geb. 3 M.

—— Der Luxushund. Anleitung zur Kenntnis, Aufzucht und Abrichtung aller nicht zur Jagd benutzten Hunde. Mit 45 Rassebildern. 1888. 8. (176 S.)
Geb. 4 M.

Burchard, Dr. O., Vorstand der agrikulturbot. Versuchsstation zu Hamburg. Die Unkrautsamen der Klee- und Grassaaten mit besonderer Berücksichtigung ihrer Herkunft. Mit 5 Lichtdrucktafeln. 1900. 8. (100 S.) Geb. 6 M.

Burckhardt, C. H. Der unlautere Wettbewerb im Butterhandel. 1895. 8. (51 S.)
1 M.
20 Expl. 15 M. 50 Expl. 35 M. 100 Expl. 60 M. 500 Expl. 250 M.

Burgtorf, F., Direktor der Landwirtschaftsschule in Herford. Wiesen- und Weidenbau. Vierte Auflage. Mit 54 Abb. 1895. 8. (163 S.) (Thaer-Bibliothek.)
Geb. 2 M. 50 Pf.

Buerstenbinder, Dr. R., Ökonomierat in Braunschweig. Feldmäßiger Spargelbau. 1890. 8. (36 S.)
50 Pf.
25 Expl. 10 M. 50 Expl. 18 M. 100 Expl. 30 M.
(Preisschriften und Sonderabdrücke der „Deutschen Landw. Presse". Nr. 1.)

—— Urbarmachung und Verbesserung des Bodens. 1886. 8. (160 S.) (Thaer-Bibliothek.) (Vergriffen.)
Geb. 2 M. 50 Pf.

Centralblatt, Forstwissenschaftliches. Herausgegeben von Dr. H. Fürst, Oberforstrat und Direktor der forstl. Hochschule Aschaffenburg. 8.

XXVI. Jahrgang.	1904.	12 Hefte.	14 M.
I.—V. „	1879—1883.		à 12 M.
VI.—XXV. „	1884—1903.		à 14 M.
Einzelne Hefte			1 M. 50 Pf.

Centralblatt, Landwirtschaftliches, für Deutschland. Begründet von A. Wilda, fortgesetzt von A. Kroder. 8.

I.—XIX. Jahrgang.	1853—1871.		à 15 M.
XX.—XXI. „	1872—1873.		à 17 M.
XXII.—XXIV. „	1874—1876, redigiert von A. Müller.		à 20 M.
Die vollständige Reihe (Jahrgang 1853—1876).			250 M.
Einzelne Hefte			2 M.

Verlag von Paul Parey in Berlin SW., Hedemannstraße 10.

Clausen, Dr. H., Direktor der landw. Schule in Heide. Landmanns Buch-führung. Zweite Auflage. 1904. 8. (104 S.) (Landw. Unterrichts-bücher.) Geb. 1 M. 20 Pf.

— — Futter-Ersatzzahlen. Nachschlagebuch für den prakt. Landwirt bei der Auswahl der Futtermittel. Zweite Auflage. 1903. 8. (70 S.) Kart. 1 M.

— — Inventarien-Verzeichnis für den Landwirt. 1893. Folio. (30 S.) Kart. 1 M. 50 Pf.

Conradi, A., Direktor der landw. Lehranstalt zu Hohenwestedt. Düngerlehre. Zweite Auflage. 1903. 8. (47 S.) (Landw. Unterrichtsbücher.) 60 Pf.

— — Tierzuchtlehre. Mit 95 Abb. 1901. 8. (61 S.) (Landw. Unterrichts-bücher.) Geb. 1 M.

— — Betriebslehre. Dritte Auflage. 1900. 8. (82 S.) (Landw. Unter-richtsbücher.) Geb. 1 M.

— — Fütterungslehre. Zweite Auflage. 1897. 8. (110 S.) (Landw. Unterrichtsbücher.) Geb. 1 M. 20 Pf.

Cornell, R. Der Dachshund. Mit Abb. 1885. 8. (102 S.) (Vergriffen.) Geb. 3 M.

— — Die deutschen Vorstehhunde. Mit 12 Rassebildern. 1884. 8. (192 S.) (Vergriffen.) Geb. 5 M.

Cronau, C., Ober-Reg.-Rat a. D. Der Jagdfasan, seine Anverwandten und Kreuzungen. Mit Abb. und 6 Taf. 4. (103 S.) Kart. 8 M.

Cube, Dr. M. von. Die geschichtliche Entwickelung der fürstlich Stol-bergischen Forsten zu Wernigerode. Mit 1 Karte. 1893. 8. (220 S.) 6 M.

Czóh, A., Kgl. Domänenrat in Wiesbaden, und S. von **Molnár,** Kgl. Rat in Budapest. Anleitung zum Weinbau in Reblausgebieten. Mit 62 Abb. 1895. 8. (166 S.) Geb. 4 M.

Czynk, E. Das Sumpf- und Wasserflugwild und seine Jagd. Mit Abb. 1898. 8. (116 S.) (Weidmannsbücher.) Kart. 2 M.

— — Die Waldschnepfe und ihre Jagd. Mit 5 Abb. 1896. 8. (85 S.) (Weidmannsbücher.) Kart. 1 M. 50 Pf.

Dade, H., Schutz der Pferdezucht, siehe „Materialien für Handelspolitik".

Dafert, Dr. Fr. W. Erfahrungen über rationellen Kaffeebau. Zweite Auflage. Mit 24 Abb. und 2 Taf. 1899. 8. (60 S.) 3 M.

Dallmer, E., Oberfischmeister, Handbuch der Fischzucht und Fischerei, siehe „Borne".

Damm, R. Mitteilungen über die erste deutsche Molkerei-Ausstellung in Berlin. 1879. 8. (44 S.) 1 M.

Dammann, Dr. C., Geh. Reg.-Rat und Medizinalrat, Prof. in Hannover. Die Gesundheitspflege der landw. Haussäugetiere. Dritte Auflage. Mit 74 Abb. und 20 Taf. 1902. 8. (873 S.) Geb. 15 M.

— — Die Ausbildung und Prüfung der Hufschmiede und die Notwendig-keit gut eingerichteter Lehrschmieden. 1898. 8. (32 S.) 60 Pf.

— — Die Notwendigkeit und die Grundzüge eines einheitlichen Viehseuchen-gesetzes für das Deutsche Reich. 1875. 8. (134 S.) 2 M.

Dammann, H., in Berlin. Veterinär-Gebühren. 1896. 8. (78 S.) 1 M.

Dasselfliege, Die, Ochsen- oder Rinderbiesfliege. Plakat. 20 Pf.
12 Expl. 1 M. 100 Expl. 5 M. 1000 Expl. 30 M.

Decken, G. von der, in Ringelheim. Der Blumengarten und seine Unterhaltung. Zweite Auflage. Mit 30 Abb. 1873. 4. (30 S.) 1 M. 50 Pf.

Degener, Jam- und Marmelade-Industrie, siehe „Arbeiten der D. L.-G." Heft 44.

Deßlinger, Dr. G., Gutsbesitzer auf Weilerhof. Biehlose Gründüngerwirtschaft auf schwerem Boden. Dritte Auflage. 1902. 8. (38 S.) 1 M.

Deinert, B. Die Kunst des Schießens mit der Schrotflinte. Mit 35 Abb. 1900. 8. (92 S.) (Weidmannsbücher.) Geb. 3 M.

Deißmann, F., H. Jung, E. Kolb, W. Scheid, K. Wobig. Lehr- und Lesebuch für ländliche Fortbildungsschulen. Dritte Auflage. 1903. 8. (316 S.) (Landw. Unterrichtsbücher.) Geb. 2 M.

— — Die evangelische Kirche, ihre Verfassung, Leistungen und Forderungen. 1903. 8. (13 S.) (Beilage zu vorigem.) 10 Pf.

Delbrück, Prof. Dr. M., Geh. Reg.-Rat. Die Lage des Brennerei-Gewerbes. Vortrag, gehalten am 28. Februar 1901. Erstes bis achtes Tausend. 1901. 8. (15 S.) 25 Pf.

— — Die Königl. Landw. Hochschule der Zukunft. Festrede, gehalten am 26. Januar 1900. 8. (34 S.) 1 M.

— — Gärungsgewerbe und Stärkefabrikation in ihrer Beziehung zur Landwirtschaft. Festrede, gehalten am 26. Jan. 1897. 8. (16 S.) 50 Pf. (Sonderabdruck aus: Deutsche Landw. Presse. 1897.)

— — Handbuch der Spiritusfabrikation, siehe „Maercker".

— — Wochenschrift für Brauerei, siehe dort.

— — Zeitschrift für Spiritusfabrikation, siehe dort.

— — und Dr. F. Schönfeld. System der natürlichen Hefereinzucht. Gesammelte Vorträge und Arbeiten. 1903. 8. (148 S.) Geb. 5 M.

— — und Prof. Dr. E. Struve. Beiträge zur Geschichte des Bieres und der Brauerei. Gesammelte Vorträge. 1903. 8. (80 S.) 1 M.

Dettweiler, die deutsche Ziege, siehe „Arbeiten der D. L.-G." Heft 69.

Deusel, E., Landmesser und Kulturtechniker. Die Veranschlagung und Verdingung von Bauarbeiten in Zusammenlegungssachen. Mit 7 Abb. 1900. 8. (187 S.) Geb. 7 M.

Dewitz, Dr. J. Die Eingeweidewürmer der Haussäugetiere. Mit 141 Abb. 1892. 8. (180 S.) (Thaer-Bibliothek.) Geb. 2 M. 50 Pf.

Dieck, Dr. G. Die Ölrosen. 1889. 8. (19 S.) (Vergriffen.) 50 Pf. (Sonderabdruck aus: Gartenflora. 1889.)

Diesenbach, L., Direktor der landw. Winterschule in Weißenburg. Die Rebenkrankheiten. Mit 4 Taf. und 37 Abb. 1895. 8. (112 S.) 3 M.

Dienstvorschriften für die in der Provinz Hannover beschäftigten Spezialkommissare und Vermessungsbeamten. 8.
    Erster bis dritter Teil. 1891. (452, 184 und 266 S.) 25 M.
    Vierter Teil. 1896. (110 S.) 3 M. 50 Pf.
    Fünfter Teil. Mit 18 Taf. 1900. (104 S.) 8 M.

Dieterichs, E., in Hannover. Einfache landw. Buchführung. Vierte Auflage. 1894. Folio. (183 S.) In Halbleinen geb. 5 M. 50 Pf.

— — Der Landwirt als Rechnungsführer. 1889. 8. (602 S.) Geb. 12 M.

Dietrich, Th., Jahresbericht für Agrikulturchemie, siehe dort.

Verlag von Paul Parey in Berlin SW., Hedemannstraße 10.

Dietzell-Augsburg, **Pfeiffer**-Jena, **Wagner**-Darmstadt. Forschungen über die zweckmäßige Behandlung des Stallmistes. Mit 2 Taf. und 1 Abb. 1897. 8. (200 S.) 6 M.

(Sonderabdruck aus: Landw. Versuchs-Stationen. Bd. XLVIII.)

Dietzels Niederjagd. Neunte Auflage. Herausgegeben von G. Freiherrn von Nordenflycht, Kgl. Forstmeister in Löbderitz. Prachtausgabe. Mit 16 farbigen Jagdhundbildern, 24 Vollbildern in Kunstdruck und 253 Abb. 1903. 8. (823 S.) In Sportband geb. 20 M.

18 Lieferungen à 1 M.

Einbanddecke 1 M. 50 Pf.

Dippel, Dr. L., Prof. in Darmstadt. Handbuch der Laubholzkunde. 8.

Erster Teil. Mit 280 Abb. 1889. (450 S.) 15 M.

Zweiter Teil. Mit 272 Abb. 1892. (591 S.) 20 M.

Dritter Teil. (Schluß.) Mit 277 Abb. 1893. (752 S.) 25 M.

Döbner, Dr. E. Ph., Prof. in Aschaffenburg. Handbuch der Zoologie. Zwei Teile. 1862. 8. (1102 S.) 16 M. 50 Pf.

Döbners Botanik für Forstmänner. Vierte Auflage, neubearbeitet von Dr. F. Nobbe, Prof. in Tharand. Mit 430 Abb. 1882. 8. (704 S.) (Vergriffen.) In Halbleder geb. 17 M.

Dombrowski, R. von. Jagd-ABC für alle, die Jäger werden wollen. Mit 36 Abb. 1896. 8. (113 S.) Kart. 2 M.

— — Der Jäger als Sammler und Präparator. Mit Abb. 1896. 8. (76 S.) (Weidmannsbücher.) Kart. 1 M. 50 Pf.

Dorn, Hedwig. Zur Stütze der Hausfrau. Lehrbuch für Landwirtinnen. Vierte Auflage. Mit 240 Abb. 1901. 8. (490 S.) Geb. 6 M.

Doryphora, le, ou l'insecte de la pomme de terre. („Achtet auf den Kartoffelkäfer", französische Ausgabe.) 50 Pf.

Partiepreise: 100 Expl. 30 M. 1000 Expl. 200 M.

Dotzel, K., Kgl. Forstmeister in Aschaffenburg. Handbuch des forstlichen Wege- und Eisenbahnbaues. Nach dem Nachlasse des Forstmeisters M. Lizius bearbeitet. Mit 245 Abb. 1898. 8. (290 S.) Geb. 7 M. 50 Pf.

Drathen, C. von, in Halle a. S. Die europäischen Pferdeschläge auf der Pariser Weltausstellung 1900. Mit 20 Taf. 1901. 8. (54 S.) 4 M.

— — Das schwere Arbeitspferd in England und Schottland. Mit 5 Taf. 1898. 8. (65 S.) 1 M. 50 Pf.

Drechsler, G., Prof. in Göttingen. Die Verteilung des Grundbesitzes und der Viehhaltung im Bezirke des landw. Kreisvereins Göttingen. 1886. 8. (59 S.) 1 M. 50 Pf.

(Sonderabdruck aus: Landw. Jahrbücher. XV. Bd. 1886.)

— — Das landw. Studium an der Universität in Göttingen. Mit 7 Taf. 1885. 8. (32 S.) 1 M.

— — Das Wirtschaftssystem in Lupitz. 1883. 8. (43 S.) (Vergriffen.) 1 M.

(Sonderabdruck aus: Journal für Landwirtschaft. XXXI. Bd. 1883.)

Dreitzel, A., Stadtverordneter. Der Kartoffelbau durch Arme Berlins, seine Entstehung und sein Zweck. 1880. 8. (32 S.) 50 Pf.

Droysen, Dr., Direktor der Landwirtschaftsschule in Herford, und Dr. **Giſevius**, Prof. in Gießen. Ackerbau, einschließlich Gerätelehre. Sechste Auflage. Mit 175 Abb. 1904. 8. (234 S.) (Landw. Unterrichtsbücher.) Geb. 1 M. 60 Pf.

Dubislav, E., Kgl. Melior.-Bauinspektor in Frankfurt a. O. Wildbachverbauungen und Regulierung von Gebirgsflüſſen. Mit 29 Plänen, 22 Lichtdrucktafeln und 139 Abb. 1902. Fol. (65 S.) Geb. 40 M.

Dünkelberg, Dr., Geh. Reg.-Rat in Poppelsdorf. Über Individualpotenz und Vererbung. 1881. 8. (47 S.) (Vergriffen.) 1 M.

> (Sonderabdruck aus: Landw. Jahrbücher. X. Bd. 1881.)

— — Über den Wert der präzipitierten Phosphate. Mit 1 lithographierten Taf. 1880. 8. (78 S.) (Vergriffen.) 2 M.

> (Sonderabdruck aus: Landw. Jahrbücher. IX. Bd. 1880.)

— — Über den Wert der Phosphorsäure in den Superphosphaten. 1879. 8. (42 S.) (Vergriffen.) 1 M. 50 Pf.

> (Sonderabdruck aus: Landw. Jahrbücher. VIII. Bd. 1879.)

Dürigen, B., in Berlin. Die Geflügelzucht nach ihrem jetzigen rationellen Standpunkt. Zweite Auflage. Mit 20 Farbendrucktafeln, 60 ganzseitigen Raſſebildern und 200 Textabb. 1904. 8. 20 Lieferungen à 1 M.

Dürr, G., Stallmeiſter. Die Dreſſur des Reitpferdes auf naturgemäßer Grundlage. Mit 5 Abb. 1891. 8. (87 S.) Geb. 3 M.

Durſt, O., Fabrikdirektor. Handbuch der Preßhefefabrikation. Zweite Auflage. Mit 190 Abb. und 8 Lichtdrucktafeln. 1896. 8. (484 S.) Geb. 16 M.

Eber, Dr. A., Bezirkstierarzt in Dresden. Tuberkulinprobe und Tuberkuloſebekämpfung beim Rinde. 1898. 8. (84 S.) 1 M. 75 Pf.

— — Beiträge zur vergleichenden Morphologie des Unpaarzeher- und Paarzeher-Fußes. Mit 10 Lichtdrucktafeln. 1895. 8. (43 S.) 8 M.

Ebermayer, Dr. E., Prof. in Aschaffenburg. Die physikaliſchen Einwirkungen des Waldes auf Luft und Boden. Erster Band. Mit Abb., Tabellen und einem Atlas in Folio. 1873. 8. (519 S.) 12 M.

Echtermeyer, Th., Inspektor der Kgl. Gärtner-Lehranstalt in Wildpark. Die Kgl. Gärtner-Lehranstalt am Wildpark bei Potsdam 1824—1899. Mit 50 Gartenansichten aus Potsdam. 1899. 8. (215 S.) Geb. 8 M.

Eckert, H., Provinzial-Vereinssekretär. Festschrift zur 50jährigen Stiftungsfeier des Provinzial-Vereins zu Ülzen am 9. Juni 1880. Mit 4 lithographierten Tafeln. 1880. 8. (250 S.) 3 M.

Eckstein, Dr. K., Prof. in Eberswalde. Forstliche Zoologie. Mit 660 Abb. 1897. 8. (664 S.) Geb. 20 M.

— — Die Beschädigungen unserer Waldbäume durch Tiere. Die Kiefer. Erster Band: Die Nadeln. Mit 22 farbigen Lichtdrucktafeln. 1893. Folio. (52 S.) Kart. 36 M.

Edler, Anbauversuche, siehe „Arbeiten der D. L.-G.“ Heft 53, 63, 84.

Egan, E. von. Das ungarische Pferd, seine Zucht und Leistung. Mit 12 Taf. 1893. 4. (74 S.) (Vergriffen.) Kart. 5 M.

Eggers, W., Hofbesitzer auf Dänischburg. Praktiſche Fruchtfolgen mit ausgedehntem Zwischenfruchtbau im norddeutſchen Klima. 1895. 8. (49 S.) 1 M.

Eggert, Dr. O., Landmesser zu Berlin. Hilfstafel zur Berechnung der Richtungskoeffizienten für Koordinatenausgleichungen. Entworfen von Fr. Kreisel, Landmesser zu Berlin. 1903. 8. 1 M.

Ehrlich, H., Beamter der Landwirtschaftskammer für die Prov. Sachsen zu Halle a. S. Die Schlachtvieh- und Fleischbeschau nach dem Reichsgesetze vom 3. Juni 1900 und dem Preuß. Ausführungsgesetze vom 28. Juni 1902. 1902. 8. (60 S.) 80 Pf.

Eichbaum, Dr. F., Prof. in Gießen. Grundriß der Geschichte der Tierheilkunde. 1885. 8. (328 S.) 8 M.

Eichholz, Th., Kgl. Landmesser zu Lippstadt. Bodenreform und neue Grundsteuer-Veranlagung. 1902. 8. (62 S.) 1 M. 20 Pf.

— — Die Bodeneinschätzung unter besonderer Berücksichtigung der bei Preuß. General-Kommissionen hierüber erlassenen Bestimmungen. Mit 11 Abb. und 3 Taf. 1900. 8. (166 S.) Geb. 7 M. 50 Pf.

Eichler, G., Garteninspektor in Wernigerode. Handbuch des gärtnerischen Planzeichnens. Zweite Auflage. Mit 125 Abb. und 18 Farbendrucktafeln. 1891. 4. (126 S.) In Leinenmappe 10 M.

Eilers, Th., Geh. Finanzrat. Geschichte der Steuer-Reform im Reiche und in Preußen. 1881. 8. (86 S.) 2 M. 50 Pf.

Eisbein, Dr. C. J., in Neuwied. Staatliche und Vereinsmaßregeln zur Förderung der Rindviehzucht. 1890. 8. (95 S.) Kart. 1 M.

— — Maisbau, siehe „Lengerke".

— — Rassen, Züchtung und Ernährung des Rindes, siehe „Rindviehzucht", II. Bd.

Ellenberger, Dr. W., Geh. Med.-Rat, Prof. in Dresden. Handbuch der vergleichenden Histologie und Physiologie der Haussäugetiere. 8.
    I. Band. Histologie. Mit 452 Abb. 1887. (765 S.) 25 M.
    II. Band. Physiologie. Zwei Teile. Mit 366 Abb. 1892. (1872 S.) à 25 M.

— — und Dr. H. **Baum,** Prosektor an der tierärztl. Hochschule in Dresden. Topographische Anatomie des Pferdes. 8.
    I. Teil. Die Gliedmaßen. Mit 82 Abb. 1893. (280 S.) 15 M. Geb. 16 M.
    II. Teil. Kopf und Hals. Mit 67 Abb. 1894. (360 S.) 18 M. Geb. 19 M.
    III. Teil. (Schluß). Der Rumpf. Mit 58 Abb. und 8 Lichtdrucktafeln. 1897. (334 S.) 18 M. Geb. 19 M.

— — — — Systematische und topographische Anatomie des Hundes. Mit 208 Abb. und 37 Taf. 1891. 8. (646 S.) Geb. 32 M.

— — und Dr. G. **Günther,** Dozent an der tierärztl. Hochschule in Wien. Grundriß der vergleichenden Histologie der Haussäugetiere. Zweite Auflage. Mit 414 Abb. 1901. 8. (345 S.) Geb. 10 M.

Emmerling und **Weber,** Dauerweiden, siehe „Arbeiten der D. L.-G." Heft 61.

Encke, F., Kgl. Garteninspektor zu Wildpark. Anleitung zum gärtnerischen Planzeichnen. 16 Taf. nebst Text. 1898. Querfol. (38 S.) Kart. 8 M.

Engel, F., weil. Kgl. Baurat in Berlin. Der Viehstall. Dritte Auflage, neubearbeitet von G. Meyer, Reg.-Baumeister in Kattowitz. Mit 167 Abb. 1900. 8. (181 S.) (Thaer-Bibliothek.) Geb. 2 M. 50 Pf.

(Siehe auch Seite 30.)

Engel, F. (Siehe auch Seite 29.)
— — Kalk-Sand-Pisébau- und Kalk-Sand-Ziegelfabrikation. Vierte Auflage, neubearbeitet von H. Hotop in Berlin. Mit 51 Abb. 1891. 8. (96 S.) (Thaer-Bibliothek.)   Geb. 2 M. 50 Pf.
— — Der Pferdestall. Zweite Auflage. Mit 175 Abb. 1891. 8. (178 S.) (Thaer-Bibliothek.)   Geb. 2 M. 50 Pf.

Engel's Bauausführung. Handbuch für Baugewerkschulen, Bautechniker, Bauhandwerker und Bauherren. Zweite Auflage, neubearbeitet von C. Bauer, Ingenieur in Würzburg. Mit 1017 Abb. 1899. 8. (564 S.) Geb. 12 M.
— — Handbuch des landw. Bauwesens. Achte Auflage, neubearbeitet von A. Schubert, landw. Baumeister in Höxter. Mit 1225 Abb. 1895. 4. (662 S.)   Geb. 20 M.

Engelbrecht, Th. H., Mitglied des Abgeordnetenhauses. Die geographische Verteilung der Getreidepreise. 8.
      I. Teil. Getreidepreise der Vereinigten Staaten von 1862—1900. Mit 8 Taf. 1903. (108 S.)   4 M.

Entwickelung und Tätigkeit der land- und forstwirtschaftlichen Versuchs-Stationen in den ersten 25 Jahren ihres Bestehens. 1877. 8. (449 S.) 12 M. (Sonderausgabe der „Landw. Versuchs-Stationen". XXII. Bd.)

Entwurf eines Preuß. Wassergesetzes samt Begründung. Amtliche Ausgabe. 1894. 8. (231 S.)   3 M.

Erfahrungen auf dem Gebiete des Düngerwesens, s. „Arbeiten d. D. L.-G." Heft 17.
— — auf dem Gebiete der Tierzucht, siehe „Arbeiten der D. L.-G." Heft 28.
— — auf dem Gebiete des Ackerbaus, siehe „Arbeiten der D. L.-G." Heft 36.

Ergebnisse, Die, der Grund- und Gebäudesteuer-Veranlagung für den Preuß. Staat. Herausgegeben vom Kgl. Preuß. Finanz-Ministerium. 1866 bis 1870. 4.
      Das Werk umfaßt den Preuß. Staat in seinem Umfange vor 1866 und enthält: Amtliche Auskunft über Flächeninhalt, Bonität, Reinertrag, Grundsteuer, Viehstand ꝛc. jedes einzelnen Guts- und Gemeindebezirks.
      I. Regierungsbezirk Königsberg (19 Kreishefte komplett in einem Bande)   10 M. 50 Pf.
        Kreis: Allenstein, Braunsberg, Pr.-Eylau, Fischhausen, Friedland, Gerdauen, Heiligenbeil, Heilsberg, Pr.-Holland, Königsberg (Stadt- und Landkreis), Labiau, Memel, Mohrungen, Neidenburg, Ortelsburg, Osterode, Rastenburg, Rössel, Wehlau. à Heft 75 Pf.
      II. Regierungsbezirk Gumbinnen (16 Kreishefte komplett in einem Bande)   10 M. 50 Pf.
        Kreis: Angerburg, Darkehmen, Goldap, Gumbinnen, Heydekrug, Insterburg, Johannisburg, Lötzen, Lyck, Niederung, Oletzko, Pillkallen, Ragnit, Sensburg, Stallupönen, Tilsit.   à Heft 75 Pf.
      III. Regierungsbezirk Danzig (8 Kreishefte komplett in einem Bande) 5 M.
        Kreis: Berent, Danzig (Landkreis), Danzig (Stadtkreis), Elbing, Karthaus, Marienburg, Neustadt, Pr.-Stargardt.   à Heft 75 Pf.
      IV. Regierungsbezirk Marienwerder (13 Kreishefte komplett in einem Bande)   7 M. 50 Pf.
        Kreis: Deutsch-Krone (vergriffen), Flatow, Graudenz, Konitz, Kulm, Löbau, Marienwerder, Rosenberg, Schlochau, Schwetz, Strasburg, Stuhm, Thorn. à Heft 75 M.

(Siehe auch Seite 31.)

Verlag von Paul Parey in Berlin SW., Hedemannstraße 10.

Ergebniſſe. (Siehe auch Seite 30.)

V. Regierungsbezirk **Poſen** (17 Kreishefte komplett in einem Bande) 9 M.
Kreis: Adelnau, Birnbaum, Bomſt, Buk, Frauſtadt, Koſten, Kröben, Krotoſchin, Meſeritz, Obornik, Pleſchen, Poſen, Samter, Schildberg, Schrimm, Schroda, Wreſchen.
à Heft 75 Pf.

VI. Regierungsbezirk **Bromberg** (9 Kreishefte komplett in einem Bande)
6 M. 50 Pf.
Kreis: Bromberg, Chobzieſen (Kolmar), Czarnikau, Gneſen, Inowrazlaw, Mogilno, Schubin, Wirſitz, Wrongowiec. à Heft 75 Pf.

VII. Regierungsbezirk **Stettin** (12 Kreishefte komplett in einem Bande) 6 M.
Kreis: Anklam, Demmin, Greifenberg, Greifenhagen, Kammin, Naugard, Pyritz, Randow mit Stettin, Regenwalde, Saatzig, Uckermünde, Uſedom-Wollin. à Heft 75 Pf.

VIII. Regierungsbezirk **Köslin** (10 Kreishefte komplett in einem Bande)
5 M. 50 Pf.
Kreis: Belgard, Bütow, Dramburg, Fürſtentum (Köslin, Kolberg-Körlin), Lauen-burg, Neuſtettin, Rummelsburg, Schivelbein, Schlawe, Stolp. à Heft 75 Pf.

IX. Regierungsbezirk **Stralſund** (4 Kreishefte komplett in einem Bande)
(Vergriffen) 3 M.
Kreis: Franzburg, Greifswald (vergr.), Grimmen (vergr.), Rügen (vergr.) à Heft 75 Pf.

X. Regierungsbezirk **Breslau** (23 Kreishefte komplett in einem Bande)
10 M. 50 Pf.
Kreis: Breslau (Stadt- und Landkreis), Brieg, Frankenſtein, Glatz, Guhrau, Habelſchwerdt, Militſch-Trachenberg, Münſterberg, Ramslau, Neumarkt, Neurode, Nimptſch, Oels, Ohlau, Reichenbach, Schweidnitz, Steinau, Strehlen, Striegau, Trebnitz, Waldenburg, Wartenberg, Wohlau. à Heft 75 Pf.

XI. Regierungsbezirk **Liegnitz** (19 Kreishefte komplett in einem Bande) 9 M.
Kreis: Bolkenhain, Bunzlau, Freiſtadt, Glogau, Görlitz, Goldberg-Hainau, Grün-berg, Hirſchberg, Hoyerswerda, Jauer, Landeshut, Lauban, Liegnitz, Löwenberg, Lüben, Rothenburg, Sagan, Schönau, Sprottau. à Heft 75 Pf.

XII. Regierungsbezirk **Oppeln** (16 Kreishefte komplett in einem Bande)
8 M. 50 Pf.
Kreis: Beuthen, Falkenberg, Grottkau, Koſel, Kreuzburg, Leobſchütz, Lublinitz, Neiße, Neuſtadt, Oppeln, Pleß, Ratibor, Roſenberg, Rybnik, Gr.-Strehlitz, Thoſt-Gleiwitz. à Heft 75 Pf.

XIII. Regierungsbezirk **Potsdam** (14 Kreishefte komplett in einem Bande) 8 M.
Kreis: Angermünde (vergr.), Beeskow-Storkow (vergr.), Jüterbogk-Luckenwalde (vergr.), Niederbarnim mit Berlin (vergr.), Oberbarnim, Oſthavelland, Oſtpriegnitz, Prenzlau (vergr.), Ruppin, Teltow, Templin (vergr.), Weſthavelland, Weſtpriegnitz, Zauch-Belzig mit Potsdam. à Heft 75 Pf.

XIV. Regierungsbezirk **Frankfurt** (16 Kreishefte komplett in einem Bande) 8 M.
Kreis: Arnswalde, Friedeberg, Guben, Kalau, Königsberg (N.-M.) (vergr.), Kottbus, Kroſſen, Landsberg, Lebus mit Frankfurt, Luckau, Lübben, Soldin (vergr.), Sorau (vergr.), Spremberg, Sternberg, Züllichau-Schwiebus. à Heft 75 Pf.

XV. Regierungsbezirk **Magdeburg** (15 Kreishefte komplett in einem Bande)
5 M. 50 Pf.
Kreis: Aſchersleben, Garbelegen, Halberſtadt Jerichow I, Jerichow II, Kalbe, Magdeburg, Neuhaldensleben, Oſchersleben, Oſterburg, Salzwedel, Stendal, Wanzleben, Wernigerode, Wolmirſtedt. à Heft 75 Pf.

XVI. Regierungsbezirk **Merſeburg** (16 Kreishefte komplett in einem Bande)
7 M. 50 Pf.
Kreis: Bitterfeld, Delitzſch, Eckartsberga, Liebenwerda, Mansfeld (Gebirgskreis), Mansfeld (Seekreis), Merſeburg, Naumburg, Querfurt, Saalkreis mit Halle, Sanger-hauſen, Schweinitz, Torgau, Weißenfels, Wittenberg, Zeitz. à Heft 75 Pf.

(Siehe auch Seite 32.)

Verlagsbuchhandlung für Landwirtſchaft, Gartenbau und Forſtweſen.

Ergebniſſe. (Siehe auch Seite 31.)

XVII. Regierungsbezirk **Erfurt** (9 Kreishefte komplett in einem Bande) 3 M.
  Kreis: Erfurt, Heiligenſtadt, Langenſalza, Mühlhauſen, Nordhauſen, Schleuſingen, Weißenſee, Worbis, Ziegenrück. à Heft 75 Pf.

XVIII. Regierungsbezirk **Münster** (10 Kreishefte komplett in einem Bande) 4 M.
  Kreis: Ahaus, Beckum, Borken, Koesfeld, Lüdinghauſen, Münſter (Stadt und Land), Recklinghauſen, Steinfurt, Tecklenburg, Warendorf. à Heft 75 Pf.

XIX. Regierungsbezirk **Minden** (10 Kreishefte komplett in einem Bande)
5 M. 50 Pf.
  Kreis: Bielefeld, Büren, Halle, Herford, Höxter, Lübbecke, Minden, Paderborn, Warburg, Wiedenbrück. à Heft 75 Pf.

XX. Regierungsbezirk **Arnsberg** (14 Kreishefte komplett in einem Bande)
7 M. 50 Pf.
  Kreis: Altena, Arnsberg, Bochum, Brilon, Dortmund, Hagen, Hamm, Iſerlohn, Lippſtadt, Meſchede, Olpe, Siegen, Soeſt, Wittgenſtein. à Heft 75 Pf.

XXI. Regierungsbezirk **Koblenz** (12 Kreishefte komplett in einem Bande)
7 M. 50 Pf.
  Kreis: Adenau, Ahrweiler, Altenkirchen, St. Goar, Koblenz, Kochem, Kreuznach, Mayen, Neuwied, Simmern, Wetzlar, Zell. à Heft 75 Pf.

XXII. Regierungsbezirk **Düſſeldorf** (15 Kreishefte komplett in einem Bande)
6 M.
  Kreis: Düſſeldorf, Duisburg, Eſſen, Geldern, Gladbach, Grevenbroich, Kempen, Kleve, Krefeld, Lennep, Mettmann mit Barmen und Elberfeld, Mörs, Neuß, Rees, Solingen. à Heft 75 Pf.

XXIII. Regierungsbezirk **Köln** (10 Kreishefte komplett in einem Bande)
4 M. 50 Pf.
  Kreis: Bergheim, Bonn, Euskirchen, Gummersbach, Köln (Stadt und Land), Mühlheim, Rheinbach, Sieg, Waldbroel, Wipperfürth. à Heft 75 Pf.

XXIV. Regierungsbezirk **Trier** (13 Kreishefte komplett in einem Bande) 8 M.
  Kreis: Bernkaſtel, Bitburg, Daun, Merzig, Ottweiler, Prüm, Saarbrücken, Saarburg, Saarlouis, Trier (Stadt), Trier (Land), St. Wendel, Wittlich. à Heft 75 Pf.

XXV. Regierungsbezirk **Aachen** (10 Kreishefte komplett in einem Bande) 5 M.
  Kreis: Aachen (Stadt und Land), Düren, Erkelenz, Eupen, Geilenkirchen, Heinsberg, Jülich, Malmedy, Montjoie, Schleiden. à Heft 75 Pf.

Ermittelungen über die allgemeine Lage der Landwirtſchaft in Preußen. 8.
  Erſter Teil. 1890. (648 S.) 15 M.
    (Landw. Jahrbücher. XVIII. Bd. 1889. Ergänzungsband III.)
  Zweiter Teil. 1891. (579 S.) 12 M.
    (Landw. Jahrbücher. XIX. Bd. 1890. Ergänzungsband IV.)

Errera, L., et E. **Laurent.** Planches de physiologie végétale. 15 in Farbendruck ausgeführte Taf. im Format von 70×85 cm nebſt einem Textband in 4°. 1897. (102 S.) 40 M.

Essiginduſtrie, Die deutſche. Wochenſchrift für das Gebiet der Alkohol-Essigfabrikation. Herausgegeben vom Inſtitut f. Gärungsgewerbe in Berlin. 4.
  VIII. Jahrgang. 1904. Wöchentlich eine Nummer. 15 M.
    Einzelne Nummer 30 Pf.
  I. Jahrgang. 1897. 30 M.
  II. „ 1898. 15 M.
  III.—VII. „ 1899/1903. à 15 M.

Verlag von Paul Parey in Berlin SW., Hedemannſtraße 10.

Eulefeld, A., Oberförster. Das Rehwild, dessen Naturgeschichte, Jagd und Pflege. Mit 49 Abb. 1896. 8. (209 S.) (Weidmannsbücher.)
Kart. 2 M. 50 Pf.

Exner, Dr. W. F., Hofrat, Prof. in Wien. Die mechanische Technologie des Holzes. I. Band. 1. Hälfte. Mit 2 Taf. 1871. 8. (123 S.) 2 M. 60 Pf.

Eyth, M., Geh. Hofrat in Berlin. Die Entwicklung des landw. Maschinenwesens. 1893. 8. (40 S.) (Vergriffen.) 1 M.
> (Sonderabdruck aus: Journal für Landwirtschaft. 1893.)

— — Das Wasser im alten und neuen Ägypten. Mit 2 Karten. 1891. 8. (37 S.) 1 M.

— — Wanderausstellungen, siehe „Arbeiten der D. L.-G." Heft 15.

Falke, Braunheubereitung, siehe „Arbeiten der D. L.-G." Heft 9.

Faßbender, Dr. M., Prof. in Bonn. F. W. Raiffeisen in seinem Leben, Denken und Wirken im Zusammenhange mit der Gesamtentwicklung des neuzeitlichen Genossenschaftswesens in Deutschland. Mit einem Bildnis. 1902. 8. (285 S.) 5 M. 10 Expl. 40 M.

Faltenau, Wassergenossenschaften, siehe „Bülow".

Fesca, Dr. M., Prof. in Tokio. Beiträge zur Kenntnis der Japanischen Landwirtschaft. 8.
> I. Allgemeiner Teil. Mit 2 Taf. und 3 Karten und einem Atlas in Folio von 23 Karten. 1890. (277 S.) (Vergriffen.) 15 M.
> II. Spezieller Teil. Mit 12 Taf. 1893. (929 S.) (Vergriffen.) 15 M.

— — Beiträge zur agronomischen Bodenuntersuchung und Kartierung. Mit 1 Kurventaf. und 1 agronomischen Karte. 1882. 8. (112 S.) 5 M.
> (Journal für Landwirtschaft. XXX. Bd. 1882. Ergänzungsheft.)

— — Die agronomische Bodenuntersuchung und Kartierung auf naturwissenschaftlicher Grundlage. Mit 1 Karte. 1879. 8. (160 S.) (Vergriffen.) 5 M.
> (Journal für Landwirtschaft. XXVII. Bd. 1879. Ergänzungsheft.)

Festschrift zum 50jährigen Jubiläum der landw. Versuchs-Station Möckern. Geschichtliches über die Versuchs-Station 1851 bis 1902. Mit 3 Taf. und 2 Abb. 1902. 8. (220 S.) 5 M.
> (Sonderabdruck aus: Landw. Versuchs-Stationen. Bd. XLVII.)

Festschrift zum siebzigsten Geburtstage von Julius Kühn. Mit Kühns Bildnis. 1895. 4. (329 S.) (Vergriffen.)

Fintelmann, A., Veredelungskunst, siehe „Teichert".

Fischer, R., Landwirt. Die Feldholzzucht. 1878. 8. (163 S.) (Thaer-Bibliothek.) (Vergriffen.) Geb. 2 M. 50 Pf.

Fischereigesetz, Das, für den Preuß. Staat vom 30. Mai 1874 nebst Ausführungsverordnungen. Textausgabe mit Anmerkungen. Mit 33 Fischabbildungen. 1888. 8. (189 S.) (Vergriffen.) 1 M.

Fitzinger, Dr. L. J. Die Arten und Rassen der Hühner. 1878. 8. (210 S.) 5 M.

Flaum, F. Zucht und Sport in den deutschen Reichslanden. 1895. 8. (95 S.) 2 M.

Fleischer, Dr. M., Prof. in Berlin. Die Besiedelung der nordwestdeutschen Hochmoore. Rede, gehalten am 26. Jan. 1894. 8. (24 S.)   50 Pf.

  (Sonderabdruck aus: Deutsche Landw. Presse. 1894.)

— — Entphosphorung des Eisens. 1885. 8. (39 S.)   1 M.

  (Sonderabdruck aus: Deutsche Landw. Presse. 1885.)

— — Die Tätigkeit der Zentral-Moor-Kommission. 1.—11. Sitzung. 1876—1879. 1882. 4. (166 S.)   10 M.

  (Berichte über die 12. und folgende Sitzungen, siehe „Protokolle der Zentral-Moor-Kommission".)

— — Mitteilungen der Moor-Versuchs-Station in Bremen, siehe „Mitteilungen".

Fleischmann, Dr. W., Prof. in Königsberg. Untersuchung der Milch von 16 Kühen des in Ostpreußen rein gezüchteten holländischen Schlages. Mit 1 Taf. 1891. 8. (368 S.)   10 M.

  (Landw. Jahrbücher. XX. Bd. 1891. Ergänzungsband II.)

Flemming, Dr. G., Tierarzt in Lübz. Heilungslehre der Haussäugetiere. 1879. 8. (124 S.) (Thaer-Bibliothek.) (Vergriffen.) Geb. 2 M. 50 Pf.

— — Physiologie und allgemeine Pathologie der Haussäugetiere. 1878. 8. (146 S.) (Thaer-Bibliothek.)   Geb. 2 M. 50 Pf.

Flugblätter der biologischen Abteilung für Land- und Forstwirtschaft am Kaiserlichen Gesundheitsamte. 8.

  Nr. 1. Die Fusicladium- oder sog. Schorfkrankheit des Kernobstes. Von Geh. Reg.-Rat Prof. Dr. Frank. Zweite Auflage, neubearbeitet von Geh. Reg.-Rat Dr. Aderhold. 1902. (4 S.)

  Nr. 2. Die Reinigung der Felder von den Pflanzenüberresten nach der Ernte. Von Geh. Reg.-Rat Prof. Dr. Frank. 1899. (3 S.)

  Nr. 3. Vernichtung des Birnenrostes. Von Dr. Carl Freiherr von Tubeuf, K. Reg.-Rat. 1900. (4 S.)

  Nr. 4. Der Kirschen-Hexenbesen. Von Dr. Carl Freiherr von Tubeuf, K. Reg.-Rat. 1900. (4 S.)

  Nr. 5. Der Weymouthskiefern-Blasenrost. Von Dr. Carl Freiherr von Tubeuf, K. Reg.-Rat. 1900. (4 S.)

  Nr. 6. Der Schwammspinner. Von Dr. A. Jacobi. 1900. (4 S.)

  Nr. 7. Die Bekämpfung der Kaninchenplage. Von Dr. O. Appel und Dr. Jacobi. 1901. (3 S.)

  Nr. 8. Die Schüttekrankheit der Kiefer. Von Dr. Carl Freiherr von Tubeuf, K. Reg.-Rat. Mit 1 Taf. 1901. (4 S.)

  Nr. 9. Die Fritfliege und ihre Bekämpfung. Von Prof. Dr. G. Mörig, K. Reg.-Rat. 1901. (4 S.)

  Nr. 10. Die Bekämpfung der Hamsterplage. Von Dr. A. Jacobi. 1901. (4 S.)

  Nr. 11. Die Rüben- und Hafer-Nematoden und ihre Bekämpfung. Von Dr. A. Jacobi, Prof. Dr. M. Hollrung und Geh. Ober-Reg.-Rat Dr. J. Kühn. 1901. (8 S.)

  Nr. 12. Der Spargelrost und die Spargelfliege. Von Dr. Friedrich Krüger. 1901. (4 S.)

  Nr. 13. Die Bekämpfung der Feldmäuse. Von Reg.-Rat Dr. Mörig und Dr. Appel. 1901. (4 S.)

  Nr. 14. Die Monilia-Krankheiten unserer Obstbäume. Von Reg.-Rat Dr. Aderhold. 1902. (4 S.)

(Siehe auch Seite 35.)

Verlag von Paul Parey in Berlin SW., Hedemannstraße 10.

Flugblätter. (Siehe auch Seite 34.)

Nr. 15. Über das Einmieten der Kartoffeln. Von Dr. Otto Appel. 1902. (4 S.)

Nr. 16. Die Mehlmotte. Von Dr. A. Jacobi. 1902. (4 S.)

Nr. 17. Der Krebs der Obstbäume. Von Dr. R. Aderhold, Geh. Reg.-Rat, und R. Goethe, Kgl. Landesökonomierat. 1903. (4 S.)

Nr. 18. Die Stockkrankheit des Getreides und Klees. Von Dr. A. Jacobi. 1903. (4 S.)

Nr. 19. Die Anlage von Niststätten und Futterplätzen für insektenfressende Vögel. Von Reg.-Rat Dr. Rörig. 1903. (4 S.)

Nr. 20. Die Bekämpfung der Frostspanner. Von Dr. A. Jacobi. 1903. (3 S.)

Nr. 21. Das Mutterkorn des Getreides und seine Verhütung. Von Dr. R. Aderhold, Geh. Reg.-Rat. 1903. (4 S.)

Nr. 22. Der Hallimasch, ein gefährlicher Feind unserer Bäume. Von Dr. W. Ruhland. 1903. (4 S.)

Bezugspreise: Nr. 2. Einzelpreis 5 Pf. 25 Expl. 80 Pf.

Nr. 3. Einzelpreis 10 Pf. 100 Expl. 8 M.

Nr. 11. Einzelpreis 10 Pf. 50 Expl. 3 M. 500 Expl. 25 M.

Alle übrigen: Einzelpreis 5 Pf. 100 Expl. 4 M. 500 Expl. 15 M.

Fontane, Th. Denkmal Albrecht Thaers zu Berlin. 1863. 4. (50 S.) 4 M.

Forst- und Jagd-Lexikon, Illustriertes. Zweite Auflage. Herausgegeben von Dr. H. Fürst, Kgl. Oberforstrat, Direktor der Kgl. forstl. Hochschule Aschaffenburg. Mit 860 Abb. 1904. 8. (916 S.) In Halbleder geb. 23 M.

20 Lieferungen à 1 M.

Einbanddecke 2 M.

Foerster, E., Rittergutsbesitzer. Die Anwendung des neuen Branntweinsteuer-Gesetzes. 1887. 8. (88 S.) Kart. 2 M. 50 Pf.

— — Die Reform der Branntweinsteuer. 1886. 8. (30 S.) 1 M.

Foerster, F. von. Die Korbweidenkultur. 1895. 8. (45 S.) 1 M.

20 Expl. 15 M. 50 Expl. 35 M. 100 Expl. 60 M. 200 Expl. 100 M.

Fortschritte, Neuere, im Wirtschaftsbetrieb, siehe „Arbeiten der D. L.-G." Heft 64.

Franck, Dr. L., weil. Prof. in München. Handbuch der tierärztlichen Geburtshilfe. Vierte Auflage. Herausgegeben von M. Albrecht, Prof., Direktor der Kgl. tierärztl. Hochschule, und Ph. Göring, Ober-Reg.-Rat in München. Mit 206 Abb. 1901. 8. (667 S.) Geb. 12 M.

— — Ein Beitrag zur Rassenkunde unserer Pferde. Vortrag, gehalten in München. 1875. 8. (25 S.) (Vergriffen.) 1 M.

(Sonderabdruck aus: Landw. Jahrbücher. IV. Bd. 1875.)

Franck, J. R. von. Der großmächtig Waidmann. Ein Lesebuch für hirschgerechte Jäger. Mit 9 Taf. 1898. 8. (72 S.) 2 M. 50 Pf.

— — Österr. Jagdbuch, siehe dort.

Frank, Dr. A. B., Geh. Reg.-Rat, Prof. in Berlin. Kampfbuch gegen die Schädlinge unserer Feldfrüchte. Mit 46 Abb. und 20 Farbendrucktafeln. 1897. 8. (308 S.) Geb. 16 M.

— — Die Entwickelung und Ziele des Pflanzenschutzes. Festrede, gehalten am 26. Januar 1896. 8. (16 S.) 50 Pf.

(Sonderabdruck aus: Deutsche Landw. Presse. 1896.)

(Siehe auch Seite 36.)

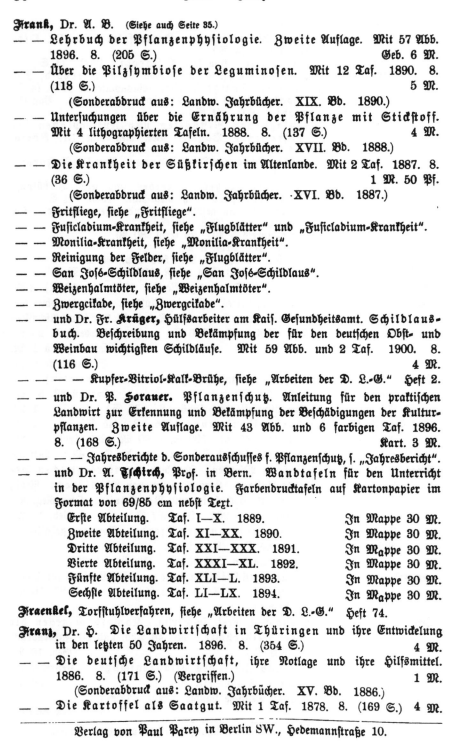

Frank, Dr. A. B. (Siehe auch Seite 35.)

— — Lehrbuch der Pflanzenphysiologie. Zweite Auflage. Mit 57 Abb.
1896. 8. (205 S.)   Geb. 6 M.

— — Über die Pilzsymbiose der Leguminosen. Mit 12 Taf. 1890. 8.
(118 S.)   5 M.
    (Sonderabdruck aus: Landw. Jahrbücher. XIX. Bd. 1890.)

— — Untersuchungen über die Ernährung der Pflanze mit Stickstoff.
Mit 4 lithographierten Tafeln. 1888. 8. (137 S.)   4 M.
    (Sonderabdruck aus: Landw. Jahrbücher. XVII. Bd. 1888.)

— — Die Krankheit der Süßkirschen im Altenlande. Mit 2 Taf. 1887. 8.
(36 S.)   1 M. 50 Pf.
    (Sonderabdruck aus: Landw. Jahrbücher. ·XVI. Bd. 1887.)

— — Fritfliege, siehe „Fritfliege".

— — Fusicladium-Krankheit, siehe „Flugblätter" und „Fusicladium-Krankheit".

— — Monilia-Krankheit, siehe „Monilia-Krankheit".

— — Reinigung der Felder, siehe „Flugblätter".

— — San José-Schildlaus, siehe „San José-Schildlaus".

— — Weizenhalmtöter, siehe „Weizenhalmtöter".

— — Zwergcikade, siehe „Zwergcikade".

— — und Dr. Fr. **Krüger,** Hülfsarbeiter am Kais. Gesundheitsamt. Schildlausbuch. Beschreibung und Bekämpfung der für den deutschen Obst- und
Weinbau wichtigsten Schildläuse. Mit 59 Abb. und 2 Taf. 1900. 8.
(116 S.)   4 M.

— — — Kupfer-Vitriol-Kalk-Brühe, siehe „Arbeiten der D. L.-G." Heft 2.

— — und Dr. P. **Sorauer.** Pflanzenschutz. Anleitung für den praktischen
Landwirt zur Erkennung und Bekämpfung der Beschädigungen der Kulturpflanzen. Zweite Auflage. Mit 43 Abb. und 6 farbigen Taf. 1896.
8. (168 S.)   Kart. 3 M.

— — — — Jahresberichte d. Sonderausschusses f. Pflanzenschutz, s. „Jahresbericht".

— — und Dr. A. **Tschirch,** Prof. in Bern. Wandtafeln für den Unterricht
in der Pflanzenphysiologie. Farbendrucktafeln auf Kartonpapier im
Format von 69/85 cm nebst Text.

    Erste Abteilung.   Taf. I—X.   1889.   In Mappe 30 M.
    Zweite Abteilung. Taf. XI—XX.   1890.   In Mappe 30 M.
    Dritte Abteilung. Taf. XXI—XXX. 1891.   In Mappe 30 M.
    Vierte Abteilung. Taf. XXXI—XL. 1892.   In Mappe 30 M.
    Fünfte Abteilung. Taf. XLI—L.   1893.   In Mappe 30 M.
    Sechste Abteilung. Taf. LI—LX.   1894.   In Mappe 30 M.

Fraenkel, Torfstuhlverfahren, siehe „Arbeiten der D. L.-G." Heft 74.

Franz, Dr. H. Die Landwirtschaft in Thüringen und ihre Entwickelung
in den letzten 50 Jahren. 1896. 8. (354 S.)   4 M.

— — Die deutsche Landwirtschaft, ihre Notlage und ihre Hilfsmittel.
1886. 8. (171 S.) (Vergriffen.)   1 M.
    (Sonderabdruck aus: Landw. Jahrbücher. XV. Bd. 1886.)

— — Die Kartoffel als Saatgut. Mit 1 Taf. 1878. 8. (169 S.) 4 M.

Verlag von Paul Parey in Berlin SW., Hedemannstraße 10.

Frauen-Kalender, Landw. 47. Jahrgang. 1904. 16. Geb. 2 M.

Fream, W. Landwirtschaft in England. Deutsche Ausgabe von Dr. W. Graf Görß-Wrisberg. Mit 196 Abb. 1893. 8. (410 S.) Geb. 8 M.

Freiesleben, F., Oberingenieur in Riesky. Der Brennereibau. Mit 114 Abb. 1885. 8. (190 S.) (Vergriffen.) Geb. 6 M.

Frenßel, Dr. J., Privatdozent in Berlin. Coccen-, Bakterien-, Spirillen-Formen. Wandtafel im Format von 100 cm Breite zu 120 cm Höhe. 1897. 5 M.

Frenßels, J. P., Familientafeln des englischen Vollbluts. Bearbeitet von Eberhard von Bonin. Text in deutscher und englischer Sprache. 1889. Folio. (876 S.) 60 M. In Halbleder geb. 72 M.

Freyer, F. Das landw. Jahr in Briefen. 1893. 8. (172 S.) Kart. 2 M.

Freytag-Roiß, R., Rittergutsbesißer. Düngt reichlich und richtig! Ein Wort der Erfahrung an den deutschen Bauer, der da wirtschaftet auf leichtem Boden. 1901. 8. (53 S.) 1 M.
25 Expl. 20 M. 50 Expl. 35 M.

— — Die Entwickelung der Landwirtschaft in der Niederlausiß seit ihrer Zugehörigkeit zum Hause Hohenzollern 1815—1900. 1900. 8. (390 S.) 12 M.

— — Leichtverständliche Anleitung zur praktischen Verwendung von Kunst-dünger. Zehnte Auflage. 1898. 8. (18 S.) 40 Pf.
25 Expl. 7 M. 50 Expl. 10 M.

Fridolin, F., Kgl. Oberförster in Bietigheim. Der Eichenschälwaldbetrieb. Mit 28 Abb. 1876. 8. (122 S.) 2 M. 50 Pf.

Frichot, E., ancien meunier. Etudes et recherches sur le grain de blé. 1899. 8. (235 S.) 5 M.

Friebe, G., Landmesser zu Breslau. Das technische Verfahren bei den Grund-stückszusammenlegungen in Preußen. Mit 10 Abb. 1903. 8. (98 S.) Geb. 3 M. 50 Pf.

Friedersdorff, M., Oberlandmesser in Leobschüß. Anleitung für Landmesser-Zöglinge zur praktischen Ausführung von Feldarbeiten. Mit 93 Abb. 1900. 8. (103 S.) Geb. 4 M. 50 Pf.

Friedrich, A., Prof. in Wien. Kulturtechnischer Wasserbau. Handbuch für Studierende und Praktiker. Mit 602 Abb. und 32 Taf. 1897. 8. (759 S.) Geb. 28 M.

Friedrich II., Des Hohenstaufenkaisers, Bücher von der Natur der Vögel und der Falknerei. Aus dem Lateinischen übersetzt von H. Schoepffer. Mit 8 Taf. und 40 Abb. 1896. Fol. (212 S.) In Halbleinen geb. 40 M.

Friese, Kaiserhirsche, siehe „Jagdbilder" und „Jagdpostkarten".

Fritßfliege, Die. Farbendruckplakat mit Text. Herausgegeben von Dr. A. B. Frank, Prof. in Berlin. 1894. 50 Pf. 100 Expl. 45 M. 500 Expl. 200 M.
Aufziehen 25 Pf. für das Expl.

Friß, H., Prof. in Zürich. Handbuch der landw. Maschinen. Mit 128 Abb. 1880. 8. (566 S.) 15 M.

Friß, P. Praktisches Lehrbuch für Schäfer. Dritte Auflage. Mit 36 Abb. 1885. 8. (140 S.) Kart. 1 M. 50 Pf.

Fromme, L., Herbstmorgen im Harz, siehe „Jagdbilder".

Frostnachtspanner. Farbendruckplakat mit Text. Herausgegeben von der Kgl.
Lehranstalt für Wein-, Obst- und Gartenbau zu Geisenheim a. Rh. Bearbeitet von Dr. G. Lüstner. 1903.   50 Pf.
    100 Expl. 45 M. 500 Expl. 200 M. Aufziehen 25 Pf. für das Expl.

Frühling, R., Taschenkalender für Zuckerfabrikation, siehe „Stammer".

Fruwirth, C., Prof. an der landw. Akademie Hohenheim. Die Züchtung der
    landw. Kulturpflanzen. 1901. 8. (270 S.)   7 M.

— — Anbau der Hülsenfrüchte. Mit 69 Abb. 1898. 8. (274 S.) (Thaer-
    Bibliothek.)   Geb. 2 M. 50 Pf.

— — Hopfenbau und Hopfenbehandlung. Mit 32 Abb. 1888. 8. (184 S.)
    (Thaer-Bibliothek.)   Geb. 2 M. 50 Pf.

Fry, G. Die Einsäuerung der Futtermittel. 1885. 8. (41 S.)   1 M.

Fuchs, Dr. E., Lehrer an der landw. Lehranstalt in Kappeln. Der Petersensche
    Wiesenbau. Mit Petersens Porträt, 47 Abb. und 4 Taf. 1889. 8.
    (234 S.) (Thaer-Bibliothek.) (Vergriffen.)   Geb. 2 M. 50 Pf.

Fühling, Dr. J. J., weil. Prof. in Heidelberg. Ökonomik der Landwirt-
    schaft oder allgemeine Landwirtschaftslehre. Mit dem Bildnis des Ver-
    fassers. 1889. 8. (454 S.)   8 M.

Führer durch das Museum der Kgl. Landw. Hochschule in Berlin. Zweite
    Auflage. Mit 2 Plänen. 1898. 8. (172 S.)   50 Pf.

Führer durch die Sammlungen der landw. Institute der Kgl. Uni-
    versität Breslau. Mit 5 Bildern. 1901. 8. (48 S.)   50 Pf.

Full, Dr. G., Kgl. Hofrat und Rechtsanwalt in Würzburg, und M. **Reuter,** Be-
    zirkstierarzt in Karlstadt. Die deutsche Margarinegesetzgebung.
    1899. 8. (156 S.)   1 M. 50 Pf.

Funcke, O. von. Das deutsche Halbblutpferd. Betrachtungen über Zucht,
    Aufzucht und Leistungen deutscher Halbblutpferde nebst einer Sammlung
    von Distanzritt-Berichten. Mit 61 Abb. 1903. 8. (241 S.)   6 M.

Funk, Dr. B., Landwirtschaftsschuldirektor in Zoppot. Grundzüge der Wirt-
    schaftslehre. Fünfte Auflage. 1904. 8. (81 S.) (Landw. Unterrichts-
    bücher.)   Geb. 1 M.

— — Die Rindviehzucht. Fünfte Auflage. Mit 57 Abb. 1903. 8.
    (217 S.) (Thaer-Bibliothek.)   Geb. 2 M. 50 Pf.

— — Landwirtschaftsgeschichte. 1902. 8. (80 S.) (Landw. Unterrichts-
    bücher.)   Geb. 1 M.

Funke, Dr. B., Prof. in Hohenheim. Grundlagen einer wissenschaftlichen
    Versuchstätigkeit auf größeren Landgütern. 1877. 8. (251 S.) 10 M.

— — Über Untergrundsbüngung. 1872. 8. (46 S.)   1 M. 50 Pf.

— — Betrachtungen über die Wirtschafts-Organisation von Landgütern.
    1868. 8. (70 S.)   1 M. 25 Pf.

— — Ehemals und jetzt in der Landwirtschaft. 1867. 8. (32 S.) (Vergr.) 80 Pf.

— — Die Entwickelung der deutschen Landwirtschaft während der letzten
    10 Jahre. 1865. 8. (27 S.)   50 Pf.

Fürst, Dr. C., Amtsrichter in Kitzingen. Die Torfstreu in ihrer Bedeutung für
    Stadt und Land. Zweite Auflage. Mit 5 Abb. 1892. 8. (55 S.) 1 M.

Verlag von Paul Parey in Berlin SW., Hedemannstraße 10.

Fürst, Dr. H. von, Kgl. Oberforſtrat in Aſchaffenburg. Deutſchlands nützliche und ſchädliche Vögel. Ein Folioband mit 32 Farbendrucktafeln nebſt einem Bande Text in 8. 1894. (100 S.) Geb. 26 M.

8 Lieferungen (je 4 Taf. nebſt Text in Mappe) à 3 M.
(Exemplare mit ungekniſften Tafeln in entſprechend größerer Mappe haben denſelben Preis.)

— — Plänterwald oder ſchlagweiſer Hochwald. 1885. 8. (85 S.) 2 M. 50 Pf.

— — Forſt- und Jagdlexikon, ſiehe „Forſt- und Jagdlexikon".

— — Waldſchutz, ſiehe „Kauſchinger".

Fuſicladium- oder Schorfkrankheit, Die, des Kernobſtes. Farbendruckplakat mit Text. Herausgegeben von der biolog. Abteilung des Kaiſ. Geſundheitsamtes. Bearbeitet von Prof. Dr. A. B. Frank. 1899. 50 Pf.

100 Expl. 45 M. 500 Expl. 200 M. Aufziehen 25 Pf. für das Expl.

Fütterung, Die, der Zuchtſchweine. Herausgegeben von der Landwirtſchaftskammer für die Provinz Sachſen. Zweite Auflage. 1902. 8. (24 S.) 50 Pf.

25 Expl. 10 M. 100 Expl. 30 M.

Gaßler, Dr. P., Lehrer an der Landwirtſchaftsſchule in Eldena. Wirtſchaftsbetrieb. 1893. 8. (123 S.) (Landw. Unterrichtsbücher.) Kart. 1 M. 20 Pf.

Garcke, Dr. A., Geh. Reg.-Rat, Prof. in Berlin. Illuſtrierte Flora von Deutſchland. Neunzehnte Auflage. Mit 770 Abb. 1903. 12. (96 und 795 S.) Geb. 5 M.

Gaerdt, H., Kgl. Gartenbaudirektor in Berlin. Garten-Taxator. 1885. 8. (313 S.) 7 M.

— — Die Winterblumen. Neue Ausgabe. Mit 9 Farbendrucktafeln. 1885. 8. (736 S.) Geb. 10 M.

Garten, Deutſcher. Monatsſchrift für Gärtner und Gartenfreunde. Herausgegeben von Dr. C. Bolle. 8. I. Jahrgang. 1880/81. 20 M.

Die Fortſetzung ſiehe unter „Garten-Zeitung".

Gärten, Die Königlichen, in Potsdam. 10 Lichtdruckbilder. Herausgegeben von Th. Nietner, Kgl. Hofgärtner in Potsdam. 1882. Fol. Kart. 8 M.

Gartenbau-Lexikon, Illuſtriertes. Begründet von Th. Rümpler. Dritte Auflage. Herausgegeben von Dr. L. Wittmack, Geh. Reg.-Rat, Prof. in Berlin. Mit 1002 Abb. 1902. 8. (930 S.) In Halbleder geb. 23 M.

20 Lieferungen à 1 M. 4 Abteilungen à 5 M. — Einbanddecke 2 M.

Gartenflora. Zeitſchrift für Garten- und Blumenkunde. Begründet von Eduard Regel. Organ des Vereins z. Beförderung des Gartenbaues in d. Preuß. Staaten. Herausg. von Dr. L. Wittmack, Geh. Reg.-Rat, Prof. in Berlin. 8. I.—XXIII. Jahrgang. 1852—1874. (Vergriffen.)

XXIV.—XXXIV. Jahrgang. 1875—1885. Mit zahlreichen Farbendrucktafeln. (Ladenpreis à 18 M.) Jetzt à 9 M.

XXXV.—XLII. Jahrgang. 1886—1893. Mit zahlreichen Farbendrucktafeln. (Ladenpreis à 20 M.) Jetzt à 10 M.

(Jahrgang 1886 vergriffen.)

Regiſter über Jahrgang I—XX vergriffen.

„   „   „   XXI—XXX. 4 M.

Die ganze Reihe von 42 Bänden, 1852—1893, wenn infolge Ergänzung durch antiquariſche Exemplare vollſtändig vorhanden, zuſammen 500 M.

Garten-Kalender, Deutscher. XXXI. Jahrgang. 1904. Herausgegeben von M. Hesdörffer. Taschenbuch.

    Ausgabe mit einer halben Seite weiß Papier pro Tag, in Leinen geb. 2 M.

    Ausgabe mit einer ganzen Seite weiß Papier pro Tag, in Leder geb. 3 M.

Garten-Zeitung. Wochenschrift für Gärtner und Gartenfreunde. Herausgegeben von Dr. L. Wittmack und W. Perring. 8.

    I.—II. Jahrgang. 1882—1883. Mit Farbendrucktafeln und Abb. Monatlich 1 Heft.   à Jahrgang 12 M.

    III.—IV. Jahrgang. 1884—1885. Mit Abb. Wöchentlich 1 Nummer.   à Jahrgang 16 M.

    1886 verschmolzen mit der Gartenflora.

Gärtner, R., in Zechlin. Der deutsche Obstbau. 1884. 8. (32 S.) 80 Pf.

Gaucher, N., Kgl. Garteninspektor in Stuttgart. Praktischer Obstbau. Anleitung zur Baumpflege und Fruchtzucht für Berufsgärtner und Liebhaber. Dritte Auflage. Mit 446 Abb. und 4 Taf. 1903. 8. (466 S.)   Geb. 8 M.

— — Handbuch der Obstkultur. Aus der Praxis für die Praxis bearbeitet. Dritte Auflage. Mit 612 Abb. und 16 Taf. 1902. 8. (1028 S.)

    In Leinen geb. 22 M. In Halbleder geb. 23 M.

    20 Lieferungen à 1 M. Leinendecke 1 M. 20 Pf. Halblederdecke 2 M.

Gayer, Dr. K., Geheimrat und Prof. in München. Die Forstbenutzung. Neunte Auflage, bearbeitet unter Mitwirkung von Dr. H. Mayr, Prof. in München. Mit 341 Abb. 1903. 8. (680 S.)   Geb. 14 M.

— — Der Waldbau. Vierte Auflage. Mit 110 Abb. 1898. 8. (626 S.)

    Geb. 14 M.

— — Über den Femelschlagbetrieb. 1895. 8. (31 S.)   1 M.

— — Der gemischte Wald. 1886. 8. (168 S.) (Vergriffen.) 3 M. 50 Pf.

Gettner, H. Der Tiergarten bei Berlin. Chromolithographischer Plan im Maßstabe von 1 : 6500 nebst Text. 1880. 8. (12 S.)   2 M.

Georgenburger Gestüt, Das, in Ostpreußen. Von einem früheren Remonte-Offizier. Mit 1 Abb. 1890. 8. (39 S.) (Vergriffen.)   1 M.

Gerhardt, P., Reg.- und Baurat in Königsberg i. Pr. Handbuch des deutschen Dünenbaues. Im Auftrage des Kgl. Preuß. Ministeriums der öffentl. Arbeiten herausgegeben unter Mitwirkung von Dr. J. Abromeit, P. Bock und Dr. A. Jentzsch. Mit 445 Abb. 1900. 8. (656 S.) 26 M. Geb. 28 M.

— — Das Einlassen von Winterhochwasser in die rechtsseitige Elbniederung zwischen Wittenberge und Dömitz. Mit 5 Taf. 1891. 8. (41 S.) 5 M.

    (Sonderabdruck aus: Landw. Jahrbücher. XX. Bd. 1891.)

Gerloni, F., Dozent für Bienenzucht an der Ackerbauschule zu S. Michele a. d. Etsch. Die Bienenzucht. Mit Abb. 1902. 8. (181 S.)   3 M.

Gerson, G. H. Flußregulierung und Niederungs-Landwirtschaft. Mit 3 Taf. 1893. 8. (95 S.)   Kart. 2 M.

    (Sonderabdruck aus: Landw. Jahrbücher. XXII. Bd. 1893.)

— — Beiträge zur Spüljauchen-Rieselkunde. 1883. 8. (66 S.) (Vergriffen.)

    1 M. 50 Pf.

    (Sonderabdruck aus: Landw. Jahrbücher. XII. Bd. 1883.)

Gerſtaecker, Dr. A., Prof. in Berlin. Die Wanderheuſchrecke. Mit 9 Abb.
auf 2 Farbendrucktafeln. 1876. 8. (67 S.)   2 M.

Geſetzſammlung für Landwirte. Taſchenformat.

  I. Band. Reichsgeſetz, die Maßregeln gegen die Rinderpeſt betreffend,
    vom 7. April 1869. 1877. (73 S.)   Kart. 1 M.

  II. Band. Die Abwehr und Unterbrückung von Viehſeuchen. 1877.
    (270 S.)   Kart. 2 M. 50 Pf.

  III. Band. Die preuß. Geſetze über die Ablöſung der Servituten und
    Reallaſten. 1877. (285 S.) (Vergriffen.)   Kart. 3 M.

  IV. Band. Das preuß. Dismembrations- und Anſiedelungsgeſetz
    vom 25. Aug. 1876. 1877. (153 S.) (Vergr.) Kart. 1 M. 50 Pf.

  V. Baud. Das Fiſchereigeſetz für den Preuß. Staat. 1880. (24 und
    186 S.) (Vergriffen.)   Kart. 1 M.

  VI. Band. Das Geſetz über Schutzwaldungen und Waldgenoſſen-
    ſchaften vom 6. Juli 1875. 1878. (217 S.) Kart. 2 M. 50 Pf.

Geſtüt-Album, Deutſches. Photographieen vorzüglicher Pferde in den Geſtüten
  Deutſchlands. 1868—1871. (Vergriffen.)

Geſtüt-Buch, Deutſches. Herausgegeben von J. von Schwartz, Rittmeiſter. 8.

  Erſter Band. Nr. 1—1858. 1872. (396 S.)   Geb. 12 M.

  Zweiter Band. Nr. 1859—3805. 1873. (379 S.)   Geb. 12 M.

— — der Holſteiniſchen Elbmarſchen. 8.

  Erſter Band. 1886. (148 S.) (Vergriffen.)   5 M.

  Zweiter Band. Mit 4 Taf. 1890. (313 S.)   5 M.

  Dritter Band. Mit 10 Taf. 1893. (72, 750 u. 85 S.) Geb. 10 M.

      Nachtrag. 1895. (270 S.)   Geb. 5 M.

  Vierter Baud. 1898. (606 S.)   Geb. 6 M.

  Fünfter Band. 1903. (607 S.)   Geb. 6 M.

— — des Verbandes Schleswiger Pferdezuchtvereine. 8.

  Erſter Band. 1900. (771 S.)   4 M.

— — Oſtpreußiſches, ſiehe „Stutbuch, Oſtpreußiſches".

— — von Trakehnen, ſiehe „Stutbuch von Trakehnen".

Getreidehandelspolitik, ſiehe „Acta Borussica".

Giebels Vogelſchutzbuch. Die nützlichen Vögel unſerer Äcker, Wieſen ꝛc.
  Vierte Auflage. Mit 88 Abb. 1877. 8. (139 S.) (Vergriffen.) 1 M.

Giſevius, Dr., Prof. in Königsberg i. Pr. I. Bericht (1899) über die mit Unter-
  ſtützung der Landwirtſchaftskammer in Königsberg i. Pr. ausgeführten
  Sortenanbau-Verſuche. 1900. 8. (105 S.)   1 M. 20 Pf.

— — Die Sortenfrage in den Nordoſt-Provinzen und die Königsberger
  Sortenanbau-Verſuche zur Prüfung neuer Sorten. II. Jahresbericht (1900).
  1901. 8. (168 S.)   3 M.

— — Anbauverſuche mit Rotklee, ſiehe „Arbeiten der D. L.-G." Heft 83.

— — Ackerbau, ſiehe „Drohſen".

— — Pflanzenbau, ſiehe „Birnbaum".

— — Saatreinigungsmaſchinen, ſiehe „Bericht".

Glaß, R., Wein-Lexikon. 1885. 8. (226 S.)   Geb. 5 M.

Glatzel, A., Wirkl. Geh. Ober-Reg.-Rat, Präsident des Oberlandeskulturgerichts. Die preuß. Agrargesetzgebung. 1895. 8. (180 S.) 3 M. (Zeitschrift f. d. Landeskulturgesetzgebung. Bd. XXXII. Heft 2.)

— — und F. **Sterneberg.** Das Verfahren in Auseinandersetzungsangelegenheiten. Im Auftrage des Kgl. Ministeriums für Landwirtschaft, Domänen und Forsten herausgegeben. Zweite Auflage, neubearbeitet durch F. Sterneberg, Unterstaatssekretär im Ministerium für Landwirtschaft, Domänen und Forsten, und J. Pelzer, Oberlandeskulturgerichts-Rat. 1900. 8. (839 S.) 25 M.

Ergänzungsband: Die preuß. Rentengutsgesetze. Herausgegeben durch F. Sterneberg und J. Pelzer. 1898. 8. (215 S.) 7 M.

— — — — Kleine Ausgabe. 1901. 8. (349 S.) Geb. 5 M.

Goedde, A. Die Jagd und ihr Betrieb. Zweite Auflage. Mit Abb. 1881. 8. (208 S.) (Thaer-Bibliothek.) (Vergriffen.) Geb. 2 M. 50 Pf.

Goeddes Fasanenzucht. Dritte Auflage, neubearb. von Fasanenjäger Staffel. Mit Abb. 1895. 8. (160 S.) (Thaer-Bibliothek.) Geb. 2 M. 50 Pf.

Goßreu, Dr. E. Th. von, Prof. in Mödling. Methodischer Leitfaden für den chemischen Unterricht an landw. Fachschulen. Mit 29 Abb. 1882. 8. (271 S.) (Vergriffen.) 5 M.

Goltz, Dr. Th. Freiherr von der, Geh. Reg.-Rat, Prof. in Bonn. Die landw. Buchführung. Neunte Auflage. 1903. 8. (190 S.) (Thaer-Bibliothek.) Geb. 2 M. 50 Pf.

— — Landw. Taxationslehre. Dritte Auflage. 1903. 8. (670 S.) Geb. 15 M.

— — Leitfaden der landw. Betriebslehre. Zweite Auflage. 1902. 8. (182 S.) (Thaer-Bibliothek.) Geb. 2 M. 50 Pf.

— — Handbuch der landw. Betriebslehre. Zweite Auflage. 1896. 8. (638 S.) Geb. 14 M.

— — Die Landwirtschaftslehre und die jetzige Krisis der deutschen Landwirtschaft. 1886. 8. (44 S.) 1 M.

— — Die Lage der ländlichen Arbeiter im Deutschen Reiche. 1875. 4. (503 S.) 20 M.

— — Beitrag zur Geschichte der Entwicklung ländlicher Arbeiterverhältnisse im nordöstlichen Deutschland bis zur Gegenwart. 1864. 8. (55 S.) 1 M.

Göring, Ph., Geburtshilfe, siehe „Franck, Geburtshilfe".

Görner, F. A. Der Weißdornzaun von Crataegus monogyna. Dritte Auflage. 1888. 8. (38 S.) 1 M.

Goeschke, F., Obergärtner in Proskau. Das Buch der Erdbeeren. Zweite Auflage. Mit 97 Abb. 1888. 8. (268 S.) Geb. 6 M.

— — Die Haselnuß, ihre Arten und ihre Kultur. Mit 76 Lichtdrucktafeln nach Zeichnungen des Verfassers. 1887. 4. (99 S.) Geb. 20 M.

Goslich, M., Ingenieur in Berlin. Brauerei-Maschinenkunde. Erster Teil: Dampfbetrieb. Mit 178 Abb. und 1 Taf. 1902. 8. (203 S.) Geb. 8 M.

Goethe, H., Dozent der K. K. Hochschule für Bodenkultur in Wien. Handbuch der Ampelographie (Rebenkunde). Zweite Auflage. Mit 99 Lichtdrucktafeln. 1887. 4. (219 S.) Geb. 30 M.

Goethe, R., Kgl. Landesökonomierat, Direktor der Kgl. Lehranstalt für Obst-, Wein- und Gartenbau in Geisenheim a. Rh. Die Obst- und Traubenzucht an Mauern, Häuserwänden und im Garten. Mit 19 Taf. und 182 Abb. 1900. 8. (215 S.) Geb. 9 M.

— — Handbuch der Tafeltraubenkultur. Mit Benutzung des Nachlasses von W. Lauche bearbeitet. Mit 30 Farbendrucktafeln und 150 Abb. 1895. 4. (235 S.) Geb. 25 M.

— — Die Kernobstsorten des deutschen Obstbaues. Bearbeitet unter Mitwirkung von H. Degenkolb und R. Mertens. 1890. 8. (160 S.) 2 M.
(Ergänzungsheft zum „Jahrbuch der D. L.-G." IV. Bd.)

— — Die Blutlaus, ihre Schädlichkeit, Erkennung und Vertilgung. Zweite Auflage. Mit 1 Taf. 1885. 8. (15 S.) 1 M.
25 Expl. 20 M. 100 Expl. 75 M.

— — Die Frostschäden der Obstbäume und ihre Verhütung. Mit 2 lithographierten Taf. 1883. 8. (47 S.) (Vergriffen.) 1 M. 50 Pf.

Götting, Prof. Dr. Fr., Oberlehrer zu Lüdinghausen. Der Obstbau. Vierte Auflage. Mit 30 Abb. 1902. 8. (64 S.) 1 M.

Grabein, Dr. M., in Halle a. S. Die Ergebnisse der englischen Agrarenquete. 1898. 8. (40 S.) 1 M.
(Sonderabdruck aus: Landw. Jahrbücher. XXVII. Bd. 1898.)

Grabner, L., weil. Prof. in Mariabrunn. Die Forstwirtschaftslehre. Dritte Auflage, herausgegeben von J. Wessely, Direktor der Forstakademie in Mariabrunn. Neue Ausgabe. 1886. 8. (691 S.) 5 M.

— — Tafeln zur Bestimmung des kubischen Inhaltes walzen- und kegelförmiger Nutz- und Bauholzstücke. Fünfte Auflage. 1870. 8. (222 S.) 4 M.

Grandeau, Dr. L., Prof., Direktor der landw. Versuchs-Station in Nancy. Handbuch für agrikultur-chemische Analysen. Mit 46 Abb. 1879. 8. (272 S.) (Thaer-Bibliothek.) (Vergriffen.) Geb. 2 M. 50 Pf.

Graeser, K. Die Freude am Weidwerk. Eine psychologische Studie. Zweite Auflage. 1900. 8. (50 S.) 2 M.

Graß-Klanin, L. von, Mitglied des Herrenhauses. Naturgeschichte des menschlichen Verkehrslebens. 1902. 8. (239 S.) 6 M. Geb. 7 M.

— — Kornhaus kontra Kanitz. 1895. 8. (56 S.) 1 M. 20 Pf.

— — Die wirtschaftliche Bedeutung der Kornzölle. Mit Anhang: Die Kornhäuser nach amerikanischem Muster. 1891. 8. (48 S.) 1 M. 60 Pf.

Gräße, Dr. J. G. Th., Kgl. Sächsischer Hofrat in Dresden. Jägerbrevier. Zweite Auflage. Ausgabe in einem Bande. 1885. 8. (559 S.) Geb. 7 M.

Grebe, Dr. C., Oberlandforstmeister in Eisenach. Gebirgskunde, Bodenkunde und Klimalehre. Vierte Auflage. 1886. 8. (316 S.) Geb. 6 M.

— — Die Forstbenutzung. Dritte Auflage. 1882. 8. (389 S.) 8 M.

— — Die Betriebs- und Ertrags-Regulierung der Forsten. Zweite Auflage. 1879. 8. (489 S.) 9 M.

— — Die Beaufsichtigung der Privatwaldungen von seiten des Staates. 1875. 8. (208 S.) 3 M.

— — Der Buchen-Hochwaldbetrieb. Neue Ausgabe. Mit 8 Abb. 1875. 8. (224 S.) (Vergriffen.) 4 M.

Verlagsbuchhandlung für Landwirtschaft, Gartenbau und Forstwesen.

Green, J. Reynolds. Die Enzyme. Ins Deutsche übertragen von Prof. Dr. W. **Windisch.** 1901. 8. (490 S.)   Geb. 16 M.

Gressent einträglicher Obstbau. Dritte Auflage. Mit 459 Abb. 1894. 8. (526 S.)   In Halbleinen geb. 8 M.

— — einträglicher Gemüsebau. Zweite Auflage. Mit 220 Abb. 1890. 8. (401 S.)   In Halbleinen geb. 7 M.

Groß, E., Prof. in Tetschen-Liebwerd. Die Haselnuß, ihre Kultur und wirtschaftliche Bedeutung. Mit 37 Abb. 1902. 8. (65 S.)   1 M. 50 Pf.
                      20 Expl. 25 M.

Großwendt, F., Ober-Roßarzt in Hannover. Die inneren Krankheiten der landw. Haussäugetiere. 1878. 8. (174 S.) (Thaer-Bibliothek.)
                      Geb. 2 M. 50 Pf.

Grouven, Dr. H. Eine Methode der Stickstoffbestimmung von allgemeiner Anwendbarkeit. Mit 1 Farbendrucktafel. 1883. 8. (28 S.) (Vergriffen.) 1 M.
      (Sonderabdruck aus: Landw. Versuchs-Stationen. XXVIII. Bd.)

— — Ein Besuch in Asnières. 1868. 8. (59 S.)   80 Pf.

— — Salzmünde. Eine landw. Monographie. Mit Karten und Plänen. 1866. 8. (217 S.) (Vergriffen.)   5 M.

— — Berichte über die Arbeiten der agrikultur-chemischen Versuchs-Station des landw. Zentralvereins der Provinz Sachsen ꝛc. in Salzmünde. 1862—1864. 8. (308 und 579 S.)   6 M.

— — Salzmünde. Eine landw. Skizze. 1862. 8. (33 S.) (Vergriffen.) 1 M.

Grundner, F., Formzahlen, siehe „Horn".

Gründüngungsversuche, Lupizer. 3 lithographierte Wandtafeln im Format von 107 : 80 cm. 1896.   Auf Leinwand mit Stäben 12 M.

Gruner, Dr. H., Prof. an der Kgl. landw. Hochschule zu Berlin. Die Marschländereien im deutschen Nordseegebiete einst und jetzt. Festrede, gehalten am 26. Januar 1903. 8. (18 S.)   1 M.

— — Die Bodenverhältnisse des preuß. Flachlandes. Festrede, gehalten am 26. Januar 1898. 8. (20 S.)   50 Pf.
      (Sonderabdruck aus: Deutsche Landw. Presse. 1898.)

— — Grundriß der Gesteins- und Bodenkunde. 1896. 8. (436 S.) Geb. 12 M.

— — Die Bedeutung der geologisch-agronomischen Bodenkartierung. 1883. 8. (19 S.) (Vergriffen.)   50 Pf.
      (Sonderabdruck aus: Deutsche Landw. Presse. 1883.)

— — Landwirtschaft und Geologie. 1879. 8. (64 S.)   2 M.

Gruner, H. W. Die englischen Terriers als Jagd- und Luxushunde. Mit Abb. 1896. 8. (74 S.) (Weidmannsbücher.)   Kart. 1 M. 50 Pf.

Gumbinner, L., Brennerei-Direktor in Berlin. Handbuch der Likör-Fabrikation. Dritte Auflage. Mit 26 Abb. 1878. 8. (231 S.)   4 M.

Günther, G., Histiologie, siehe „Ellenberger".

Günther, K., Medizinalrat, Prof. in Hannover. Die Wutkrankheit der Hunde. 1880. 8. (28 S.)   60 Pf.

Günz und **Reischle,** Landw. Gesellschaftsreise, siehe „Arbeiten der D. L.-G." Heft 22.

Haack, Dr. K., prakt. Tierarzt in Höchst im Odenwald. Vergleichende Untersuchungen über die Muskulatur der Gliedmaßen und des Stammes bei der
Katze, dem Hasen und Kaninchen. Mit 3 Taf. 1903. 8. (56 S.) 4 M.

Habernoll, Dr. P., Landwirtschaftslehrer in Schweidnitz. Anleitung zur einfachen
landw. Buchführung. 1900. 8. (108 S.) (Landw. Unterrichtsbücher.)
Geb. 1 M. 20 Pf.

Hagemann, Stoffwechsel, siehe „Zuntz".

Halmfliege, Die gelbe. Farbendruckplakat mit Text. Herausgegeben von Dr.
G. Rörig in Berlin. 1895. 50 Pf.
100 Exrl. 45 M. 500 Exrl. 200 M. Aufziehen 25 Pf. für das Expl.

Hamm, J., Oberförster in Karlsruhe. Der Ausschlagwald. 1896. 8. (267 S.)
7 M.

Hamm, Dr. W. Ritter von, weil. Ministerialrat in Wien. Die Habsburg-
Lothringer in ihren Beziehungen zur Bodenkultur. 1879. 8. (58 S.)
1 M. 60 Pf.

— — Lehrbuch der Landwirtschaft, siehe „Pabst".

— — Taxationslehre, siehe „Pabst".

Hammerstein, A. Freiherr von. Der tropische Landbau. Mit 32 Abb.
1886. 8. (71 S.) Kart. 2 M.

Hampel, C., Gartendirektor der Stadt Leipzig, Kgl. preuß. Gartenbaudirektor.
125 kleine Gärten. Plan, Beschreibung und Bepflanzung. Zweite Auflage von „Hundert kleine Gärten". 1902. 8. (178 S.) Kart. 5 M.

— — Gartenbeete und Gruppen. 333 Entwürfe. Neue Ausgabe. 1901.
4. (366 S.) Geb. 7 M. 50 Pf.

— — Gärtnerische Schmuckplätze in Städten. 24 Taf. nebst Text. 1897.
Fol. (31 S.) Kart. 6 M.

— — Gartenrasen und Parkwiesen. Mit Abb. 1895. 8. (74 S.) 1 M.

— — Stadtbäume. Anleitung zum Pflanzen und Pflegen der Bäume in Städten,
Vororten und auf Landstraßen. Mit Abb. 1893. 8. (73 S.) 1 M. 50 Pf.

— — Gärtnerische Plankammer, siehe „Plankammer".

Hampel, W., Kgl. Gartenbaudirektor in Koppitz. Die moderne Teppichgärtnerei.
150 Entwürfe mit Angabe der Bepflanzung. Sechste Auflage. 1901. 4.
(150 S.) Geb. 6 M.

— — Handbuch der Frucht- und Gemüse-Treiberei. Zweite Auflage.
Mit 48 Abb. 1898. 8. (232 S.) Geb. 7 M.

Hampels Gartenbuch für Jedermann. Anleitung zur praktischen Ausübung
aller Zweige der Gärtnerei. Dritte Auflage, herausgegeben von F. Kunert,
Kgl. Hofgärtner in Sanssouci. Mit 198 Abb. 1902. 8. (472 S.) Geb. 6 M.

Hansen und Günther, Stallmistbehandlung, siehe „Arbeiten der D. L.-G." Heft 30.

Hanstein, Dr. J., Privatdozent in Berlin. Die Milchsaftgefäße und die ver-
wandten Organe der Rinde. Mit 10 Taf. 1864. 4. (92 S.) 9 M.

Harada, Dr. T. Die japanischen Inseln. Eine topographisch-geologische
Übersicht. Erste Lieferung. Mit 5 Kartenbeilagen. 1890. 8. (126 S.) 5 M.

Hartig, Dr. G. L., weil. Kgl. Preuß. Staatsrat. Lehrbuch für Förster.
Zweite Auflage. 1875. 8. (404 S.) Geb. 7 M.

Hartmann, Dr. R., Prof. in Berlin. Die Nigritier. Eine anthropologisch-ethnologische Monographie. Erster Teil. Mit 52 lithographierten Taf. und 3 Abb. 1876. 8. (526 S.) 30 M.

Hartmann, Dr. S., Dozent in Berlin. Zeugung, Fortpflanzung, Befruchtung und Vererbung. 1872. 8. (67 S.) 1 M. 50 Pf.

Hartmann und **Schöttler,** Petroleummotoren, s. „Arbeiten der D. L.-G." Heft 6.

Hartwig, J., Garteninspektor in Weimar. Die Gehölzzucht. Zweite Auflage. Mit 50 Abb. 1893. 8. (162 S.) (Thaer-Bibliothek.) Geb. 2 M. 50 Pf.

— — Gewächshäuser und Mistbeete. Zweite Auflage. Mit 54 Abb. 1893. 8. (154 S.) (Thaer-Bibliothek.) Geb. 2 M. 50 Pf.

— — Illustriertes Gehölzbuch. Zweite Auflage. Mit 370 Abb. und 16 Taf. 1892. 8. (656 S.) Geb. 12 M. 11 Lieferungen à 1 M. Einbanddecke 75 Pf.

Harz, Dr. C. O., Prof. in München. Landw. Samenkunde. Mit 201 Abb. Neue Ausgabe. 1885. 8. (1362 S.) Geb. 12 M.

Haselhoff, E., chem. Untersuchung, siehe „Wolffs Untersuchung".

Haubners, G. C., landw. Tierheilkunde. Dreizehnte Auflage. Herausgegeben von Dr. O. Siedamgrotzky, Geh. Medizinalrat, Prof. in Dresden. Mit 153 Abb. 1902. 8. (754 S.) Geb. 12 M.

Haubolds Anzeiger zur sofortigen Ermittelung der Trag- und Brütezeit sämtlicher Haustiere. Auf Pappe gezogen. 1874. 4. 3 M.

Hausburg, O. Der Vieh- und Fleischhandel von Berlin. Mit 2 lithographierten Tafeln. 1880. 8. (148 S.) (Vergriffen.) 3 M.

— — Landw. Zollpolitik. 1878. 8. (48 S.) 60 Pf.
(Sonderabdruck aus: Deutsche Landw. Presse 1878.)

Hausding, A., Geh. Reg.-Rat in Berlin. Industrielle Torfgewinnung und Torfverwertung. Zweite Auflage. Mit Abb. 1904. 8. Im Druck.

— — Die Torfwirtschaft Süddeutschlands und Österreichs. Mit 2 Taf. 1878. 8. (65 S.) (Vergriffen.) 2 M. 50 Pf.

— — Bericht über die Gifhorner Torfmaschinen-Konkurrenz. 1877. 8. (34 S.) 1 M.

Hausgärten, Die, auf dem Lande, ihre Anlage, Bepflanzung und Pflege. Vierte Auflage. Mit 24 Abb. 1898. 8. (83 S.) 1 M.

Hayek, Dr. G. von, Prof. in Wien. Wirtschafts-Feinde aus dem Tierreich. Mit 155 Abb. 1879. 8. (156 S.) (Thaer-Bibliothek.) Geb. 2 M. 50 Pf.

Hegemann, E., Prof. an der landw. Hochschule zu Berlin. Übungsbuch für die Anwendung der Ausgleichungsrechnung nach der Methode der kleinsten Quadrate auf die praktische Geometrie. Zweite Auflage. Mit 41 Abb. 1902. 8. (169 S.) Geb. 5 M.

— — Das topographische Zeichnen. Eine Sammlung von 12 Musterblättern. Mit 12 Taf. 1901. 8. (36 S.) Geb. 5 M.

Heine, H., in Posen. Die Kälbermast. 1892. 8. (27 S.) 50 Pf.
25 Expl. 10 M. 50 Expl. 18 M. 100 Expl. 30 M.
(Preisschriften und Sonderabdrücke der „Deutschen Landw. Presse". Nr. 10.)

— — Die Braugerste, ihre Kultur und Eigenschaften für die Malzbereitung. Mit 11 Abb. 1889. 8. (164 S.) (Thaer-Bibliothek.) Geb. 2 M. 50 Pf.

Verlag von Paul Parey in Berlin SW., Hedemannstraße 10.

Heinrich, K., Obergärtner. Anlage, Bepflanzung und Pflege der Hausgärten auf dem Lande. Neunte Auflage. Mit 4 Taf. 1892. 8. (32 S.) 50 Pf.

100 Expl. 40 M. 500 Expl. 150 M. 1000 Expl. 250 M.

— — Der Obst- und Hausgarten. Mit 268 Abb. und 12 Taf. 1887. 8. (363 S.) In Halbleinen geb. 5 M.

— — Erster Unterricht im gärtnerischen Planzeichnen. 4 Farbendrucktafeln nebst erläuterndem Text. 1880. 4. (12 S.) (Vergriffen.) Kart. 3 M.

— — Die Kultur der Weinrebe. Mit 4 Taf. 1880. 8. (48 S.) 1 M.

Heinrich, Dr. R., Prof. in Rostock. Dünger und Düngen. Anleitung zur praktischen Verwendung von Stall- und Kunstdünger. Vierte Auflage. 1899. 8. (104 S.) 1 M. 50 Pf.

50 Expl. 62 M. 50 Pf. 100 Expl. 100 M.

— — Futter und Füttern der landw. Nutztiere. 1896. 8. (197 S.) 2 M. 50 Pf.

— — Mergel und Mergeln. Wirkung und Anwendung von Mergel und Düngekalk. Mit 14 Abb. 1896. 8. (63 S.) 1 M. 20 Pf.

— — Bericht über die Versuchs-Station Rostock, siehe „Bericht".

Held, Ph., Garteninspektor in Hohenheim. Weinbau. Anleitung zur Traubenzucht. Mit 105 Abb. 1894. 8. (181 S.) (Thaer-Bibliothek.) Geb. 2 M. 50 Pf.

— — Das Schreibwerk des Gärtners. 1894. 8. (77 S.) 1 M.

Hellmann, Dr. G. Plan für ein meteorologisches Beobachtungsnetz im Dienste der Landwirtschaft des Königreichs Preußen. 1879. 8. (23 S.) 1 M.

(Sonderabdruck aus: Landw. Jahrbücher. VIII. Bd. 1879.)

Hellriegel, Dr. H., weil. Professor in Bernburg. Beiträge zur Stickstofffrage. Mit 1 Taf. 1897. 8. (77 S.) 2 M.

— Düngungsversuch, siehe „Arbeiten der D. L.-G." Heft 24.

Hellweg, O., Ober-Reg.-Rat in Hannover. Gesetz betreffend die Erleichterung der Abveräußerung einzelner Teile von Grundstücken in der Provinz Hannover vom 25. März 1889. 1890. 8. (60 S.) Kart. 1 M. 50 Pf.

Henneberg, Dr. H. Einiges über doppelte Buchführung in Anwendung auf Landwirtschaftsbetrieb. 1875. 8. (212 S.) 3 M.

Henneberg, Dr. W., Assistent am bot. Laboratorium des Instituts für Gärungsgewerbe zu Berlin. Zur Kenntnis der Milchsäurebakterien. Mit Abb. und 2 Taf. 1903. 4. (47 S.) 3 M.

(Sonderabdruck aus: Zeitschrift für Spiritusindustrie. 1903.)

Henneberg, Dr. W., Prof. in Göttingen. Festrede, gehalten am 15. September 1877 zur Feier des 25 jährigen Bestehens der Versuchs-Station Möckern. 1877. 8. (16 S.) 50 Pf.

(Sonderabdruck aus: Journal für Landwirtschaft. XXVI. Bd.)

— — und Dr. F. **Stohmann.** Beiträge zur Begründung einer rationellen Fütterung der Wiederkäuer. 2 Bde. 1864. 8. (316 u. 456 S.) 10 M.

Henschel, G. A. O., K. K. Forstrat, Prof. in Wien. Die schädlichen Forst- und Obstbaum-Insekten, ihre Lebensweise und Bekämpfung. Dritte Auflage. Mit 197 Abb. 1895. 8. (758 S.) Geb. 12 M.

— — Der Forstwart. Lehrbuch der forstlichen Hilfs- und Fachgegenstände. 2 Bde. Mit 283 Abb. 1883. 8. (821 S.) (Vergriffen.) 16 M.

Hensel, E., Provinzial-Steuer-Sekretär zu Berlin. Tafeln zur Berechnung der
Abgaben aus dem Gesetz vom 24. Juni 1887, betreffend die Besteuerung
des Branntweins. 1888. 8. (92 S.)   2 M.

Henseling, Taschenkalender für Zuckerfabrikanten, siehe „Stammer".

Herdbuch, Baltisches. Herausgegeben von Dr. P. Pietrusky in Greifswald. 8.
Erster Band. Jahrgang 1890. 1893. (468 S.)   2 M.
Zweiter und dritter Band. Jahrgang 1891/92. 1897.   2 M.

Herdbuch, Deutsches. Herausgegeben von H. Settegast und A. Krocker. 8.
Erster Band. 1865. Zweite Ausgabe. 1868. (238 S.)   6 M.
Zweiter Band. 1868. Mit 4 lithographierten Beilagen. (201 S.) 7 M.
Dritter Band. 1871. Mit 6 zylographierten Beilagen. (181 S.) 7 M.
Vierter Band. 1875. Herausg. v. H. Settegast u. P. Parey. (185 S.) 6 M.
Fünfter Band. Fortgeführt von B. Martiny. 1882. (64 S.)   80 Pf.
Sechster Band.   Herausgegeben von der Gesellschaft Deutscher Shorthorn-
             Züchter. 1889. (166 S.)   4 M.
Siebenter Band. 1901. (944 S.)   4 M.

Herdbuch für die Marschen des Jeverlandes. Dritter Band. Nebst Nachtrag
zum ersten und zweiten Baud. 1891. 8. (76 S.)   1 M. 50 Pf.

Herdbuch, Ostpreußisches. Herausgegeben im Auftrage der Herdbuch-Gesellschaft
zur Verbesserung des in Ostpreußen gezüchteten Holländer Rindviehs. 8.
             Fünfzehnter Band. Jahrgang 1902. (XXXIV, 663 S.)   2 M.
             Erster Band. Jahrgang 1883. (372 S.)   6 M.
             Zweiter bis vierzehnter Band. Jahrgänge 1884—1901.   à 2 M.

Herdbuch für die Oldenburgischen Wesermarschen. Dritter Band. 1891. 8.
(84 S.)   1 M. 50 Pf.

Herdbuch, Westpreußisches. Herausgegeben von P. Wolff zu Marienburg.
Erster Band. Mit 1 Karte. 1891. 8. (365 S.)   3 M.

Herrmann, G., ehemaliger Oberjäger. Aus dem Ruhmeskranze unserer
Jägerbataillone. Zweite Auflage. Mit 328 Bildnissen. 1898. 4.
(54 S.)   2 M. 50 Pf.
      12 Expl. 27 M. 25 Expl. 50 M. 50 Expl. 90 M. 100 Expl. 150 M.

Herrmann, R. Praktisches Handbuch der industriellen Obst- und Gemüse-
Verwertung. Mit 96 Abb. 1891. 8. (164 S.)   3 M.

Hesdörffer, M. Handbuch der prakt. Zimmergärtnerei. Zweite Auflage.
Mit 382 Abb. und 17 Taf. 1900. 8. (561 S.)   Geb. 9 M.
— — Anleitung zur Blumenpflege im Hause. Mit 94 Abb. 1897. 8.
(179 S.)   Geb. 3 M.
— — Unter Blumen. Monatsplaudereien über Blumen und Blumenzucht.
1895. 8. (237 S.)   Geb. 3 M.
— — Gartenkalender, siehe „Gartenkalender".
— — E. Köhler und R. Rudel. Die schönsten Stauden für die Schnitt-
blumen- und Gartenkultur. 48 Blumentafeln in Farbendruck nebst Text.
1900. 4.   Geb. 12 M. 12 Lieferungen à 90 Pf.
                                             Einbanddecke 1 M. 20 Pf.

Heß, Dr. R., Geh. Hofrat, o. ö. Prof. zu Gießen. Die Forstbenutzung. Ein Grundriß zu Vorlesungen. Zweite Auflage. 1901. 8. (318 S.) 8 M. Geb. 9 M.

— — Eigenschaften und forstliches Verhalten der in Deutschland einheimischen und eingeführten Holzarten. Zweite Auflage. 1895. 8. (238 S.) Geb. 7 M.

— — Lebensbilder hervorragender Forstmänner. 1885. 8. (439 S.) 10 M.

Hesselmann, C., Hauptlehrer in Witzhelden. Leitfaden der Obstkultur. Mit 15 Abb. 1880. 8. (74 S.) (Vergriffen.) 1 M.

Heydenreich, F. J., Oberlehrer in Tilsit. Paul der Knecht. Ein Lesebuch für Landwirte. Zweite Auflage. Mit 49 Abb. 1870. 8. (212 S.) 2 M. 25 Pf.

Heydweiller, Dr. A., Prof. in Breslau. Die Entwickelung der Physik im 19. Jahrhundert. Vortrag, gehalten am 6. Februar 1900. 8. (32 S.) 1 M.

Heyer, Dr. F. Obstbau und Obstnutzung in den Vereinigten Staaten von Nord-Amerika. Mit 42 Abb. 1886. 8. (147 S.) 3 M.

Heyl, H., geb. Crüsemann. Erprobte Kochrezepte. 1897. 8. (175 S.) Geb. 4 M.

Heyne, Dr. J., Schäferei-Direktor. Die technische Verarbeitung der Wolle. 1891. 8. (48 S.) 1 M. 50 Pf.

Hildebrand, A., Lehrer an der Landwirtschaftsschule zu Hildesheim. Handbuch des landw. Pflanzenbaues. Mit 233 Abb. 1889. 8. (484 S.) Geb. 8 M.

Hilfstafeln zur Inhaltsbestimmung von Bäumen und Beständen der Hauptholzarten. 1898. 8. (64 S.) Geb. 2 M.

Hilger, A., Jahresbericht für Agrikulturchemie, siehe dort.

Hilger, G., Obstbaulehrer zu Janowitz. Der Obstbau in den östlichen Provinzen. Anleitung zur Pflanzung und Pflege des Obstbaumes, zur Sortenwahl und Verwertung des Obstes. Mit 26 Abb. 1901. 8. (72 S.) 1 M.

Hillmann, R., und A. **Wolschner,** Lehrer an der landw. Schule zu Annaberg. Leitfaden der Zoologie für niedere landw. Schulen. Mit 112 Abb. 1902. 8. (108 S.) (Landw. Unterrichtsbücher.) Geb. 1 M. 40 Pf.

Hilpert, F., Landwirtschaftslehrer in Arendsee. Anleitung zur Ziegenzucht und Ziegenhaltung. Vierte Auflage. Mit 12 Abb. 1901. 8. (40 S.) 75 Pf. 25 Expl. 15 M. 50 Expl. 27 M. 50 Pf.

Hiltner, Dr. L., und K. **Störmer,** Studien über die Bakterienflora des Ackerbodens, enthalten in: Arbeiten aus der Biolog. Abteilung am Kaiserl. Gesundheitsamte, Bd. III, Heft 5.

Hinterwälder Rindviehschlag, Der. Beschrieben von Bezirkstierarzt Ringele in Schönau. 1886. 8. (31 S.) 50 Pf.

Hintze, siehe „Acta borussica".

Hirschfeld, C. C. L., Prof. in Kiel. Theorie der Gartenkunst. 5 Bde. 1779—1785. 4. (230, 200, 251, 252, 362 S.) (Vergriffen.) 20 M.

Hittcher, Dr. K., Direktor zu Kleinhof-Tapiau. Gesamtbericht über die Untersuchung der Milch von 63 Kühen. Mit 16 Taf. 1899. 8. (551 S.) 14 M. (Landw. Jahrbücher. XXVIII. Bd. 1899. Ergänzungsband III.)

— — Milchviehzucht auf Leistung. Kurzgefaßter Bericht über die Untersuchung der Milch von 63 Kühen. 1899. 8. (41 S.) 1 M.

(Siehe auch Seite 50.)

Hittcher, Dr. K. (Siehe auch Seite 49.)

— — Untersuchung der Milch von 16 Kühen des in Ostpreußen reingezüchteten holländischen Schlages. Zweiter Bericht. Mit 2 Taf. 1894. 8. (95 S.) 3 M.
(Sonderabbruck aus: Landw. Jahrbücher. XXIII. Bd. 1894.)
Erster Bericht, siehe „Fleischmann".

Hochschule, Die Kgl. Landwirtschaftliche, in Berlin. 1881. 8. (43 S.) 1 M.

— — Führer durch das Museum, siehe „Führer".

Hochstetter, W., Universitätsgärtner in Tübingen. Das Kaninchen, dessen Beschreibung, rationelle Behandlung und Züchtung. Fünfte Auflage. Mit 9 Abb. 1875. 8. (55 S.) 1 M.

Hoffmann, E. H., Kreisbaumeister a. D. Über landw. feuersichere Tiefbauten. Mit Skizzen und 5 Taf. 1867. 4. (40 S.) 3 M.

Hoffmann, L., Baumeister. Vademekum des praktischen Baumeisters.
I. Heft. Herausgegeben von E. Hoffmann und A. Lämmerhirt. Vierte Auflage. 1868. 12. (102 S.) 1 M. 50 Pf.

Hoffmann, L., Oberroßarzt in Ludwigsburg. Taschen-Lexikon der Pferdekunde. Mit 441 Abb. 1883. 8. (453 S.) Geb. 10 M.

Hoffmann, Dr. M., in Aderstedt. Bakterien und Hefen in der Praxis des Landwirtschaftsbetriebes. Mit 19 Abb. 1899. 8. (120 S.) 3 M.

Hofmann, R. E., Majoratsbesitzer. Die Obstzucht auf Zwerg- und niedrigstämmigen Bäumen. Mit 19 Abb. 1872. 8. (71 S.) 1 M.

Hohenbruck, A. Freiherr von. Der Holz-Export Österreichs nach dem Westen und Norden. Mit 1 Karte. 1869. 8. (304 S.) 6 M.

— — Zur Frage des österreichischen Weinexportes. Mit zwei Farbendrucktarten. 1868. 8. (95 S.) 2 M. 60 Pf.

Holdefleiß, Dr. Fr., Prof. in Breslau. Das Knochenmehl, seine Beurteilung und Verwendung. 1890. 8. (175 S.) 5 M.

— — Reiseskizzen aus England und Schottland. 1876. 8. (48 S.) 1 M. 50 Pf.

Hole's, Reynolds, Buch von der Rose. Übersetzt von Dr. F. Worthmann. 1880. 8. (232 S.) 5 M.

Holle, Reg.-Rat in Höxter. Die wirtschaftliche Zusammenlegung der Feldmark Steinheim. Mit 2 Taf. 1889. 8. (24 S.) (Vergriffen.) 2 M.
(Sonderabbruck aus: Landw. Jahrbücher. XVIII. Bd. 1889.)

Hollmann, M., Oberlehrer in Strasburg i. Westpr. Physik. Fünfte Auflage. Mit 160 Abb. 1903. 8. (128 S.) (Landw. Unterrichtsbücher.) Geb. 1 M. 30 Pf.

— — und P. Knak, Lehrer in Wittstock. Deutsches Lesebuch für Ackerbauschulen, landw. Winterschulen und ländliche Fortbildungsschulen. Zweite Auflage. 1900. 8. (308 S.) (Landw. Unterrichtsbücher.) Geb. 2 M.

Hollrung, Dr. M., Prof., Vorsteher der Versuchs-Station für Pflanzenschutz zu Halle a. S. Handbuch der chemischen Mittel gegen Pflanzenkrankheiten. 1898. 8. (178 S.) Geb. 4 M. 50 Pf.

— — Die wichtigsten Obstschädiger und Mittel zu ihrer Bekämpfung. Farbendruckplakat mit Text im Format von 50 × 82 cm. 1898. 1 M.
25 Expl. 20 M. 50 Expl. 35 M. 100 Expl. 50 M.

— — Jahresbericht über Pflanzenkrankheiten, siehe „Jahresbericht".

— — Rübenbau, siehe „Knauer".

Verlag von Paul Parey in Berlin SW., Hedemannstraße 10.

Holz, Dr. L., Reg.-Assessor. Das neue Recht und der deutsche Landwirt. Anleitung für den praktischen Landwirt. Im Auftrage der Deutschen Landw.-Gesellschaft systematisch dargestellt. 1900. 8. (114 S.) Kart. 2 M.

Holzner, G., Prof. in Weihenstephan. Die Attenuationslehre in wissenschaftlichen Berechnungen und Tabellen für den praktischen Gebrauch. Mit 35 Abb. 1876. 8. (143 S. und 88 S. Tabellen.) 10 M.

Hopfenkäfer, Der. Farbendruckplakat mit Text. Herausgegeben vom Kais. Gesundheitsamt. Bearbeitet von Dr. G. Rörig in Berlin. 1900. 50 Pf. 100 Expl. 45 M. 500 Expl. 200 M. Aufziehen 25 Pf. für das Expl.

Hopfenpflanze, Männliche. Farbendruckplakat mit Text. Herausgegeben von Dr. Th. Remy. 1899. 50 Pf. 100 Expl. 45 M. 500 Expl. 200 M. Aufziehen 25 Pf. für das Expl.

Hoppenstedt, Th., Amtsrat in Hannover. Die Betriebsorganisation und die landw. Rente. 1897. 8. (116 S.) (Vergriffen.) 3 M.
(Sonderabdruck aus: Landw. Jahrbücher. XXVI. Bd. 1897.)
— — Die Preise in ihrer Einwirkung auf die landw. Rente. 1897. 8. (41 S.) 1 M.
(Sonderabdruck aus: Journal für Landwirtschaft. XLV. Bd. 1897.
— — Die Kultur des schweren Bodens. 1896. 8. (52 S.) 1 M.

Horn, L. W., w. Herzogl. Braunschw. Kammerrat. Formzahlen und Massentafeln für die Buche. Herausgegeben von Kammerrat Dr. F. Grundner. Mit 1 Taf. 1898. 8. (90 S.) Kart. 4 M.

Hornberger, Dr. R., Prof. in Münden. Grundriß der Meteorologie und Klimatologie. Mit 15 Abb. und 7 Taf. 1891. 8. (233 S.) 6 M.

Hosaeus, Dr. A., in Helmstedt. Zur Entwickelung und Reform des landw. Schulwesens. 1874. 8. (36 S.) 1 M.

Howard, Dr. W. H., Prof. an der Universität Leipzig. Die Produktionskosten unserer wichtigsten Feldfrüchte. Auf Grund der Ergebnisse von 140 Wirtschaften bearbeitet. Herausgegeben vom Buchführungs-Interessenten-Verein zu Leipzig. Zweite Auflage. 1902. 8. (84 S.) 1 M. 50 Pf.

Hucho, Dr. H., Privatdozent in Leipzig. Nutzbringende Milchwirtschaft im Groß- und Kleinbetriebe. Mit 27 Abb. 1895. 8. (249 S.) 5 M.

Hunde-Stammbaum. Ein Formular in Buntdruck auf Schreibpapier im Format von 40 zu 50 cm. 25 Pf. 6 Expl. 1 M. 20 Pf. 12 Expl. 2 M.

Hunde-Stammbuch, Deutsches. 8. XXIV. Bd. 1903. (78 und 234 S.) Geb. 3 M.

I.—X. Band.	Geb. à 1 M. 50 Pf.
XI.—XV. Band.	Geb. à 2 M.
XVI.—XXIII. Band.	Geb. à 3 M.
I.—XX. Band, auf einmal bezogen, statt 40 M.	30 M.
I.—X. Band, auf einmal bezogen, statt 15 M.	10 M.
XI.—XV. Band, auf einmal bezogen, statt 10 M.	7 M. 50 Pf.
XVI.—XX. Band, auf einmal bezogen, statt 15 M.	12 M. 50 Pf.

Hürten, F., Oberlandmesser in Münster i. W. Kurven-Tafeln zur Bestimmung der Leistungsfähigkeit unter Druck liegender Bauwerke in Entwässerungs- und Bewässerungsgräben. 1897. 8. (VII S. und 7 Taf.) Geb. 3 M.

Hüfer, A., Vermessungsrevisor. Die Zusammenlegung der Grundstücke nach dem preuß. Verfahren. Mit 18 Abb. 1890. 8. (240 S.) 5 M.

Hüttig, O., Direktor emer. und Lehrer des Gartenbaues. Geschichte des
Gartenbaues. 1879. 8. (214 S.) (Thaer-Bibliothek.) Geb. 2 M. 50 Pf.

Jacobi, Bekämpfung der Frostspanner, siehe „Flugblätter".

— — Bekämpfung der Hamsterplage, siehe „Flugblätter".

— — Die Mehlmotte, siehe „Flugblätter".

— — Die Rüben- und Hafer-Nematoden, siehe „Flugblätter".

— — Die Stockkrankheit des Getreides, siehe „Flugblätter".

Jaffé, S., siehe „Benecke, Teichwirtschaft".

Jagd, Die hohe. Herausgegeben von Hofrat Dr. W. Wurm in Bad Teinach.
Mit 18 Vollbildern in Kunstdruck und 136 Abb. 1899. 8. (504 S.)
In Sportband geb. 20 M.
12 Lieferungen à 1 M. 50 Pf.
Einbanddecke 1 M. 50 Pf.

Jagdbilder, in Farbendruck ausgeführt.

Birkhahnbalz. Nach einem Aquarell von Albert Richter. Bildgröße
22 zu 35 cm. Papiergröße 44 zu 61 cm.

Im deutschen Walde. (Rehbock.) Nach einem Gemälde von Karl
Wagner. Bildgröße 21 zu 32 cm. Papiergröße 44 zu 61 cm.

Herbstmorgen im Harz. (Schreiender Hirsch.) Nach einem Aquarell von
L. Fromme. Bildgröße 24 zu 35 cm. Papiergröße 43 zu 60 cm.

Jagdgründe am Kilima Ndjaro. Nach einem Aquarell von W. Kuhnert.
Bildgröße 16$\frac{1}{2}$ zu 30 cm. Papiergröße 44 zu 61 cm.

Preis für jedes Bild 3 M. einschl. Porto und Verpackung. In elegantem
Goldrahmen 9 M. einschl. Porto und Verpackung.

Ungerader 24-Ender. } (Pendants.) Nach Aquarellen von Professor
Ungerader 20-Ender. }   R. Friese.
Bildgröße je 23 zu 34 cm. Papiergröße je 44 zu 61 cm.

Preis für jedes Bild 3 M. einschl. Porto und Verpackung, in Eichen
gerahmt 8 M. 50 Pf. einschl. Porto und Verpackung.

Preis für beide Bilder zusammen 5 M., in Eichen gerahmt 14 M.
einschl. Porto und Verpackung.

Jagdbuch, Deutsches. Herausgegeben vom Allgemeinen Deutschen Jagdschutz-Verein.
Elfte Auflage. 1902. 12. (64 S.)   50 Pf.

— — Ausgabe mit Abschußlisten.   Geb. 3 M.

— — Prachtausgabe, siehe „Weidmannsheil".

— — Österreichisches. Herausgegeben von J. R. von Franck. 1898. 12.
(48 S.)   Kart. 1 M.

Jagdpostkarten der jagdlichen Wochenschrift „Wild und Hund".

Nr. 1—4. Von Albert Richter.   Je 20 Karten 1 M.

Nr. 5—8. Tintenklecks-Karten von O. Vollrath.   Je 20 Karten 1 M.

Nr. 9—20. Von Karl Wagner.   Das Dutzend 1 M.

Die Karten 1—4 und 9—20 werden ohne Text oder mit Jagd-
einladungstext geliefert.

Serie „Kaiserhirsche". 6 Postkarten, darstellend von S. M. dem Kaiser
in der Rominter Heide erlegte Hirsche. Im Allerhöchsten Auftrage
gemalt von Prof. R. Friese.   1 M.

Verlag von Paul Parey in Berlin SW., Hedemannstraße 10.

Jagdscheiben, humoristische, nach Zeichnungen von C. Beßler. 12 Buntbruck-
tafeln auf Kartonpapier. 3 M.

Jäger, H., Hofgarteninspektor in Eisenach. Gartenkunst und Gärten sonst
und jetzt. Handbuch für Gärtner, Architekten und Liebhaber. Mit 245 Abb.
1888. 8. (529 S.) Geb. 20 M. 12 Lieferungen à 1 M. 50 Pf.
Einbandbecke 1 M. 50 Pf.

Jahrbuch der Deutschen Landwirtschafts-Gesellschaft. Herausgegeben vom
Direktorium. 8.

 Siebzehnter Band. 1902. (694 S.) 6 M.

 Erster bis vierter Band. 1886—1889. à 6 M.

  Ergänzungsheft: Goethe, R., Ökonomierat. Die Kernobstsorten
  des deutschen Obstbaues. 1890. (160 S.) 2 M.

 Fünfter Band. Das Jahr 1890. 6 M.

 Sechster Band. Das Jahr 1891. Zwei Teile. 9 M.

 Siebenter bis sechzehnter Band. 1892—1901. à 6 M.

Jahrbuch, Gärungstechnisches. Herausgegeben von Dr. A. Schrohe, Reg.-Rat
in Berlin. 8.

 I. Jahrgang 1891. Mit 251 Abb. 1892. (337 S.) Geb. 7 M.

 II. Jahrgang 1892. Mit 246 Abb. 1893. (258 S.) Geb. 7 M.

Jahrbuch des Vereins der Spiritus-Fabrikanten in Deutschland, des
Vereins der Stärke-Interessenten in Deutschland und der Brennerei-Berufs-
genossenschaft. 8.

 Erster Band. 1901. (316 S.) Geb. 6 M.

 Zweiter Band. 1902. (494 S.) Geb. 6 M.

 Dritter Band. 1903. (471 S.) Geb. 6 M.

 (Ergänzungsband zur „Zeitschrift für Spiritusindustrie".)

Jahrbuch der Versuchs- und Lehranstalt für Brauerei in Berlin. 8.

 Erster Baud. 1898. (258 S.) Geb. 6 M.

 Zweiter Band. 1899. 1900. (275 S.) Geb. 6 M.

 Dritter Band. 1900. 1901. (206 S.) Geb. 6 M.

 Vierter Band. 1901. 1902. (381 S.) Geb. 6 M.

 Fünfter Band. 1902. 1903. (416 S.) Geb. 6 M.

 (Ergänzungsband zur „Tageszeitung für Brauerei".)

Jahrbuch der agrikultur-chemischen Versuchs-Station der Landwirtschaftskammer der Provinz Sachsen zu Halle a. S. Herausgegeben von Prof.
Dr. Maercker, Geh. Reg.-Rat. 8.

 I. Jahrgang 1895. Mit 3 Lichtbrucktafeln. 1896. (121 S.) 5 M.

 II. Jahrgang 1896. Beiträge zur Düngerlehre und Bodenkunde. 1897.
 (205 S.) 7 M.

Jahrbücher, Landw. Zeitschrift für wissenschaftliche Landwirtschaft und Archiv
des Kgl. Preuß. Landes-Ökonomie-Kollegiums. Herausgegeben von Dr.
H. Thiel, Wirkl. Geh. Ober-Reg.-Rat und Ministerialdirektor im Kgl.
Preuß. Ministerium für Landwirtschaft, Domänen und Forsten. 8.

XXXIII. Band. 1904. Sechs Hefte mit 60 Bogen Text und Tafeln.
28 M. Einzelne Hefte 5 M.

(Siehe auch Seite 54.)

Jahrbücher, Landw. (Siehe auch Seite 53.)

I. Band.	1872.	(631 S.)		14 M.	jetzt 10 M.
II. Band.	1873.	(887 und 39 S.)		20 M.	jetzt 10 M.
III. Band.	1874.	Mit 8 Taf.	(942 S.)	20 M.	jetzt 10 M.
IV. Band.	1875.	Mit 8 Taf.	(1033 S.)	Nicht einzeln verkäufl.	
V. Baud.	1876.	Mit 12 Taf.	(1148 S.)	20 M.	jetzt 10 M.
VI. Band.	1877.	Mit 46 Taf.	(1087 S.)	20 M.	jetzt 10 M.
VII. Band.	1878.	Mit 31 Taf.	(939 S.)	20 M.	jetzt 10 M.
VIII. Band.	1879.	Mit 19 Taf.	(959 S.)	20 M.	jetzt 10 M.
IX. Band.	1880.	Mit 12 Taf.	(1038 S.)	20 M.	jetzt 10 M.
X. Band.	1881.	Mit 17 Taf.	(957 S.)	20 M.	jetzt 10 M.
XI. Band.	1882.	Mit 26 Taf.	(940 S.)	20 M.	jetzt 10 M.
XII. Band.	1883.	Mit 19 Taf.	(967 S.)	20 M.	jetzt 10 M.
XIII. Band.	1884.	Mit 16 Taf.	(962 S.)		20 M.
XIV. Band.	1885.	Mit 14 Taf.	(960 S.)	20 M.	jetzt 10 M.
XV. Band.	1886.	Mit 14 Taf.	(944 S.)	20 M.	jetzt 10 M.
XVI. Baud.	1887.	Mit 9 Taf.	(939 S.)	20 M.	jetzt 10 M.
XVII. Baud.	1888.	Mit 19 Taf.	(945 S.)	20 M.	jetzt 10 M.
XVIII. Baud.	1889.	Mit 17 Taf.	(946 S.)	20 M.	jetzt 10 M.
XIX. Band.	1890.	Mit 20 Taf.	(935 S.)	20 M.	jetzt 10 M.
XX. Band.	1891.	Mit 32 Taf.	(984 S.)	20 M.	jetzt 10 M.
XXI. Band.	1892.	Mit 15 Taf.	(949 S.)	28 M.	jetzt 18 M.
XXII. Band.	1893.	Mit 19 Taf.	(1002 S.)	28 M.	jetzt 18 M.
XXIII. Baud.	1894.	Mit 19 Taf.	(1043 S.)	28 M.	jetzt 18 M.
XXIV. Band.	1895.	Mit 16 Taf.	(967 S.)	28 M.	jetzt 18 M.
XXV. Band.	1896.	Mit 39 Taf.	(1050 S.)	28 M.	jetzt 18 M.
XXVI. Band.	1897.	Mit 41 Taf.	(945 S.)		28 M.
XXVII. Band.	1898.	Mit 11 Taf.	(963 S.)		28 M.
XXVIII. Band.	1899.	Mit 19 Taf.	(1081 S.)		28 M.
XXIX. Band.	1900.	Mit 36 Taf.	(1000 S.)		28 M.
XXX. Band.	1901.	Mit 18 Taf.	(989 S.)		28 M.
XXXI. Band.	1902.	Mit 13 Taf.	(970 S.)		28 M.
XXXII. Baud.	1903.	Mit 18 Taf.	(947 S.)		28 M.

Register über Jahrgang I—XXV. 1896. (116 S.)   4 M.
(Siehe auch Ergänzungsband IV. zu Jahrgang 1896.)

Die vollständige Reihe der Bände I—XXXI (1872—1902) nebst ihren 91 Ergänzungsbänden (urſprüngl. Preis 1874 M.) zuſammen für 1200 M.

— — 1874. **Ergänzungsband.** Jahresbericht über den Zuſtand der Landeskultur in Preußen für das Jahr 1873 und Verhandlungen des Landes-Ökonomie-Kollegiums. XX. Sitzungsperiode (1874). (387 S.) 9 M., jetzt 4 M. 50 Pf.

— — 1875. **Ergänzungsband.** Jahresbericht über den Zuſtand der Landeskultur in Preußen für das Jahr 1874 und Verhandlungen des Landes-Ökonomie-Kollegiums. XXI. Sitzungsperiode (1875). (118 und 29 S.) (Vergriffen.)

— — 1876. **Ergänzungsband.** Preuß. Veterinärweſen und Seuchengeſetzgebung. (117 S.) (Vergriffen.)   2 M. 50 Pf.

(Siehe auch Seite 55.)

Verlag von Paul Parey in Berlin SW., Hedemannſtraße 10.

Jahrbücher, Landw. (Siehe auch Seite 54.)

— — 1877. Ergänzungsband I. Untersuchungen auf dem Gebiete der Agrikulturchemie und Spiritusfabrikation. 1874—1876. Von Dr. M. Maercker,
Prof. in Halle a. S. Mit 9 Taf. (405 S.) Einzeln nicht verkäuflich.
— — 1877. Ergänzungsband II. Landw. Statistik von Preußen 1875 und
Verhandlungen des Landes-Ökonomie-Kollegiums. XXII. Sitzungsperiode
(1876). (367 S.) 10 M. jetzt 5 M.
— — 1877. Ergänzungsband III. Landw. Statistik von Preußen 1876 und
Verhandlungen des Landes-Ökonomie-Kollegiums. XXIII. Sitzungsperiode
(1877). (434 S.) (Vergriffen.) 12 M.

— — 1878. Ergänzungsband I. Preußens landw. Verwaltung in den Jahren
1875, 1876, 1877. (381 S., 31 Anlagen und 13 Taf.) 20 M.
— — 1878. Ergänzungsband II. Landw. Statistik von Preußen 1877 und Verhandlungen des Landes-Ökonomie-Kollegiums. XXIV. Sitzungsperiode (1878).
(166 S.) 4 M. jetzt 2 M.

— — 1879. Ergänzungsband I. Die Ernährung der landw. Nutztiere. (Neue
Beiträge.) Von Dr. E. Wolff, Prof. in Hohenheim. (278 S.) Vergriffen.)
— — 1879. Ergänzungsband II. Landw. Statistik von Preußen 1878 und Verhandlungen des reorganisierten Landes-Ökonomie-Kollegiums. I. Sitzungsperiode 1. Session (1879). (704 S.) 20 M. jetzt 10 M.

— — 1880. Ergänzungsband I. Landw. Statistik von Preußen 1879. Erster
Teil. Nebst Verhandlungen des Landes-Ökonomie-Kollegiums. I. Sitzungsperiode 2. Session (1880). (320 und 48 S.) 10 M.
— — 1880. Ergänzungsband II. Landw. Statistik von Preußen 1879. Zweiter
Teil. (224 S.) 8 M.

— — 1881. Ergänzungsband I. Landw. Statistik von Preußen 1880. Erster
Teil. Nebst Verhandlungen des Landes-Ökonomie-Kollegiums. II. Sitzungsperiode 1. Session (1881). (413 und 76 S.) 18 M.
— — 1881. Ergänzungsband II. Landw. Statistik von Preußen 1880. Zweiter
Teil. (270 und 25 S.) 7 M.

— — 1882. Ergänzungsband I. Preußens landw. Verwaltung in den Jahren
1878, 1879, 1880. (623 S.) 20 M.
— — 1882. Ergänzungsband II. Landw. Statistik von Preußen 1881. Erster
Teil. Nebst Verhandlungen des Landes-Ökonomie-Kollegiums. II. Sitzungsperiode 2. Session (1882). (467 und 108 S.) 15 M. jetzt 7 M. 50 Pf.
— — 1882. Ergänzungsband III. Landw. Statistik von Preußen 1881. Zweiter
Teil. (190 und 25 S.) 6 M. jetzt 3 M.

— — 1883. Ergänzungsband I. Verhandlungen des Landes-Ökonomie-Kollegiums.
II. Sitzungsperiode 3. Session (1883). (832 S.) Einzeln nicht verkäuflich.
— — 1883. Ergänzungsband II. Landw. Statistik von Preußen 1882. Erster
Teil. (297 und 112 S.) 12 M. Einzeln nicht verkäuflich.
— — 1883. Ergänzungsband III. Landw. Statistik von Preußen 1882. Zweiter
Teil. (201 und 25 S.) 6 M. jetzt 3 M.

— — 1884. Ergänzungsband I. Landw. Statistik von Preußen 1883. Erster
Teil. Nebst Verhandlungen des Landes-Ökonomie-Kollegiums. III. Sitzungsperiode 1. Session (1884). (663 und 120 S.) Einzeln nicht verkäuflich.
— — 1884. Ergänzungsband II. Landw. Statistik von Preußen 1883. Zweiter
Teil. (269 und 103 S.) 12 M. jetzt 6 M.

— — 1885. Ergänzungsband I. Preußens landw. Verwaltung in den Jahren
1881, 1882, 1883. (851 S.) 25 M.
— — 1885. Ergänzungsband II. Landw. Statistik von Preußen 1884. Erster
Teil. (182 und 126 S.) 12 M. jetzt 6 M.

(Siehe auch Seite 56.)

Jahrbücher, Landw. (Siehe auch Seite 55.)

— — 1885. Ergänzungsband III. Landw. Statistik von Preußen 1884. Zweiter Teil. Nebst Verhandlungen des Landes-Ökonomie-Kollegiums. III. Sitzungsperiode 2. Session (1885). (384, 341 und 101 S.) 18 M.   jetzt 9 M.

— — 1886. Ergänzungsband I. Landw. Statistik von Preußen 1885. Erster Teil. (100, 19 und 134 S.) 10 M.   jetzt 5 M.

— — 1886. Ergänzungsband II. Landw. Statistik von Preußen 1885. Zweiter Teil. Nebst Verhandlungen des Landes-Ökonomie-Kollegiums. III. Sitzungsperiode 3. Session (1886). (175, 231, 33, 45, XXIV und 118 S.) 14 M.   jetzt 7 M.

— — 1886. Ergänzungsband III. Die Ergebnisse der Preuß. Landwirtschaft im Jahre 1884 von E. Marcard, Wirkl. Geh. Rat und Unterstaatssekretär. (98 S.)   Einzeln nicht verkäuflich.

— — 1887. Ergänzungsband I. Landw. Statistik von Preußen 1886. Erster Teil. (81, 19 und 143 S.) 9 M.   jetzt 4 M. 50 Pf.

— — 1887. Ergänzungsband II. Landw. Statistik von Preußen 1886. Zweiter Teil. Nebst Verhandlungen des Landes-Ökonomie-Kollegiums. IV. Sitzungsperiode 1. Session (1887). (763 S.) 17 M.   jetzt 8 M. 50 Pf.

— — 1887. Ergänzungsband III. Grundlagen für die rationelle Fütterung des Pferdes. (Neue Beiträge.) Von Dr. E. Wolff, Prof. in Hohenheim. (132 S.)   Einzeln nicht verkäuflich.

— — 1888. Ergänzungsband I. Landw. Statistik von Preußen 1887. Erster Teil. (73 und 153 S.) 10 M.   jetzt 5 M.

— — 1888. Ergänzungsband II. Preußens landw. Verwaltung in den Jahren 1884—1887. (816 S.)   25 M.

— — 1888. Ergänzungsband III. Landw. Statistik von Preußen 1887. Zweiter Teil. Nebst Verhandlungen des Landes-Ökonomie-Kollegiums. IV. Sitzungsperiode 2. Session (1888). (310 und 125 S.) 18 M.   jetzt 9 M.

— — 1888. Ergänzungsband IV. Die Ergebnisse der Preuß. Landwirtschaft in den Jahren 1885/86 von E. Marcard, Wirkl. Geh. Rat und Unterstaatssekretär. (138 S.)   4 M.

— — 1889. Ergänzungsband I. Landw. Statistik von Preußen 1888. Erster Teil. (263 S.) 10 M.   jetzt 5 M.

— — 1889. Ergänzungsband II. Verhandlungen des Landes-Ökonomie-Kollegiums über den Entwurf eines bürgerlichen Gesetzbuches für das Deutsche Reich. IV. Sitzungsperiode 3. Session (1889). (1017 S.) 20 M. jetzt 12 M.

— — 1889. Ergänzungsband III. Ermittelungen über die allgemeine Lage der Landwirtschaft in Preußen. Erster Teil. (648 S.)   15 M.

— — 1889. Ergänzungsband IV. Landw. Statistik von Preußen 1888. Zweiter Teil. (429 S.) 12 M.   jetzt 6 M.

— — 1890. Ergänzungsband I. Die Ergebnisse der Preuß. Landwirtschaft in den Jahren 1887/88 von E. Marcard, Wirkl. Geh. Rat und Unterstaatssekretär. (168 S.)   4 M.

— — 1890. Ergänzungsband II. Landw. Statistik von Preußen 1889. Erster Teil. (105 und 176 S.) 10 M.   jetzt 5 M.

— — 1890. Ergänzungsband III. Landw. Statistik von Preußen 1889. Zweiter Teil. Nebst Verhandlungen des Landes-Ökonomie-Kollegiums. V. Sitzungsperiode 1. Session (1890). (550, 374 S. und Anlagen.) 26 M. jetzt 13 M.

— — 1890. Ergänzungsband IV. Ermittelungen über die allgemeine Lage der Landwirtschaft in Preußen. Zweiter Teil. (579 S.)   12 M.

— — 1891. Ergänzungsband I. Landw. Statistik von Preußen 1890. Erster Teil. (92, 36 und 237 S.) 10 M.   jetzt 5 M.

— — 1891. Ergänzungsband II. Untersuchung der Milch von 16 Holländer Kühen. Mitgeteilt von Prof. Dr. W. Fleischmann. (368 S.) 10 M.

(Siehe auch Seite 57.)

Verlag von Paul Parey in Berlin SW., Hedemannstraße 10.

Jahrbücher, Landw. (Siehe auch Seite 56.)

— — 1891. Ergänzungsband III. Landw. Statistik von Preußen 1890. Zweiter Teil. Nebst Verhandlungen des Landes-Ökonomie-Kollegiums. V. Sitzungsperiode 2. Session (1891). (327, 394 S. u. Anlagen.) 25 M., jetzt 12 M. 50 Pf.

— — 1892. Ergänzungsband I. Landw. Statistik von Preußen 1891. Erster Teil. (125, 215 S. und Anlagen.) 10 M.   jetzt 6 M.

— — 1892. Ergänzungsband II. Landw. Statistik von Preußen 1891. Zweiter Teil. Nebst Verhandlungen des Landes-Ökonomie-Kollegiums. V Sitzungsperiode 3. Session (1892). (XV, 264, 411, 23, 55; XXV, 141 S. und Anlagen.) 28 M.   jetzt 18 M.

— — 1893. Ergänzungsband I. Landw. Statistik von Preußen 1892. Erster Teil. (V, 53, 42; IX, 271 S. mit Tabellen.) 10 M.   jetzt 6 M.

— — 1893. Ergänzungsband II. Landw. Statistik von Preußen 1892. Zweiter Teil. (VI, 467, 55; XXV, 156 S. mit Tabellen.) 24 M. jetzt 16 M.

— — 1893. Ergänzungsband III. Das landw. Versuchswesen und die Tätigkeit der landw. Versuchs-Stationen Preußens im Jahre 1892. Von Dr. K. Rümker, Privatdozent in Halle. (244 S.) 7 M.   jetzt 5 M.

— — 1894. Ergänzungsband I. Verhandlungen des Landes-Ökonomie-Kollegiums. VI. Sitzungsperiode 1. Session (1894). (X, 262 S.) 7 M. jetzt 5 M.

— — 1894. Ergänzungsband II. Die Agrarkonferenz vom 28. Mai bis 2. Juni 1894. (368 S.) 8 M.   jetzt 5 M.

— — 1894. Ergänzungsband III. Landw. Statistik von Preußen 1893. Erster Teil. (24, 48; X, 286 S.) 9 M.   jetzt 6 M.

— — 1894. Ergänzungsband IV. Landw. Statistik von Preußen 1893. Zweiter Teil. (559, 73; XXV, 163 S.) 20 M.   jetzt 14 M.

— — 1895. Ergänzungsband I. Das landw. Versuchswesen und die Tätigkeit der landw. Versuchs-Stationen Preußens im Jahre 1893. Von Dr. K. von Rümker, Prof. in Breslau. (347 S.) 10 M. jetzt 6 M.

— — 1895. Ergänzungsband II. Landw. Statistik von Preußen 1894. Erster Teil. Nebst Verhandlungen des Landes-Ökonomie-Kollegiums. VI. Sitzungsperiode 2. Session (1895). (XV, 218, 145, 48; X, 305 S.) 20 M. jetzt 14 M.

— — 1895. Ergänzungsband III. Landw. Statistik von Preußen 1894. Zweiter Teil. Nebst Verhandlungen des Landes-Ökonomie-Kollegiums. VI. Sitzungsperiode 3. Session (1895). (XII, 62, 659, 51; XXV, 163 S.) 28 M. jetzt 18 M.

— — 1896. Ergänzungsband I. Landw. Statistik von Preußen 1895. Erster Teil. (27, 44; XII, 316 S.) 13 M.   jetzt 9 M.

— — 1896. Ergänzungsband II. Das landw. Versuchswesen und die Tätigkeit der landw. Versuchs-Stationen Preußens im Jahre 1894. Von Dr. K. von Rümker, Prof. in Breslau. (480 S.) 16 M. jetzt 10 M.

— — 1896. Ergänzungsband III. Landw. Statistik von Preußen 1895. Zweiter Teil. (659, 55; XXV, 168 S.) 25 M.   jetzt 20 M.

— — 1896. Ergänzungsband IV. Register über Jahrg. I—XXV (1872—1896). Bearbeitet von Dr. Fr. Engel, Bibliothekar in Berlin. (116 S.) 4 M.

— — 1897. Ergänzungsband I. Verhandlungen des Landes-Ökonomie-Kollegiums. VII. Sitzungsperiode 1. Session (1896). (XI, 231 S.)   7 M.

— — 1897. Ergänzungsband II. Landw. Statistik von Preußen für das Jahr 1896. Erster Teil. (27, 44; XII, 333 S.)   14 M.

— — 1897. Ergänzungsband III. Das landw. Versuchswesen und die Tätigkeit der landw. Versuchs-Stationen Preußens im Jahre 1895. Von Dr. K. von Rümker, Prof. in Breslau. (710 S.)   20 M.

— — 1897. Ergänzungsband IV. Landw. Statistik von Preußen 1896. Zweiter Teil. (637, 65; XXVI, 183 S.)   20 M.

— — 1898. Ergänzungsband I. Verhandlungen des Landes-Ökonomie-Kollegiums. VII. Sitzungsperiode 2. Session (1896). (XI, 260 S.)   7 M.

(Siehe auch Seite 58.)

Jahrbücher, Landw. (Siehe auch Seite 57.)

— — 1898. Ergänzungsband II. Das landw. Versuchswesen und die Tätigkeit der landw. Versuchs-Stationen Preußens im Jahre 1896. Von
Dr. H. Immendorff in Bremen. (818 S.)   20 M.

— — 1898. Ergänzungsband III. Untersuchungen über den Stoffwechsel des
Pferdes. Neue Folge. Von Prof. Dr. Zuntz-Berlin und Prof. Dr. Hage-
mann-Poppelsdorf. Mit 7 Taf. (438 S.)   14 M.

— — 1898. Ergänzungsband IV. Mitteilungen über die Arbeiten der Moor-
Versuchs-Station in Bremen. Vierter Bericht. Herausgegeben von
Dr. B. Tacke. Mit 3 Abb. und 24 Taf. (557 S.)   18 M.

— — 1898. Ergänzungsband V. Landw. Statistik von Preußen 1897. Erster
Teil. (73; XVI, 324 S.)   13 M.

— — 1898. Ergänzungsband VI. Landw. Statistik von Preußen 1897. Zweiter
Teil. (525, 97 S.)   15 M.

— — 1899. Ergänzungsband I. Die Vererbung des ländlichen Grundbesitzes. Erster Band. Mit 7 Karten. (XV, 201, 123, 106, 135 S.) 15 M.

— — 1899. Ergänzungsband II. Verhandlungen des Landes-Ökonomie-Kollegiums.
VIII. Sitzungsperiode 1. Session. (VI, 322 S.)   8 M.

— — 1899. Ergänzungsband III. Gesamtbericht über die Untersuchung der
Milch von 63 Holländer Kühen. Von Dr. K. Hittcher in Kleinhof-Tapiau.
Mit 16 Taf. (XIV, 551 S.)   14 M.

— — 1899. Ergänzungsband IV. Das landw. Versuchswesen und die Tätigkeit der landw. Versuchs-Stationen Preußens im Jahre 1897. Von
Dr. H. Immendorff in Bremen. (VIII, 386 S.)   10 M.

— — 1899. Ergänzungsband V. Landw. Statistik von Preußen 1898. Erster
Teil. (76; XVI, 338 S.) 12 M.   Einzeln nicht verkäuflich.

— — 1899. Ergänzungsband VI. Landw. Statistik von Preußen 1898. Zweiter
Teil. (615, 98 S.)   18 M.

— — 1900. Ergänzungsband I. Verhandlungen des Landes-Ökonomie-Kollegiums.
VIII. Sitzungsperiode 2. Session. (304 S.)   8 M.

— — 1900. Ergänzungsband II. Das landw. Versuchswesen und die Tätigkeit der landw. Versuchs-Stationen Preußens im Jahre 1898. Von
Dr. H. Immendorff in Bremen. (VIII, 337 S.)   9 M.

— — 1900. Ergänzungsband III. Die Vererbung des ländlichen Grundbesitzes. Zweiter Band, erster Teil. Mit 6 Karten. (XIII, 235,
279 S.)   13 M. 50 Pf.

— — 1900. Ergänzungsband IV. Landw. Statistik von Preußen 1899. Erster
Teil. (71, 344 S.)   11 M.

— — 1900. Ergänzungsband V. Landw. Statistik von Preußen 1899. Zweiter
Teil. (553 S.)   14 M.

— — 1901. Ergänzungsband I. Verhandlungen des Landes-Ökonomie-Kollegiums.
VIII. Sitzungsperiode 3. Tagung. (VI, 253 S.) 7 M. Einzeln nicht verkäuflich.

— — 1901. Ergänzungsband II. Das landw. Versuchswesen und die Tätigkeit der landw. Versuchs-Stationen Preußens im Jahre 1899. Von
Dr. H. Immendorff in Jena. (VIII, 309 S.)   8 M.

— — 1901. Ergänzungsband III. Arbeiten der landw. Akademie Bonn-Poppelsdorf. Mit 16 Taf. (463 S.)   14 M.

— — 1901. Ergänzungsband IV. Landw. Statistik von Preußen 1900. (VI
721 S.) 18 M.   Einzeln nicht verkäuflich

— — 1902. Ergänzungsband I. Der landw. Groß-, Mittel- und Kleinbetrieb.
Von Dr. E. Stumpfe. (287 S.)   7 M.

— — 1902. Ergänzungsband II. Verhandlungen des Landes-Ökonomie-Kollegiums.
IX. Sitzungsperiode 1. Tagung. (VI, 242 S.)   6 M.

(Siehe auch Seite 59.)

Verlag von Paul Parey in Berlin SW., Hedemannstraße 10.

Jahrbücher, Landw. (Siehe auch Seite 58.)

— — 1902. Ergänzungsband III. Innere Kolonisation in den Provinzen Brandenburg und Pommern 1891—1901. Von H. Metz, Generalkommissions-Präsident. (VIII, 160 S.) 4 M.

— — 1902. Ergänzungsband IV. Das landw. Versuchswesen und die Tätigkeit der landw. Versuchs-Stationen Preußens im Jahre 1900. Von Dr. H. Immendorff in Jena. (VIII, 277 S.) 7 M.

— — 1903. Ergänzungsband I. Verhandlungen des Landes-Ökonomie-Kollegiums. IX. Sitzungsperiode 2. Tagung. (VI, 264 S.) 6 M.

— — 1903. Ergänzungsband II. Statistik der landw. Unterrichtsanstalten Preußens für die Jahre 1900, 1901 und 1902. (XVIII, 389 S.) 10 M.

Der Jahresbericht über den Zustand der Landes-Kultur in Preußen für die Jahre 1871—1872 erschien in den Landw. Jahrbüchern I. und II. Jahrgang. Die ferneren Berichte, vom Jahre 1875 ab unter dem Titel: Beiträge zur landwirtschaftlichen Statistik sind enthalten in den Ergänzungsbänden zu den Landw. Jahrbüchern.

Die Verhandlungen des Kgl. Landes-Ökonomie-Kollegiums seit 1842, I. bis XVII. Sitzungsperiode, erschienen in den Annalen der Landwirtschaft, XVIII. und XIX. Sitzungsperiode (1872—1873) in den Landw. Jahrbüchern I. und II. Jahrgang, XX. bis XXIV. (1874—1878) und I. bis IX. Sitzungsperiode (1879—1903) des reorganisierten Kgl. Landes-Ökonomie-Kollegiums in den Ergänzungsbänden zu den Landw. Jahrbüchern.

Jahresbericht über die Fortschritte auf dem Gesamtgebiete der Agrikultur-Chemie. Herausgegeben von Dr. A. Hilger, Hofrat und Obermedizinalrat, Prof. in München, und Dr. Th. Dietrich, Geh. Reg.-Rat, Prof. in Hannover. 8.

Dritte Folge.

V. Band. Das Jahr 1902. Der ganzen Reihe XLV. Bd. 1903. (580 S.) 26 M.

Erste Folge.

I. Band. Die Jahre 1858—1859. (248 S.) 4 M. 60 Pf.

II. Band. Die Jahre 1859—1860. (336 S.) 6 M.

III. Band. Die Jahre 1860—1861. (292 S.) 5 M. 60 Pf.

IV. Band. Die Jahre 1861—1862. (298 S.) 5 M.

V. Band. Die Jahre 1862—1863. (268 S.) 5 M.

VI. Band. Die Jahre 1863—1864. (235 S.) 5 M.

VII. Band. Das Jahr 1864. (444 S.) 9 M.

VIII. Band. Das Jahr 1865. (444 S.) 9 M.

IX. Band. Das Jahr 1866. (510 S.) 10 M.

X. Band. Das Jahr 1867. (404 S.) 9 M.

XI. und XII. Band. Die Jahre 1868—1869. (775 S.) 18 M.

XIII. bis XV. Band. Die Jahre 1870—1872. 3 Bde. (857 S.) 23 M.

XVI. und XVII. Band. Die Jahre 1873—1874. 2 Bde. (784 S.) 21 M. 60 Pf.

XVIII. und XIX. Band. Die Jahre 1875—1876. 2 Bde. (884 S.) 24 M. 60 Pf.

XX. Band. Das Jahr 1877. (729 S.) 20 M.

Erste Folge, umfassend die Bde. I—XX (1858—1877) statt 175 M. 40 Pf. zusammen für 100 M.

Generalregister zur ersten Folge I—XX. (388 S.) 9 M.

(Siehe auch Seite 60.)

Jahresbericht über Agrikulturchemie. (Siehe auch Seite 59.)

Zweite Folge.

I. Band. Das Jahr 1878. (828 S.) Der ganzen Reihe XXI. Bd. 22 M.

II. Band. Das Jahr 1879. (685 S.) Der ganzen Reihe XXII. Bd. 20 M.

III. Band. Das Jahr 1880. (679 S.) Der ganzen Reihe XXIII. Bd. 20 M.

IV. Baub. Das Jahr 1881. (624 S.) Der ganzen Reihe XXIV. Bd. 20 M.

V. Band. Das Jahr 1882. (612 S.) Der ganzen Reihe XXV. Bd. 22 M.

VI. Band. Das Jahr 1883. (613 S.) Der ganzen Reihe XXVI. Bd. 22 M.

VII. Band. Das Jahr 1884. (757 S.) Der ganzen Reihe XXVII. Bd. 25 M.

VIII. Band. Das Jahr 1885. (666 S.) Der ganzen Reihe XXVIII. Bd. 23 M.

IX. Band. Das Jahr 1886. (638 S.) Der ganzen Reihe XXIX. Bd. 23 M.

X. Band. Das Jahr 1887. (679 S.) Der ganzen Reihe XXX. Bd. 23 M.

XI. Band. Das Jahr 1888. (606 S.) Der ganzen Reihe XXXI. Bd. 23 M.

XII. Band. Das Jahr 1889. (708 S.) Der ganzen Reihe XXXII. Bd. 23 M.

XIII. Band. Das Jahr 1890. (850 S.) Der ganzen Reihe XXXIII. Bd. 28 M.

XIV. Band. Das Jahr 1891. (756 S.) Der ganzen Reihe XXXIV. Bd. 26 M.

XV. Band. Das Jahr 1892. (757 S.) Der ganzen Reihe XXXV. Bd. 26 M.

XVI. Band. Das Jahr 1893. (544 S.) Der ganzen Reihe XXXVI. Bd. 24 M.

XVII. Band. Das Jahr 1894. (698 S.) Der ganz. Reihe XXXVII. Bd. 25 M.

XVIII. Band. Das Jahr 1895. (668 S.) Der ganz. Reihe XXXVIII. Bd. 25 M.

XIX. Band. Das Jahr 1896. (712 S.) Der ganzen Reihe XXXIX. Bd. 26 M.

XX. Band. Das Jahr 1897. (766 S.) Der ganzen Reihe XL. Bd. 26 M.

Jeder Jahrgang mit einem vollständigen Sach- und Namenregister.

Zweite Folge, umfassend die Bände I—XX (1878—1897) statt 472 M.

zusammen für 300 M.

Generalregister zur zweiten Folge (Band XXI—XL der ganzen Reihe). Bearbeitet von H. Kraut.

Erster Teil. Pflanzenproduktion. 1899. (278 S.) 10 M.

Zweiter Teil. Tierproduktion. In Vorbereitung.

Dritte Folge.

I. Band. Das Jahr 1898. (700 S.) Der ganzen Reihe XLI. Bd. 26 M.

II. Band. Das Jahr 1899. (666 S.) Der ganzen Reihe XLII. Bd. 26 M.

III. Band. Das Jahr 1900. (717 S.) Der ganzen Reihe XLIII. Bd. 26 M.

IV. Band. Das Jahr 1901. (613 S.) Der ganzen Reihe XLIV. Bd. 26 M.

Jahresbericht über die Fortschritte im landw. Maschinenwesen. Bearbeitet von Dr. A. Wüst. 8.

Zweiter Jahrgang. Mit 100 Abb. 1876. (240 S.) 4 M.

Dritter Jahrgang. Mit 142 Abb. 1877. (244 S.) 5 M.

Vierter Jahrgang. Mit 116 Abb. 1879. (216 S.) 5 M.

Jahresbericht, Önologischer. Herausgegeben von Dr. C. Weigelt, Direktor der landw. Versuchs-Station in Rufach. 8.

Erster und zweiter Jahrgang 1878 u. 1879. (178 u. 190 S.) à 4 M.

Dritter Jahrgang 1880. (161 S.) 5 M.

Verlag von Paul Parey in Berlin SW., Hedemannstraße 10.

Jahresbericht über die Neuerungen und Leistungen auf dem Gebiete der Pflanzenkrankheiten. Herausgegeben von Prof. Dr. M. Hollrung in Halle. 8.

Erster Band.	Das Jahr 1898.	1899.	(184 S.)	5 M.
Zweiter Band.	Das Jahr 1899.	1900.	(303 S.)	10 M.
Dritter Band.	Das Jahr 1900.	1902.	(291 S.)	10 M.
Vierter Band.	Das Jahr 1901.	1903.	(305 S.)	12 M.
Fünfter Band.	Das Jahr 1902.	1904.	(408 S.)	15 M.

Der erste bis dritte Band erschien unter dem Titel: Jahresbericht über die
Neuerungen und Leistungen des Pflanzenschutzes.

Jahresbericht des Sonderausschusses für Pflanzenschutz, siehe „Arbeiten der D. L.-G."
Heft 5, 8, 19, 26, 29, 38, 50, 60, 71, 82.

Jahresbericht, Erster, der Deputation für das Veterinärwesen über die Verbreitung
ansteckender Tierkrankheiten in Preußen. 1877. 8. (36 S.) 1 M.
(Sonderabdruck aus: Landw. Jahrbücher. VI. Bd. 1877. Ergänzungsband III.)

Jaensch, Dr. Th. Der Zucker in seiner Bedeutung für die Volksernährung.
1900. 8. (106 S.) Kart. 1 M.

Janson, Arthur, Dezernent für Obst-, Wein- und Gartenbau der Landwirtschafts-
kammer für die Prov. Sachsen. Die Gartenpflege. Anleitung zur
Pflege und Erziehung des Ziergartens unter Berücksichtigung ländlicher
Verhältnisse. Mit 69 Abb. 1903. 8. (136 S.) Geb. 2 M. 50 Pf.

Jaspers, G., Generalsekretär in Osnabrück. Der Bauernhof. Anleitung zur
Anlage und Einrichtung. Mit 21 Abb. und 17 Taf. 1890. 8. (125 S.)
(Thaer-Bibliothek.) Geb. 2 M. 50 Pf.

Jenssen, Th., in Hannover. Des Landwirts Haus- und Lesebuch. Wohl-
feile Ausgabe. 1897. 8. (784 S.) 3 M. Kart. 3 M. 50 Pf.

— — Zur Geschichte der landw. Zeitschriften Deutschlands. 1889. 8.
(118 S.) 3 M.
(Sonderabdruck aus: Landw. Jahrbücher. XVIII. Bd. 1889.)

Immendorff, Dr. H., Vorstand des Laboratoriums der Moor-Versuchs-Station
zu Bremen. Das landw. Versuchswesen und die Tätigkeit der landw.
Versuchs-Stationen Preußens im Jahre 1896. 1898. 8. (818 S.) 20 M.
(Landw. Jahrbücher. XXVII. Bd. 1898. Ergänzungsband II.)

— — Bericht über das Jahr 1897. 1899. 8. (386 S.) 10 M.
(Landw. Jahrbücher. XXVIII. Bd. 1899. Ergänzungsband IV.)

— — Bericht über das Jahr 1898. 1900. 8. (337 S.) 9 M.
(Landw. Jahrbücher. XXIX. Bd. 1900. Ergänzungsband II.)

— — Bericht über das Jahr 1899. 1901. 8. (309 S.) 8 M.
(Landw. Jahrbücher. XXX. Bd. 1901. Ergänzungsband II.)

— — Bericht über das Jahr 1900. 1902. 8. (277 S.) 7 M.
(Landw. Jahrbücher. XXXI. Bd. 1902. Ergänzungsband IV.)
(Siehe auch „Rümker".)

Inhaltsbestimmung von Bäumen, siehe „Hilfstafeln".

Johne, Dr. A., Geh. Med.-Rat, Prof. in Dresden. Der Laien-Fleisch-
beschauer. Leitfaden für den Unterricht der nicht tierärztlich approbierten
Fleischbeschauer und für die mit deren Prüfung und Beaufsichtigung beauftragten Veterinärbeamten. Dritte Auflage. Mit 247 Abb. 1903. 8.
(498 S.)   Geb. 6 M. 50 Pf.

— — Der Trichinenschauer. Leitfaden für den Unterricht in der Trichinen-
schau und für die mit der Kontrolle und Nachprüfung der Trichinenschauer
beauftragten Veterinär- und Medizinalbeamten. Achte Auflage. Mit 138
Abb. 1903. 8. (183 S.)   Geb. 3 M. 50 Pf.

— — Gesundheitspflege der landw. Haussäugetiere. Mit 159 Abb. 1898.
8. (234 S.) (Thaer-Bibliothek.)   Geb. 2 M. 50 Pf.

— — Bakteriolog.-mikroskopische Vorschriften. 10 Taf. 8. 1895. 50 Pf.

— — Über Atmung, Atmungsluft und Luftverderbnis. 1884. 8. (32 S.) 75 Pf.

— — Was hat der Landwirt und Viehzüchter gegenüber unserem heutigen Wissen
über die Tuberkulose des Rindes zu beachten? Zweite Auflage. 1883.
12. (19 S.)   50 Pf.

— — Taschenkalender für Fleischbeschauer, siehe „Taschenkalender".

— — und Oberstleutnant A. **Schlaberg.** Geschichte der Sächsischen Pferdezucht. Mit 2 Lichtdrucktafeln und 6 Holzschnitten. 1888. 8. (107 S.) 8 M.

Jörgensen, A., Direktor des gärungsphysiolog. Laboratoriums, Kopenhagen. Die
Hefe in der Praxis. Anwendung und Untersuchung der Brauerei-,
Brennerei- und Weinhefe. Mit 11 Abb. 1901. 8. (104 S.) Geb. 2 M. 50 Pf.

— — Die Mikroorganismen der Gärungsindustrie. Vierte Auflage.
Mit 79 Abb. 1898. 8. (349 S.)   Geb. 8 M.

Joseph, F. Reiten und Dressieren. (Vergriffen.) Siehe „Schoenbeck, Reiten".

Jösting, H., Direktor der landw. Winterschule in Lennep. Der Wald, seine
Bedeutung, Verwüstung und Wiederbegründung. Zweite Auflage. 1898.
8. (135 S.)   2 M. 50 Pf.

Journal für Landwirtschaft. Im Auftrage der Landwirtschaftskammer für die
Provinz Hannover herausgegeben. Unter Mitwirkung von Geh. Med.-Rat
Prof. Dr. J. Esser, Geh. Reg.-Rat Prof. Dr. W. Fleischmann, Prof.
Dr. F. Lehmann, Prof. Dr. C. von Seelhorst redigiert von Dr. B.
Tollens, Geh. Reg.-Rat, Prof., Direktor des agrikulturchemischen Labora-
toriums der Universität Göttingen. 8.

LII. Jahrgang. 1904. Vier Hefte mit in Summa 25 Bogen.
10 M. Einzelne Hefte 3 M.

I.—XXV. Jahrgang.	1853—1877.	Nicht einzeln verkäuflich.
XXVI.—XXIX. Jahrgang.	1878—1881.	à 9 M. jetzt à 4 M. 50 Pf.
XXX. Jahrgang.	1882.	Nicht einzeln verkäuflich.
XXXI. Jahrgang.	1883.	(Vergriffen.)
XXXII. Jahrgang.	1884.	Nicht einzeln verkäuflich.
XXXIII.—XLIV. Jahrgang.	1885—1896.	à 10 M. jetzt à 6 M.
XLV.—XLVII. Jahrgang.	1897—1899.	Nicht einzeln verkäuflich.
XLVIII.—LI. Jahrgang.	1900—1903.	à 10 M.

(Siehe auch Seite 63.)

Verlag von Paul Parey in Berlin SW., Hedemannstraße 10.

Journal für Landwirtſchaft. (Siehe auch Seite 62.)

  X. Jahrgang. 1862. Ergänzungsband. (268 S.) 2 M. jetzt 1 M.
  XI. Jahrgang. 1863. Ergänzungsband. (166 S.) 2 M. jetzt 1 M.
 XIV. Jahrgang. 1866. Ergänzungsband. (178 S.) 2 M. jetzt 1 M.
 XV. Jahrgang. 1867. Ergänzungsband. (331 S.) 3 M. jetzt 1 M. 50 Pf.
 XVI. Jahrgang. 1868. Ergänzungsband. (475 S.) 3 M. jetzt 1 M. 50 Pf.
 XX. Jahrgang. 1872. Ergänzungsband. (712 S.) 6 M. jetzt 3 M.
XXVII. Jahrgang. 1879. Ergänzungsband: Fesca, Die agronomiſche
  Bodenunterſuchung und Kartierung. (160 S.) 5 M.
XXIX. Jahrgang. 1881. Ergänzungsbb.: Wein, Sojabohne. (50 S.) 1 M.
 XXX. Jahrgang. 1882. Ergänzungsband: Fesca, Beiträge zur agro-
  nomiſchen Bodenunterſuchung und Kartierung. (112 S.) 5 M.
XLII. Jahrgang. 1894. Ergänzungsband: Liebſcher, Gedächtnisrede auf
  J. Drechsler und W. Henneberg. (29 S.) Koſtenlos.

  Die ganze Reihe von Jahrgang I—LI (1853—1903) nebſt 9 Ergänzungsbänden, wenn infolge Ergänzung durch antiquariſche Exemplare
zufällig vorhanden, urſprünglicher Preis 499 M., zuſammen für 375 M.

  Die Reihe von Jahrgang XXVI—LI (1878—1903) nebſt 3 Ergänzungsbänden, urſprünglicher Preis 271 M., zuſammen für 175 M.

Judeich, Dr. J. F., weil. Geh. Oberforſtrat und Direktor der Forſtakademie Tharand,
und Dr. H. **Nitſche,** Prof. in Tharand. Lehrbuch der mitteleuropäiſchen
Forſtinſektenkunde. Achte Auflage von Ratzeburgs Waldver-
berber und ihre Feinde. 2 Bde. Mit 352 Abb. und 8 Taf. 1895. 8.
(736 und 685 S.) Geb. 40 M.

Jühlke, F., Hof-Gartendirektor in Sansſouci. Gartenbuch für Damen.
Vierte Auflage. Mit 256 Abb. 1889. 8. (524 S.) Geb. 8 M.

— — Die Kgl. Landesbaumſchule und Gärtnerlehranſtalt zu Potsdam.
Mit 11 Taf. 1872. 8. (215 S.) 9 M.

— — Blumenzucht im Zimmer, ſiehe „Schmiblins Blumenzucht".

Jummerſpach, F., Prof. in Ungariſch-Altenburg. Landw. Baukunde. Zweite
Auflage. Mit 144 Abb. 1881. 8. (270 S.) 6 M.

Jung, H. R., Stadtobergärtner zu Köln, und W. **Schröder,** Gartendirektor der
Stadt Mainz. Das Heidelberger Schloß und ſeine Gärten in alter
und neuer Zeit. Der Schloßgarten zu Schwetzingen. Mit 4 Plänen und
35 Abb. 1898. 8. (74 S.) Kart. 2 M. 50 Pf.

Jünger, O., Ingenieur in Kopenhagen. Die Torfſtreu in ihrer Bedeutung für
die Landwirtſchaft und Städtereinigung. Mit Abb. 1890. 8. (44 S.) 1 M.

Junghanns, Körpermeſſungen, ſiehe „Lydtin".

Juraß, P., Obergärtner und Gartenbau-Schriftſteller. Roſenbuch für Jedermann. Mit 8 Taf. und 19 Abb. 1901. 8. (128 S.) Geb. 2 M. 50 Pf.

Justinus redivivus. Allgemeine Lehrſätze der Pferdezucht. 1866. 8. (31 S.) 50 Pf.

Kaiſer, Dr. H., Prof. in Hannover. Leitfaden der Anatomie und Phyſiologie
der Hausſäugetiere. Dritte Auflage. Mit 147 Abb. 1896. 8. (168 S.)
  Geb. 4 M.

Kalender für die landw. Gewerbe. 22. Jahrgang. 1904. Herausgegeben von dem Verein der Spiritusfabrikanten in Deutschland.
I. Teil (Taschenbuch) gebunden. II. Teil (Jahrbuch) geheftet.
Ausgabe mit einer halben Seite weiß Papier pro Tag. In Leinen geb. 3 M.
Ausgabe mit einer ganzen Seite weiß Papier pro Tag. In Leder geb. 4 M.

Kalk, Oberförster in Münden. Ergebnisse der Besichtigung schmalspuriger Eisenbahnen. 1885. 4. (8 S.) 50 Pf.
(Sonderabdruck aus: Forstliche Blätter. 1885.)

Karbe, Dr. Bekämpfung des Unkrauts. 1892. 8. (23 S.) 50 Pf.
25 Stück 10 M. 50 Stück 18 M. 100 Stück 30 M.
(Preisschriften und Sonderabdrücke der „Deutschen Landw. Presse". Nr. 9.)

Kaerger, Dr. K. Die Sachsengängerei. 1890. 8. (284 S.) 5 M.
(Sonderabdruck aus: Landw. Jahrbücher. XIX. Bd. 1890.)

Karmrodt, Dr. C., Direktor der Versuchs-Station in St. Nikolas. Chemie für Landwirte. 1863. 8. (228 S.) (Vergriffen.) Kart. 3 M.

Karsten, Dr. G., Prof. in Kiel. Beiträge zur Landeskunde der Herzogtümer Schleswig und Holstein. Fol.
Erste Reihe. Heft 1. Mit 25 Taf. 1869. (85 S.) 6 M.
Zweite Reihe. Heft 1. Mit 2 Taf. 1869. (32 S.) 4 M.
Heft 2. Mit 1 Karte. 1872. (48 S.) 4 M.

Kartoffel, Die, und ihre Kultur. Amtlicher Bericht über die Kartoffel-Ausstellung in Altenburg vom 14. bis 24. Oktober 1875 und ihre Ergebnisse. Mit 18 lithograph. Taf. und 84 Abb. 1876. 4. (453 S.) 16 M.

Kauschingers Lehre vom Waldschutz. Sechste Auflage. Herausgegeben von Dr. H. Fürst, Oberforstrat in Aschaffenburg. Mit 5 Taf. 1902. 8. (184 S.) Geb. 4 M.

Keller, Dr. C., Prof. in Zürich. Vererbungslehre und Tierzucht. Für praktische Landwirte dargestellt. Mit 18 Abb. 1895. 8. (162 S.) 4 M.

Kellner, Prof. Dr. O., Geh. Hofrat, Vorsteher der landw. Versuchs-Station in Möckern. Die Wirkung der einzelnen Nährstoffe bei der Mast des erwachsenen Rindes. 1903. 8. (20 S.) 50 Pf.
25 Stück 10 M. 50 Stück 18 M. 100 Stück 30 M.
(Preisschriften und Sonderabdrücke der „Deutschen Landw. Presse". Nr. 18.)

— — Untersuchungen über den Stoff- und Energie-Umsatz des erwachsenen Rindes bei Erhaltungs- und Produktionsfutter, ausgeführt in den Jahren 1895—1899 an der Kgl. landw. Versuchs-Station zu Möckern. 1900. 8. (474 S.) 12 M.
(Landw. Versuchs-Stationen. Bd. LIII.)

— — Emil von Wolff. Ein Rückblick. Mit Bildnis. 1897. 8. (45 S.) 1 M.
(Sonderabdruck aus: Landw. Jahrbücher. XXVI. Bd. 1897.)

— — Untersuchungen über einige Beziehungen zwischen Muskeltätigkeit und Stoffzerfall im tierischen Organismus. 1880. 8. (52 S.) 1 M.
(Sonderabdruck aus: Landw. Jahrbücher. IX. Bd. 1880.)

— — Arbeiten der Versuchs-Station Möckern, siehe „Arbeiten".

Kette, W., auf Jaffen, Die Lupine als Feldfrucht, neunte Auflage, und
C. E. v. **König,** Die Serradella, der Klee des Sandes, fünfte Auflage.
Neubearbeitet von H. v. König-Jörnigall. 1891. 8. (170 S.) (Thaer-
Bibliothek.) (Vergriffen.) Geb. 2 M. 50 Pf.

Keureuaer, J. A., Ingenieur in Delft. Die Flachsbereitung in Holland.
1872. 8. (128 S.) 2 M. 50 Pf.

Kick, W., Oberlehrer in Heilbronn. Lehrbuch der Rindviehzucht. Vierte
Auflage. Mit 48 Abb. 1878. 8. (400 S.) 5 M.

Kiehl, A. F. Ertragreicher Zuckerrübenbau. 1900. 8. (60 S.) 1 M. 20 Pf.

Kienitz-Gerloff, Dr. F., Lehrer in Weilburg. Botanik für Landwirte. Mit
532 Abb. und 1 Farbendrucktafel. 1886. 8. (552 S.) 12 M.

Kiesewaltersche Statuetten edler Halbblutpferde.

Hengst „Apis", Hauptbeschäler aus Trakehnen. Höhe bis zum Widerrist
26 cm. In echtem Bronzeguß 180 M.

Stute „Mobilgarde", Mutterstute aus Trakehnen. Höhe bis zum Widerrist
26 cm. In echtem Bronzeguß 180 M.

Hengstfohlen „Pater" aus Trakehnen. Höhe bis zum Widerrist 20 cm.
In echtem Bronzeguß 120 M.

Kießling, Dr. J., Prof. in Hamburg. Leitfaden für den Unterricht in der
Experimentalphysik an Oberrealschulen, Realgymnasien und Gymnasien.
Nach dem Lehrbuch der Physik von E. Budde bearbeitet. Mit 272 Abb.
1902. 8. (412 S.) Geb. 5 M. 50 Pf.

Kimmerle, Th., Major in München. Reit-Winke. Praktische Anleitung für
Fachleute und Laien. Zweite Auflage. 1898. 8. (112 S.) Geb. 3 M.

Kinzelbach, A. Jagdlicher Sprachführer. Taschenwörterbuch für Jäger,
Fischer, Forstleute und Naturfreunde. Deutsch-englisch und englisch-deutsch.
1901. 12. (221 S.) Geb. 5 M.

Kirchbach's, J. von, Handbuch für Landwirte. Neunte Auflage, umgearbeitet von Dr. K. Birnbaum, Prof. in Leipzig. Zwei Bände. 1880.
8. (730 u. 856 S.) 14 M. In Halbleder geb. 18 M.

Kirchner, Dr. W., Geh. Hofrat, Prof. in Leipzig. Handbuch der Milchwirtschaft. Vierte Auflage. Mit 153 Abb. und 8 Farbendrucktafeln. 1898.
8. (654 S.) Geb. 14 M.

— — Mitteilungen des landw. Instituts, siehe „Mitteilungen".

Kirschbaum, J. G., Oberschäfer in Hohenheim. Unterricht in der Schafzucht.
Zweite Auflage. Mit 25 Abb. 1862. 8. (121 S.) 1 M. 50 Pf.

Kißling, Dr. R., in Bremen. Der Tabak im Lichte der neuesten naturwissenschaftl. Forschungen. Mit 86 Abb. 1893. 8. (278 S.) Geb. 6 M.

Kitt, Th., Dozent in München. Wert und Unwert der Schutzimpfungen
gegen Tierseuchen. Mit 14 Abb. 1886. 8. (248 S.) 6 M.

Klein, Dr. J., Vorsteher des milchw. Instituts zu Proskau. Die praktische
Milchwirtschafterin. Für den Selbstunterricht und zum Gebrauch an
Meiereinnenschulen. Mit 34 Abb. 1903. 8. (113 S.) Kart. 1 M. 75 Pf.

— — Erfolgreiche Milchwirtschaft. Anleitung zum rationellen Betriebe.
Mit 95 Abb. 1902. 8. (358 S.) Geb. 6 M. 50 Pf.

Klein, Dr. P. J., Tierarzt in Berlin. Der Mais, das gesundeste und billigste
Pferdefutter. 1876. 8. (17 S.)   75 Pf.

Kletke, Dr. G. M. Die Rechtsverhältnisse der Landeskultur-Genossen-
schaften in Preußen. 1870. 8. (234 S.)   3 M.

Klinckowstroem-Korklack, Graf. Dr. Buchenbergers Agrarpolitik und die
Forderungen der Landwirtschaft. 1898. 8. (32 S.)   1 M.
    (Sonderabdruck aus: Deutsche Landw. Presse. 1897.)

Klitzing-Kolzig, W., von. Der Arbeitermangel auf dem Lande und seine
Abhilfe. Mit einem Bauplane. 1900. 8. (40 S.)   1 M.

Klössel, M. Hans, Generalkommissionssekretär in Dresden. Sächsische Agrargesetzgebung. 1902. 8. (58 S.)   Kart. 1 M. 50 Pf.
                                       20 Expl. 25 M. 50 Expl. 50 M.

Knak, P., Lehrer in Wittstock. Rechenbuch für Ackerbauschulen und landw.
Winterschulen. Vierte Auflage. 1904. 8. (132 S.) (Landw. Unterrichts-
bücher.)   Geb. 1 M. 20 Pf.
— — — — Lösungen. 8. (46 S.)   1 M.
— — Lesebuch, siehe „Hollmann".

Knapp, F., siehe „Baumeister".

Knauer, F. Der Rübenbau. Für Landwirte und Zuckerfabrikanten. Achte
Auflage, neu bearbeitet von Prof. Dr. M. Hollrung zu Halle a. S. Mit
35 Abb. 1901. 8. (152 S.) (Thaer-Bibliothek.)   Geb. 2 M. 50 Pf.
— — Über die Alkoholbesteuerung. 1887. 8. (16 S.) Kostenlos.
— — Der Rübensamen. Mit 17 Abb. 1885. 8. (55 S.) (Vergriffen.) 1 M.
— — La graine de betterave. Avec 1 planche et 19 gravures sur bois.
1885. 8. (61 S.) (Vergriffen.)   1 M.
— — Die soziale Frage auf dem platten Lande. 1873. 8. (264 S.) (Ver-
griffen.)   4 M. 50 Pf.
— — Das Zukunftsschaf Norddeutschlands. Dritte Aufl. 1872. 8. (50 S.) 1 M.

Knesebeck, von dem, Major und Landrat a. D., und **Klehmet,** Wasserbaumeister.
Die Meliorationen der Niederungen der Notte und ihrer Zuflüsse. Mit
2 Karten. 1868. 4. (62 S.)   3 M.

Knispel, Bureauvorsteher. Anleitung für Einrichtung und Verwaltung
von Züchter-Vereinigungen. 1902. 8. (93 S.)   Kart. 2 M.
— — Verbreitung der Pferdeschläge, siehe „Arbeiten der D. L.-G." Heft 49.
— — Verbreitung der Rinderschläge, siehe „Arbeiten der D. L.-G." Heft 23.
— — Förderung der Schweinezucht, siehe „Arbeiten der D. L.-G." Heft 77.
— — Züchter-Vereinigungen, siehe „Arbeiten der D. L.-G." Heft 66.

Kny, Dr. L., Prof. in Berlin. Anatomie des Holzes von Pinus Silvestris L.
1884. 8. (32 S.)   1 M.
    (Sonderabdruck aus dem Texte zu den Botanischen Wandtafeln VI.)
— — Über das Dickenwachstum des Holzkörpers. Mit 3 lithographierten
Taf. 1882. 4. (136 S.)   16 M.
— — Botanische Wandtafeln. Hundert in Farbendruck ausgeführte Tafeln
auf stärkstem Kartonpapier im Format von 69:85 cm. 9 Abteilungen,
deren jede in Mappe nebst Text.   320 M.
                                       (Siehe auch Seite 67.)

Verlag von Paul Parey in Berlin SW., Hedemannstraße 10.

Kny, Dr. L., Botanische Wandtafeln. (Siehe auch Seite 66.)

I. Abteilung, Taf. I—X. 1874.		24 M.
II. Abteilung, Taf. XI—XX. 1876.		24 M.
III. Abteilung, Taf. XXI—XXX. 1879.		30 M.
IV. Abteilung, Taf. XXXI—XL. 1880.		30 M.
V. Abteilung, Taf. XLI—L. 1882.		30 M.
VI. Abteilung, Taf. LI—LXV. 1884.		50 M.
VII. Abteilung, Taf. LXVI—LXXX. 1886.		50 M.
VIII. Abteilung, Taf. LXXXI—XC. 1890.		40 M.
IX. Abteilung, Taf. XCI—C. 1894.		42 M.

Koch, Dr. A., Ursachen der Rebenmüdigkeit, s. „Arbeiten der D. L.-G." Heft 40.

Koch, G., Hauptmann a. D. in Sömmerda. Jagdwaffenkunde. Mit 231 Abb. 1899. 8. (309 S.) (Weidmannsbücher.) Geb. 6 M.

Koch, L., in Darmstadt. Abnorme Änderungen wachsender Pflanzenorgane durch Beschattung. Mit 4 Taf. 1873. 8. (32 S.) 1 M. 50 Pf.

Kohls Taschenwörterbuch der botanischen Kunstausdrücke für Gärtner. Dritte Auflage, bearbeitet von W. Mönkemeyer. 1903. 16. (102 S.) Kart. 1 M.

Köhler, Meliorations-Bauinspektor in Potsdam. Die Landesmelioration des Spreewaldes. Mit 1 Karte. 1885. 4. (50 S.) 4 M.

— — Die Landesmeliorationen des Havelländischen Luchs. Mit 1 Karte. 1884. 4. (39 S.) 4 M.

Köhler, H. Die Pflanzenwelt und das Klima Europas seit der geschichtlichen Zeit. I. Teil. 1892. 8. (40 S.) 1 M. 50 Pf.

Kohlschmidt, Dr. C. Die deutsche und überseeische Wolle im Konkurrenzkampf. Mit 1 Taf. 1889. 8. (81 S.) (Vergriffen.) 1 M. 50 Pf.
(Sonderabdruck aus: Landw. Jahrbücher. XVIII. Bd. 1889.)

König, C. E. von. Die Serradella, siehe „Kette und v. König".

König, Dr. J., Geh. Reg.-Rat, Prof. in Münster i. W. Maßnahmen gegen die Verunreinigung der Flüsse. 1903. 8. (36 S.) 80 Pf.

— — Die Untersuchung landw. und gewerblich wichtiger Stoffe. Zweite Auflage. Mit 248 Abb. und 1 Taf. 1898. 8. (824 S.) Geb. 25 M.

— — Wie kann der Landwirt den Stickstoff-Vorrat in seiner Wirtschaft erhalten und vermehren? Dritte Auflage. 1893. 8. (131 und 53 S.) 3 M. 50 Pf.

— — Die Pflege der Wiesen. 1893. 8. (37 S.) 1 M.

— — Schutz gegen Flurschädigungen, siehe „Arbeiten der D. L.-G." Heft 14.

Konkurrenz, Die, von Kartoffel-Lege- und Erntemaschinen zu Wriezen a. O. 1880. 8. (52 S.) 1 M.
(Sonderabdruck aus: Landw. Jahrbücher. IX. Bd. 1880.)

Koopmann, K., Gartenbaudirektor in Wernigerode. Grundlehren des Obstbaumschnittes. Mit 24 Lichtdrucktafeln. 1896. 8. (122 S.) 6 M.
(Sonderabdruck aus: Landw. Jahrbücher. XXV. Bd. 1896.)

Koppe's, J. G., Unterricht im Ackerbau und in der Viehzucht. Elfte Auflage. Herausgegeben von Dr. E. von Wolff, Prof. in Hohenheim. Mit Koppes Bildnis und Lebensbeschreibung. 1885. 8. (646 S.) Geb. 10 M.

Körner, Th. Die Landwirtschaft in Großbritannien. Mit 3 lithographierten Taf. und 16 Abb. 1877. 8. (150 S.) 4 M.

Körnicke, Dr. F., Prof. in Poppelsdorf, und Dr. H. **Werner,** Prof. in Poppelsdorf. Handbuch des Getreidebaues. Zwei Bände. Mit 10 Kupfer-
tafeln. 1885. 8. (470 und 1005 S.)   Geb. 20 M.

Kösters, H., Korpsroßarzt in Berlin. Beurteilung und Behandlung der Fohlen-
hufe. Zweite Auflage. Mit 18 Abb. 1902. 8. (31 S.)   50 Pf.

Kotelmann, W., Wanderlehrgärtner in Königsberg i. Pr. Gärtnerisches Zeichnen
und Malen von Blumen und Früchten. Zwanzig Farbendrucktafeln
nebst Text. 1894. 8. (32 S.) Text und Taf. in Leinenmappe 12 M.

Köttgen, C., Ingenieur. Elektrotechnik und Landwirtschaft. Mit 6 Abb.
und 15 Taf. 1897. 8. (59 S.) (Vergriffen.)   3 M.
     (Sonderabdruck aus: Landw. Jahrbücher. XXVI. Bd. 1897.)

Krafft, Dr. G., Prof. in Wien. Lehrbuch der Landwirtschaft auf wissen-
schaftlicher und praktischer Grundlage. 8.

     Erster Band. Ackerbaulehre. Siebente Auflage. Mit 285 Abb.
            und 1 Taf. 1899. (309 S.)   Geb. 5 M.

     Zweiter Band. Pflanzenbaulehre. Siebente Auflage. Mit 262 Abb.
            und 8 Taf. 1903. (279 S.)   Geb. 5 M.

     Dritter Band. Tierzuchtlehre. Siebente Auflage. Mit 289 Abb.
            und 15 Taf. 1900. (280 S.)   Geb. 5 M.

     Vierter Band. Betriebslehre. Siebente Auflage. Mit 25 Abb.
            und 3 Taf. 1904. (255 S.)   Geb. 5 M.

— — Landwirtschafts-Lexikon, siehe dort.

Kraemer, Dr. A., Prof. in Zürich. Das schönste Rind. Anleitung zur Beurteilung der Körperbeschaffenheit des Rindes. Zweite Auflage. Mit 82
Abb. 1894. 8. (244 S.)   Geb. 5 M.

Kramer, Dr. E., Vorstand der landw. Versuchs-Station in Klagenfurt. Anleitung
zur rationellen Apfelweinbereitung. Mit 46 Abb. 1894. 8. (167 S.)
(Thaer-Bibliothek.)   Geb. 2 M. 50 Pf.

Krauß, Dr. F., Oberlehrer in Döbeln. Anbauwert, Eigenschaften und Kultur
der Braugerste. 1896. 8. (46 S.)   1 M. 50 Pf.
     (Sonderabdruck aus: Landw. Jahrbücher. XXV. Bd. 1896.)

Krauske, O., siehe „Acta borussica".

Krauß, G. Die Landwirtschaft in Flandern. Mit 33 Abb. und 8 lithographierten Taf. 1873. 8. (178 S.)   6 M.

Kreisel, F., Hilfstafel, siehe „Eggert".

Kreiß, Herdbuch, siehe „Herdbuch, Ostpreußisches".

Kreusler, Dr. U., Prof. in Poppelsdorf. Lehrbuch der Chemie. Mit 53 Abb.
und 17 lithographierten Taf. 1880. 8. (780 S.)   8 M.

Krey, F., Reg.-Baumeister. Die Moorkultur. Mit 27 Abb. 1885. 8. (171 S.)
(Vergriffen.)   Geb. 4 M.

Krüger, Fr., Spargelrost, siehe „Flugblätter".

— — Schildlausbuch, siehe „Frank".

— — Moniliakrankheit, siehe dort.

Kuhlmann, K. von. Denkschrift zur Hebung der Landespferdezucht in Deutschland. 1891. 8. (23 S.)   50 Pf.
     (Sonderabdruck aus: Deutsche Landw. Presse. 1891.)

Verlag von Paul Parey in Berlin SW., Hedemannstraße 10.

Kühn, Dr. G. Arbeiten der landw. Versuchs-Station Möckern, siehe „Arbeiten".

Kühn, Dr. J., Geh. Ober-Reg.-Rat und Prof. in Halle. Das Einsäuern der Futtermittel. 1885. 8. (74 S.) (Vergriffen.) 1 M.
(Sonderabbruck aus: Mentzel und v. Lengerkes landw. Kalender 1885.)

— — Das Studium der Landwirtschaft an der Universität in Halle. 1872. 8. (35 S.) (Vergriffen.) 80 Pf.

— — Mitteilungen des landw. Instituts der Universität in Halle. Jahrgang 1865. Mit 1 Taf. und 3 Abb. 1865. 8. (219 S.) 6 M.

— — Mitteilungen aus dem physiologischen Laboratorium und der Versuchs-Station des landw. Instituts der Universität in Halle. Erstes Heft. Mit 1 lithographierten Taf. 1863. 8. (67 S.) 1 M. 20 Pf.

— — Die Krankheiten der Kulturgewächse. Zweite Auflage. Mit 7 lithographierten Taf. 1859. 8. (312 S.) (Vergriffen.) 6 M.

— — Festschrift zum siebzigsten Geburtstag, siehe „Festschrift".

Kuhnert, R., Winterschuldirektor in Elmshorn. Der Flachsbau. Anleitung für den praktischen Landwirt. 8. 1903. (23 S.) Kart. 1 M.

— — Der Flachs, seine Kultur und Verarbeitung. Mit 40 Abb. 1897. 8. (198 S.) (Thaer-Bibliothek.) Geb. 2 M. 50 Pf.

Kuhnert, Am Kilima Ndjaro, siehe „Jagdbilder".

Kulisch, Prof. Dr. P., Direktor der landw. Versuchs-Station in Colmar. Anleitung zur sachgemäßen Weinverbesserung. Zweite Auflage. Mit 13 Abb. 1903. 8. (142 S.) Geb. 3 M. 50 Pf.

Kull, A., Biolog. Wandtafeln, siehe „Schroeder und Kull".

Kunath, J. M. Der Kampf gegen die Futternot. 1893. 8. (16 S.) 30 Pf.
(Sonderabbruck aus: Deutsche Landw. Presse. 1893.)

Kunert, F., Gartenbuch, siehe „Hampels Gartenbuch".

Kunze, Dr. M. F., Prof. in Tharand. Anleitung zur Aufnahme des Holzgehaltes der Waldbestände. Zweite Auflage. 1891. 8. (54 S.) Kart. 2 M.

— — Hilfstafeln für Holzmassenaufnahmen. 1884. 8. (33 S.) 1 M.

— — Lehrbuch der Holzmeßkunst. Zweite Ausgabe. Mit 44 Abb. 1873. 8. (245 S.) Kart. 3 M.

Küster, A., Ackerbau ohne Vieh, siehe „Prout".

Kutscher, H. Lehrer an der landw. Lehranstalt in Hohenwestedt. Geometrie, Feldmessen und Nivellieren. Zweite Auflage. Mit 164 Abb. 1898. 8. (122 S.) (Landw. Unterrichtsbücher.) Geb. 1 M. 40 Pf.

— — Wiesenbau. Zweite Auflage. Mit 67 Abb. 1898. 8. (104 S.) (Landw. Unterrichtsbücher.) Geb. 1 M. 20 Pf.

— — Plan- und Situationszeichnen. Mit 24 Farbendrucktafeln. 1892. 8. (50 S.) (Thaer-Bibliothek.) Geb. 2 M. 50 Pf.

— — Rechenwesen, siehe „Schuberts Rechenwesen".

Kutter, W. R., Ingenieur in Bern. Bewegung des Wassers in Kanälen und Flüssen. Zweite Auflage. Zweiter Abbruck. 1897. 8. (134 S.) Geb. 7 M.

Kwiatkowski, A., Lehrer in Liffa. Der praktische Bienenwirt. Vierte Auflage. Mit 44 Abb. 1902. 8. (132 S.) 1 M. 50 Pf.

Kylburg, A. Handbuch der preuß. Forst- und Jagdgeseße. Zweite Ausgabe. 1875. 8. (415 S.) 6 M.

Lage, Die, des bäuerlichen Grundbesißes in Deutschland. Verhandlungen der 12. Versammlung des Deutschen Landwirtschaftsrates. 1884. 8. (430 S.) 4 M.

Laemmerhirt, O., Geschäftsführer des Landes-Obstbauvereins für das Königreich Sachsen. Die Obstverwertung in ihrem ganzen Umfange. Mit 35 Abb. 1885. 8. (195 S.) (Vergriffen.) Kart. 4 M.

Landes-Ökonomie-Kollegium, Das Kgl. Preuß., in seiner zehnjährigen Wirksamkeit. 1853. 8. (195 S.) 2 M. 80 Pf.

— — Verhandlungen, siehe „Jahrbücher, Landw.".

Landgestüt, Das Hannoversche, zu Celle. Zweite Auflage. 1890. 16. (135 S.) 2 M.

Landwirtschaft, Die deutsche, auf der Weltausstellung zu Paris. 1900. 8. (468 S.) 3 M.

Landwirtschaftliche und Industrie-Bahnen. 1892. 8. (37 S.) 1 M. 50 Pf. (Sonderabdruck aus: Jahrbuch der Deutschen Landw.-Gesellschaft. 1892.)

Landwirtschaftskammer, Die, für die Provinz Sachsen zu Halle a. S. und ihre Institute. Amtliche Ausgabe. Mit 10 Taf. und Abb. 1901. 8. (258 S.) 2 M.

Landwirtschafts-Lexikon, Illustriertes. Begründet von G. Krafft. Dritte Auflage. Herausgegeben von Dr. H. Werner, Geh. Reg.-Rat, Prof. in Berlin. Mit 1126 Abb. 1900. 8. (937 S.) In Halbjuchten geb. 23 M. 20 Lieferungen à 1 M. Einbanddecke 2 M.

Lange, Dr. E. Der Zusammenschluß der deutschen Spiritusindustrie. Eine ökonomische Studie. 1901. 8. (32 S.) 50 Pf.

— — Reichsgeseß, betreffend die Unfall- und Kranken-Versicherung der in landw. und forstw. Betrieben beschäftigten Personen. 1887. 8. (134 S.) Kart. 1 M. 50 Pf.

Lange, Th., Inspektor der Gärtner-Lehranstalt Oranienburg. Des Gärtners Beruf und sein Bildungsgang. 1900. 8. (58 S.) 60 Pf.

Langethal, Dr. C. E., Prof. in Jena. Handbuch der landw. Pflanzenkunde und des Pflanzenbaues. Fünfte Auflage. Mit 391 Abb. 1876. 8. (889 S.) (Vergriffen.) 18 M. In Halbleder geb. 20 M.
    Daraus einzeln:

Erster Teil. Gras und Getreide. Mit 107 Abb. 1874. (207 S.) 5 M.

Zweiter Teil. Klee- und Wickpflanzen. Mit 59 Abb. 1874. (172 S.) (Vergriffen.) 4 M.

Dritter Teil. Hackfrüchte, Handelsgewächse, Gemüse und Apothekerkräuter. Mit 171 Abb. 1874. (306 S.) (Vergriffen.) 6 M.

Vierter Teil. Der Obstbau, der Beerenbau und die wildwachsenden Holzarten. Mit 54 Abb. 1876. (204 S.) 3 M.

— — Geschichte der deutschen Landwirtschaft. 3 Teile. 1847—1856. 8. (388, 277 und 461 S.) (Vergriffen, siehe „Michelsen".) Geb. 20 M.

Verlag von Paul Parey in Berlin SW., Hedemannstraße 10.

Laszczynski, Dr. W. Das Konservieren von Grünmais und anderem Grünfutter. Vierte Auflage. Mit 4 Abb. 1894. 8. (16 S.) 50 Pf.

— — Praktische Betrachtungen über die mérinos précoces du Soissonais. 1885. 8. (12 S.) 1 M.

(Sonderabdruck aus: Deutsche Landw. Presse. 1885.)

Lauche, W., Kgl. Garteninspektor in Potsdam. Handbuch des Obstbaues. Mit 229 Abb. 1882. 8. (732 S.) 16 M. In Halbleder geb. 18 M.

— — Deutsche Dendrologie. Zweite Ausgabe. Mit 283 Abb. 1883. 8. (728 S.) 12 M. In Halbleder geb. 14 M.

— — Handbuch der Tafeltraubenkultur, siehe „Goethe".

— — Deutsche Pomologie, siehe „Pomologie".

Lauches erster Ergänzungsband zu „Lucas und Oberdieck, Illustr. Handbuch der Obstkunde". Mit 367 Abb. 1883. 8. (736 S.) 10 M.

Lauchstädt, Versuchswirtschaft, siehe „Berichte".

Laur, Dr. E., Lehrer an der landw. Winterschule in Brugg. Bau und Leben der landw. Haussäugetiere. Zweite Auflage. Mit 91 Abb. und 5 Taf. 1900. 8. (83 S.) (Landw. Unterrichtsbücher.) Geb. 1 M. 20 Pf.

Lautenschlaeger, Dr., Oberlehrer in Samter. Lehrbuch der Physik in methodischer Bearbeitung für Landwirtschaftsschulen. Mit 402 Abb. 1897. 8. (330 S.) (Landw. Unterrichtsbücher.) Geb. 2 M. 80 Pf.

— — Die physikalischen Kräfte im Landwirtschaftsbetrieb. Mit 38 Abb. 1895. 8. (49 S.) 50 Pf.

Lázár, L. P., in Budapest. Anleitung zur Behandlung der Lokomobilen. Mit 133 Abb. 1888. 8. (210 S.) (Thaer-Bibliothek.) Geb. 2 M. 50 Pf.

Lebl, M., Fürstlich Hohenlohe-Langenburgscher Hofgärtner. Beerenobst und Beerenwein. Zweite Aufl. Mit Abb. 1903. 8. (84 S.) Kart. 1 M. 50 Pf.

— — Die Champignonzucht. Fünfte Auflage. Mit 29 Abb. 1903. 8. (85 S.) Kart. 1 M. 50 Pf.

— — Rosenbuch. Anleitung zur Anzucht und Pflege der Rosen. Mit 106 Abb. 1895. 8. (347 S.) Geb. 5 M.

— — Die Ananaszucht. Mit 20 Abb. 1893. 8. (107 S.) Kart. 2 M.

— — Das Chrysanthemum, seine Geschichte, Kultur und Verwendung. Mit 24 Abb. 1892. 8. (72 S.) Kart. 1 M. 50 Pf.

— — Gemüse- und Obstgärtnerei zum Erwerb und Hausbedarf. 8.
Erster Teil. Gemüsegärtnerei. Mit 123 Abb. 1892. (242 S.) Kart. 4 M.
Zweiter Teil. Obstgärtnerei. Mit 170 Abb. 1892. (239 S.) Kart. 4 M.
12 Lieferungen à 60 Pf.

Lefeldt, W., Civil-Ingenieur in Schöningen. Der Stand der Abfuhr- und Kanalisationsfrage in Großbritannien. 1872. 8. (102 S.) 2 M. 25 Pf.

Lehfeld, Dr., Rechtsanwalt in Berlin. Jagdrechtskunde für den preußischen Weidmann. 1896. 8. (174 S.) (Weidmannsbücher.) Kart. 2 M.

Lehmann, Probeschur in Halle, siehe „Arbeiten der D. L.-G." Heft 75.

— — Fütterung der Nutztiere, siehe „Wolff".

— — Stoffwechsel des Pferdes, siehe „Zuntz".

Lehndorff, G., Graf von. Handbuch für Pferdezüchter. Vierte Auflage. Mit 3 Taf. und 26 Abb. 1896. 8. (264 und 86 S.)   Geb. 12 M.

— — **Hippodromos.** Einiges über Pferde und Rennen im griechischen Altertum. Mit 8 Abb. 1876. 8. (83 S.)   4 M.

Lehnert, H., Gutsbesitzer in Miersdorf. Rasse und Leistung unserer Rinder. Dritte Auflage. Mit 64 Rassebildern. 1896. 8. (423 S.) ‘Geb. 16 M.

Lehzen, G., Bienenzucht, siehe „Berlepsch“.

Leisewitz, Dr. C., Prof. in Darmstadt. Die Landwirtschaft unter dem Einflusse des in Norddeutschland herrschenden Steuersystems. 1872. 8. (294 S.) 5 M.

Lemke, L., Landwirtschaftslehrer zu Stargard. Rechenbuch für niedere und mittlere landw. Lehranstalten. 8. (Landw. Unterrichtsbücher.)

    Erster Teil. Für die Unterklassen. Zweite Auflage. 1898. (135 S.)
                                      Geb. 1 M. 40 Pf.

    Zweiter Teil. Für die Mittel- und Oberklassen. Zweite Auflage. 1902.
    (228 S.)   Geb. 2 M.

— — Lösungen (für beide Teile). Zweite Auflage. 1902. 8. (70 S.)   1 M.

Lengerkes Anleitung zum Anbau des Mais als Mehl- und Futterpflanze in Deutschland. Dritte Auflage, neubearbeitet von Dr. C. J. Eisbein in Neuwied. Mit 19 Abb. 1898. 8. (157 S.)   1 M.

Lichtenberg, M., Vorsteherin der Haushaltungsschule in Neustädtel. Landw. Haushaltungskunde. Ein wirtschaftliches ABC der Bauerfrau und Lehrbuch für Haushaltungsschulen. Mit 184 Abb. und 2 Taf. 1902. 8. (352 S.)   Geb. 4 M. 50 Pf.

Liebich, C., weil. Forstrat. Forst-Katechismus oder erster Unterricht über das Forstwesen. 1869. 8. (106 S.)   1 M. 80 Pf.

— — Kompendium des Waldbaues. Zweite Auflage. Mit 7 Abb. und 1 Taf. 1866. 8. (391 S.)   9 M.

Liebscher, Dr., Prof. in Göttingen. Gedächtnisrede, gehalten bei der Feier der Aufstellung der Büsten von Gustav Drechsler und Wilhelm Henneberg zu Göttingen. Mit einer Lichtdrucktafel. 1894. 8. (29 S.) Kostenlos.
    (Ergänzungsheft zum Journal für Landwirtschaft. XLII. Jahrgang.)

— — Das landw. Studium an der Universität Göttingen. Mit 4 Lichtdrucktafeln. 1893. 8. (52 S) (Vergriffen.)   2 M.

— — Der Verlauf der Stoffaufnahme und seine Bedeutung für die Düngerlehre. 1888. 8. (184 S.) (Vergriffen.)   4 M.

— — Anbauversuche mit Roggensorten, siehe „Arbeiten der D. L.-G.“ Heft 13.

— — Anbauversuche mit Weizensorten, siehe „Arbeiten der D. L.-G.“ Heft 32.

— — Vorträge, siehe „Vorträge“.

Lierke, E., Chemiker. Praktische Düngetafeln. 1887. 8. (58 S.) 3 M.

Lilienthal, Dr. W., Direktor der landw. Winterschule zu Genthin. Bodenkunde. Zweite Auflage. Mit 13 Abb. 1903. 8. (100 S.) (Landw. Unterrichtsbücher.)   Geb. 1 M. 20 Pf.

Linde, S., Vorstand der landw. Winterschule in Freiburg. Der landw. Volksunterricht in zivilisierten Ländern. 1879. 8. (48 S.)   1 M.

Lindemuth, H. Handbuch des Obstbaues. Mit 158 Abb. 1883. 8. (392 S.) 7 M.

— — Vegetative Bastarderzeugung. Mit 4 Taf. 1878. 8. (55 S.) 2 M. 50 Pf. (Sonderabdruck aus: Landw. Jahrbücher. VII. Bd. 1878.).

Lindner, Prof. Dr. P., in Berlin. Atlas der mikroskopischen Grundlagen der Gärungskunde mit besonderer Berücksichtigung der biologischen Betriebskontrolle. 111 Taf. mit 418 Einzelbildern nebst Text. 1903. 8. Geb. 19 M.

Französischer und englischer Text. 1903. 8. (49 S.) 1 M.

— — Mikroskopische Betriebskontrolle in den Gärungsgewerben mit einer Einführung in die technische Biologie, Hefereinkultur xc. Dritte Auflage. Mit 229 Abb. und 4 Taf. 1901. 8. (468 S.) Geb. 17 M.

Lintner, Dr. C. J., Prof. in München. Grundriß der Bierbrauerei. Zweite Auflage. Mit 35 Abb. 1898. 8. (183 S.) (Thaer-Bibliothek.) Geb. 2 M. 50 Pf.

— — Handbuch der landw. Gewerbe. Mit 256 Abb. und 2 Taf. 1893. 8. (590 S.) Geb. 12 M.

Lippe-Weißenfeld, A. Graf zur. Ermittelung von Produktionskosten und Reinertrag landw. Betriebe. Mit 2 Taf. 1896. 8. (60 S.) 1 M. 50 Pf.

Lizius, M., Kgl. bayr. Forstmeister in Aschaffenburg. Der forstliche Hochbau. Mit 247 Abb. 1896. 8. (250 S.) 6 M.

— — Wege- und Eisenbahnbau, siehe „Dotzel".

Löbe, Dr. W., in Leipzig. Samen und Saat. Mit 30 Abb. 1890. 8. (140 S.) (Thaer-Bibliothek.) Geb. 2 M. 50 Pf.

— — Milchwirtschaft und Käsebereitung. Zweite Auflage. Mit 43 Abb. 1889. 8. (156 S.) (Thaer-Bibliothek.) (Vergriffen.) Geb. 2 M. 50 Pf.

— — Landw. Futterbau. Dritte Auflage. Mit Abb. 1889. 8. (136 S.) (Thaer-Bibliothek.) (Vergriffen, siehe „Stebler".) Geb. 2 M. 50 Pf.

— — Abriß der Geschichte der deutschen Landwirtschaft. 1873. 8. (232 S.) (Vergriffen.) 2 M. 50 Pf.

Löbes Fremdwörterbuch für Landwirte, Gärtner und Forstleute. 1880. Taschenformat. (328 S.) Kart. 4 M.

— — Reichsmünz-Reduktor. Tabellen zur Umrechnung des preuß. Talergeldes. 1874. Taschenformat. (54 S.) 1 M.

— — Neuer Getreidepreis-Berechner. Zweite Auflage. 1872. Taschenformat. (44 S.) 1 M.

— — Maß- und Gewichts-Reduktor für Landwirte und Forstleute. Dritte Auflage. 1872. Taschenformat. (46 S.) 1 M.

Löbner, M., Obergärtner in Wädensweil. Grundzüge der Pflanzenvermehrung. 1901. 8. (30 S.) (Landw. Unterrichtsbücher.) Geb. 70 Pf.

— — Der Zwergobstbaum und seine Pflege. Mit 43 Abb. 1899. 8. (128 S.) Geb. 3 M. 50 Pf.

Loeper, A., Oberentspekter. Acker, Wischen un Veih. Ein Bok von Landwirtschaft för Jeremann. 1886. 8. (186 S.) Kart 3 M.

Lorenz von Liburnau, Dr. J. Ritter, in Wien. Die geologischen Verhältnisse von Grund und Boden. Mit 228 Abb. 1883. 8. (328 S.) 8 M.

— — und Dr. C. **Rothe,** Prof. in Wien. Lehrbuch der Klimatologie mit besonderer Rücksicht auf Land- und Forstwirtschaft. Neue Ausgabe. Mit 14 Taf. und 48 Abb. 1885. 8. (483 S.) 8 M.

Loewe, B., siehe „Acta borussica".

Löwenherz, M., Amtsgerichtsrat in Köln. Rechtsbeistand des Landwirts. Dritte Auflage. 1903. 8. (235 S.) (Thaer-Bibliothek.)

　　　　　　　　　　　　　　　　　　　Geb. 2 M. 50 Pf.

— — Was jeder Landwirt vom Verfahren in Rechtsangelegenheiten wissen
muß. Zweite Auflage. 1901. 8. (36 S.)　80 Pf. 20 Expl. 12 M.

— — Was der Landwirt aus dem Bürgerlichen Gesetzbuch wissen muß. 1900.
8. (121 S.)　　　　　　　　　　　　　　　　　　2 M.

　　(Sonderabdruck aus: Deutsche Landw. Presse. 1899.)

— — Wie vermeidet der Landwirt unnötige Kosten in gerichtlichen Angelegenheiten? 1896. 8. (30 S.)　　　　　　　　50 Pf.

　　　　　25 Expl. 10 M. 50 Expl. 18 M. 100 Expl. 30 M.

　　(Preisschriften und Sonderabdrücke der „Deutschen Landw. Presse". Nr. 14.)

— — Rechts- und Verwaltungslexikon für den preuß. Landwirt. 1895.
8. (736 S.)　　　　　15 Lieferungen à 1 M. Geb. 16 M.

Lucke, C., in Patershausen. Die deutschen Ansiedelungen in Westpreußen
und Posen. 1891. 8. (48 S.)　　　　　　　　　1 M.

Lüstner, Frostnachtspanner, siehe „Frostnachtspanner".

— — Obstwickler, siehe „Obstwickler".

— — Springwurmwickler, siehe „Springwurmwickler".

Lydtin, Dr. A., Geh. Ober-Reg.-Rat in Baden-Baden. Rechenknecht. Anleitung
zur Gewinnung von vergleichenden Zahlen der an Rindern und Pferden
genommenen Körpermaße. 1897. 8. (147 S.)　　　Geb. 4 M.

— — Bekämpfung der ansteckenden Tier-Krankheiten durch ein Reichsgesetz.
1875. 8. (67 S.) (Vergriffen.)　　　　　　　　　2 M.

— — Reisenotizen über Ungarns Pferdezucht. 1874. 8. (56 S.)　75 Pf.

— — und **Junghanns,** Ökonomierat. Körpermessungen an Rindern und
Schweinen. 1897. 8. (30 S.)　　　　　　　　　50 Pf.

　　　　　25 Expl. 10 M. 50 Expl. 18 M. 100 Expl. 30 M.

　　(Preisschriften und Sonderabdrücke der „Deutschen Landw. Presse". Nr. 16.)

— — und Dr. **Werner,** Geh. Reg.-Rat, Prof. in Berlin. Anleitung für das
Richten von Rindern auf den Ausstellungen der Deutschen Landw.-
Gesellschaft. 1900. 8. (96 S.)　　　　　　　Kart. 2 M.

— — — — Das deutsche Rind, siehe „Arbeiten der D. L.-G." Heft 41.

Maas, A., Lehrer in Wittstock. Leitfaden der landw. Chemie. Zweite Auflage. Mit 10 Abb. 1900. 8. (184 S.) (Landw. Unterrichtsbücher.)

　　　　　　　　　　　　　　　　　　Geb. 1 M. 80 Pf.

Mach, Kellerwirtschaft, siehe „Babo und Mach, Handbuch des Weinbaues".

Mahraun-Kassel, H., Reg.-Rat. Über die Bildung landw. Provinzialbehörden
in Preußen. 1890. 8. (16 S.) (Vergriffen.)　　　　50 Pf.

　　(Sonderabdruck aus: Deutsche Landw. Presse. 1890.)

Malachowski, H., Kgl. Reg.-Baumeister. Anlage, Einrichtung und Bauausführung ländlicher Arbeiterwohnungen. Mit 21 Taf. 1894. 4.
(71 S.)　　　　　4 M. 50 Expl. 150 M. 100 Expl. 250 M.

Mancke, W., Chefredakteur. Getreideversorgung und Großmachtstellung.
1899. 8. (114 S.)　　　　　　　　　　　　　3 M.

Marcard, Dr. E. von, Wirkl. Geh. Rat und Unterstaatssekretär. Die Ergebnisse der Preuß. Landwirtschaft in den Jahren 1884—1887, siehe „Landw. Jahrbücher": 1886, Ergänzungsband III; 1888, Ergänzungsband IV; 1890, Ergänzungsband I.

— — Die preuß. Seefischerei. 1870. 8. (68 S.) (Vergriffen.) 1 M. 50 Pf.

Marchet, Dr. G., Prof. in Wien. Der Kredit des Landwirtes. 1878. 8. (70 S.) 2 M.

(Sonderabdruck aus: Landw. Jahrbücher. VII. Bd. 1878.)

Maercker, Dr. M., Geh. Reg.-Rat, Prof. in Halle a. S. Handbuch der Spiritusfabrikation. Achte Auflage, herausgegeben von Dr. M. Delbrück, Geh. Reg.-Rat, Prof. in Berlin. Mit 230 Abb. und 4 Taf. 1903. 8. (940 S.) 22 M. Geb. 24 M.

— — Fütterungslehre. Herausgegeben von Dr. F. Albert, Prof. in Gießen. 1902. 8. (172 S.) Geb. 4 M.

— — Anleitung zum Brennereibetrieb. Praktischer Leitfaden für Brenner und zum Gebrauch an landw. Lehranstalten. Zweite Auflage. Mit 78 Abb. 1900. 8. (191 S). (Thaer-Bibliothek.) Geb 2 M. 50 Pf.

— — Zusammensetzung und Düngerbedürfnis Oldenburger Marscherden und deren Bewirtschaftung. Mit 2 Taf. 1896. 8. (32 S.) 1 M. 25 Pf.

— — Über die Phosphorsäurewirkung der Knochenmehle. 1895. 8. (32 S.) 1 M.

(Sonderabdruck aus: Deutsche Landw. Presse. 1895.)

— — Amerikanische Landwirtschaft und landw. Versuchs- und Unterrichts-wesen. 1895. 8. (79 S.) 3 M.

— — Die Kalidüngung in ihrem Werte für die Erhöhung und Verbilligung der landw. Produktion. Zweite Aufl. 1893. 8. (277 S.) (Vergriffen.) Geb. 4 M.

— — Die Erfolge der Anwendung verschiedener Kalisalze. 1891. 8. (66 S.) 1 M. 50 Pf.

(Sonderabdruck aus: Jahrbuch der D. L.-G. VI. Bd.)

— — Das Flußsäure-Verfahren in der Spiritusfabrikation. Mit Abb. 1891. 8. (150 S.) 4 M.

— — Beiträge zur Frage der Trocknung der Diffusionsrückstände der Zucker-fabriken. 1884. 8. (24 S.) 1 M.

(Sonderabdruck aus: Journal für Landwirtschaft. XXXII. Bd.)

— — Futterwert der getrockneten Diffusionsrückstände. 1883. 8. (37 S.) 1 M.

(Sonderabdruck aus: Journal für Landwirtschaft. XXXI. Bd.)

— — Die Verluste der Diffusionsrückstände der Zuckerfabriken beim Lagern. 1882. 8. (76 S.) (Vergriffen.) 2 M.

(Sonderabdruck aus: Journal für Landwirtschaft. XXX. Bd.)

— — Die Kalisalze und ihre Anwendung in der Landwirtschaft. 1880. 8. (136 S.) (Vergriffen.) 3 M.

— — Zur Frage des Wertes der zurückgegangenen Phosphorsäure. 1880. 8. (16 S.) 50 Pf.

(Sonderabdruck aus: Landw. Jahrbücher. IX. Bd. 1880.)

— — Die zweckmäßigste Anwendung der künstlichen Düngemittel für Kar-toffeln. 1880. 8. (92 S.) (Vergriffen.) 2 M.

(Sonderabdruck aus: Landw. Jahrbücher. IX. Bd. 1880.)

(Siehe auch Seite 76.)

Maercker, Dr. M. (Siehe auch Seite 75.)

— — Zusammenhang des spezifischen Gewichts mit dem Stärkemehl- und Trockensubstanzgehalt der Kartoffeln. Mit 1 Taf. 1880. 8. (60 S.) (Vergr.) 1 M. (Sonderabbruck aus: Landw. Versuchs-Stationen. XXV. Bd.)

— — Wert der zurückgegangenen gegenüber der wasserlöslichen Phosphorsäure in den Superphosphaten. 1880. 8. (34 S.) (Vergriffen.) 1 M. (Sonderabbruck aus: Landw. Jahrbücher. IX. Bd. 1880.)

— — Untersuchungen auf dem Gebiete der Agrikulturchemie und Spiritusfabrikation. Mit 2 Abb. und 8 Taf. 1877. 8. (405 S.) 10 M. (Landw. Jahrbücher. VI. Bd. 1877. Ergänzungsband I.)

— — Jahrbuch der Versuchs-Station Halle, siehe „Jahrbuch".

— — Untersuchungen über Kalidüngesalz, s. „Arbeiten der D. L.-G." Heft 56, 67, 81.

— — Vegetationsversuche, siehe „Arbeiten der D. L.-G." Heft 33.

— — Versuchswirtschaft Lauchstädt, siehe „Berichte".

— — und Dr. A. **Morgen** in Halle a. S. Fütterung und Schlachtergebnis. 1893. 8. (52 S.) 1 M. (Sonderabbruck aus: Deutsche Landw. Presse. 1893.)

— — — — Wesen und Verwertung der getrockneten Diffusionsrückstände der Zuckerfabriken. Mit 1 Taf. 1891. 8. (157 S.) 4 M.

— — und Dr. B. **Tacke,** Wirkung der Kalisalze, siehe „Arbeiten der D. L.-G." Heft 20.

Martineit, H., Reg.-Rat in Kassel. Das preuß. Rentengutsgesetz vom 7. Juli 1891 als Mittel zur Besserung der landw. Besitz- und Arbeiterverhältnisse. 1893. 8. (109 S.) 2 M.

— — Anleitung zur Waldwertsberechnung. 1892. 8. (154 S.) 4 M.

Martiny, B. Die Milchversorgung Berlins. 1894. 8. (18 S.) (Vergr.) 50 Pf.

— — Adreßbuch, siehe dort.

— — Butterversorgung Berlins, siehe „Arbeiten der D. L.-G." Heft 58.

— — Kennzeichnung von Zuchttieren, siehe „Arbeiten der D. L.-G." Heft 46.

— — Prüfung der „Thistle"-Melkmaschine, siehe „Arbeiten der D. L.-G." Heft 37.

— — Schlachtversuche, siehe „Arbeiten der D. L.-G." Heft 18.

Masch, Dr. A., Direktor der landw. Akademie in Ungarisch-Altenburg. Landw. Tierheilkunde. Vierte Auflage. 1880. 8. (416 S.) 6 M.

Maßregeln zur Bekämpfung der Reblaus, siehe „Moritz, Maßregeln".

Massenbach, G., Freiherr von, auf Pinne. Anleitung zur Rimpauschen Moordammkultur. Dritte Auflage. Mit 11 Abb. 1904. 8. (31 S.) 1 M.

Material zum Ostpreuß. Herdbuch für in Ostpreußen gezogenes rotbuntes Vieh der Breitenburger und Wilstermarsch-Rasse. 1. Heft. 1892. 8. (111 S.) 2 M.

Materialien für die deutsche Handelspolitik. Herausgegeben vom Deutschen Landwirtschaftsrat. 8.

　　　Heft 1. Zum Schutz der deutschen Pferdezucht im landw. und militärischen Interesse. Von Dr. H. Dade, Generalsekretär. 1900. (136 S.) 4 M. 10 Expl. 30 M.

　　　Heft 2. Über Körnerträge in der Landwirtschaft. Von H. Schumacher, Ökonomierat. 1901. (112 S.) 3 M. 10 Expl. 22 M. 50 Pf.

Mathieu, C., Nomenclator pomologicus. Verzeichnis der im Handel und in Kultur befindlichen Obstforten. 1889. 8. (538 S.) Geb. 10 M.

Mattiat, D. Das Feldmeſſen und Nivellieren für die Hand des Landwirtes. Mit 109 Abb. 1877. 8. (64 S.) 1 M. 50 Pf.

Matzat, H., Direktor der Landwirtſchaftsſchule in Weilburg. Erdkunde. Dritte Auflage. Mit 28 Abb. 1893. 8. (320 S.) Geb. 2 M. 50 Pf.

— — Entwurf einer neuen Schulordnung für die preuß. Landwirtſchaftsſchulen. 1891. 8. (28 S.) 1 M.

(Sonderabdruck aus: Landw. Jahrbücher. XX. Bd. 1891.)

— — Methodik des geographiſchen Unterrichts. Mit 36 lithographierten Taf. 1885. 8. (382 S.) (Vergriffen.) 8 M.

— — Grundzüge der Geſchichte. 8.

I. Teil. Alte Geſchichte. 1881. (164 S.) 1 M. 50 Pf.

II. Teil. Deutſche Geſchichte bis zum Ausgang des Mittelalters. 1895. (178 S.) 2 M.

Maurizio, Dr. A., in Zürich. Getreide, Mehl und Brot. Ihre botaniſchen, chemiſchen und phyſikaliſchen Eigenſchaften, hygieniſches Verhalten, ſowie ihre Beurteilung u. Prüfung. Mit 139 Abb. u. 2 Taf. 1902. 8. (393 S.) Geb. 10 M.

May, Dr. G., Prof. in Weihenſtephan. Die Erfolge der engliſchen Shorthornzucht in Deutſchland. 1875. 8. (79 S.) 2 M.

May's Schweinezucht. Neubearbeitet von E. Meyer, Herzogl. Domänenrat in Friedrichswerth. Fünfte Auflage. Mit 33 Abb. 1902. 8. (260 S.) (Thaer-Bibliothek.) Geb. 2 M. 50 Pf.

Mayer, Dr. A., Prof. in Wageningen. Die Ernährung der landw. Kulturpflanzen. Zweite Auflage. 1898. 8. (132 S.) (Thaer-Bibliothek.) Geb. 2 M. 50 Pf.

Mayr, H., Forſtbenutzung, ſiehe „Gayer".

Mehltau, Der echte, oder Äſcherig des Weinſtockes (Oïdium Tuckeri Berk). Farbendruckplakat mit Text. Herausgegeben von der biolog. Abteilung am Kaiſerl. Geſundheitsamte. Bearbeitet von Dr. O. Appel. 1900. 50 Pf. 100 Expl. 45 M. 500 Expl. 200 M. Aufziehen 25 Pf. für das Expl.

— — Falſcher. (Peronospora viticola.) Farbendruckplakat mit Text. 1890. 50 Pf. 100 Expl. 45 M. 500 Expl. 200 M. Aufziehen 25 Pf. für das Expl.

Meinert, Th., Vorſtand der Fahrlehranſtalt in Dresden-Blaſewitz. Merkbuch für Herrſchaftskutſcher und Pferdebeſitzer. 1898. 12. (37 S.) 50 Pf.

Meitzen, Dr. A., Kaiſ. Geh. Reg.-Rat, Prof. Der Boden und die landw. Verhältniſſe des Preußiſchen Staates. 4.

Erſte Abteilung: Nach dem Gebietsumfange vor 1866. I.—IV. Bd. Drei Bände Text, ein Band tabellariſcher Anlagen und ein Atlas, enthaltend 20 Überſichtskarten in Farbendruck. 1868—1872. (551, 571, 679 und 652 S.) 36 M.

Zweite Abteilung: Nach dem Gebietsumfange der Gegenwart. V. Band. 1894. (564 und 317 S.) 15 M.

VI. Band. Herausgeg. von Dr. A. Meitzen und Dr. F. Großmann. 1901. (656 und 526 S.) 24 M.

Band VII (Schluß) und ein Atlas, enthaltend 25 Überſichtskarten, im Druck.

(Siehe auch Seite 78.)

Meißen, Dr. A. (Siehe auch Seite 77.)

— — Zur Agrargeschichte Norddeutschlands. 1901. 4. (176 S.) 6 M.
(Sonderabdruck aus: Der Boden und die landw. Verhältnisse des Preuß.
Staates. Bd. VI.)

— — Die internationale land- und forstwirtschaftliche Statistik.
1873. 8. (78 S.) (Vergriffen.)					2 M. 50 Pf.

— — Die deutschen Dörfer. 1872. 8. (15 S.) (Vergriffen.)		75 Pf.

— — Die Lage der ländlichen Arbeiter in Preußen und ihr Verhältnis zur
Gemeinde. 1872. 8. (12 S.)					50 Pf.
(Sonderabdruck aus: Landw. Zentralblatt. 1872.)

— — Bau von Kanälen in Deutschland. 1870. 8. (66 S.)	1 M. 70 Pf.

Mell, A., Prof. in Marburg. Einrichtung des Schulgartens. Mit 31 Abb.
1885. 8. (112 S.) (Vergriffen.)				Kart. 1 M. 50 Pf.

Mendel-Steinfels, H. v., Landesökonomierat in Halle. Fünfzig Jahre der Landwirtschaft der Provinz Sachsen im Lichte der Tätigkeit des landw.
Zentral-Vereins. Mit 5 Lichtdrucktaf. und 1 Karte. 1894. 8. (529 S.) 5 M.

— — Die landw. Ankaufs- und Verkaufs-Genossenschaften. 1886. 8.
(155 S.) (Thaer-Bibliothek.)				Geb. 2 M. 50 Pf.

Mentzel, E. O., Wirkl. Geh. Kriegsrat. Die Remontierung der preußischen
Armee. 8.

Erster Teil. 1845. (441 S.) (Vergriffen.)			6 M.

Zweiter Teil. (Die Jahre 1845—1870.) 1871. (154 S.)		3 M.

Mentzel und **von Lengerkes** verbesserter landw. Hülfs- und Schreib-
Kalender auf das Jahr 1904. 57. Jahrgang. Herausgegeben von
Dr. H. Thiel, Wirkl. Geh. Ober-Reg.-Rat und Ministerialdirektor im Kgl.
Ministerium für Landwirtschaft, Domänen und Forsten in Berlin.

I. Teil (Taschenbuch) gebunden. II. Teil (Jahrbuch) geheftet.

Ausgabe mit einer halben Seite weiß Papier pro Tag. In Leinen geb. 2 M. 50 Pf.

„   „   „   „   „   „   „   „   In Leder geb. 3 M.

Ausgabe mit einer ganzen Seite weiß Papier pro Tag. In Leinen geb. 3 M.

„   „   „   „   „   „   „   In Leder geb. 4 M.

Ausgabe für Landwirtschaftslehrer. 1903/1904. In Leinen geb. 2 M. 50 Pf.

In Leder geb. 3 M.

Gesonderte Lieferung des zweiten Teils nicht vor Erscheinen des nächsten
Jahrgangs des Kalenders.			Soweit vorhanden à 1 M. 50 Pf.

Mentzels Schafzucht. Dritte Auflage. Mit Abb. und 40 Rassebildern. 1892.
8. (246 S.)						Geb. 12 M.

Meßkircher Rindviehschlag, Der. Beschrieben von den Bezirkstierärzten Heiz-
mann-Meßkirch und Utz-Villingen. Mit 2 Taf. 1884. 8. (76 S.) 1 M.

Metz, H., Generalkommissions-Präsident. Innere Kolonisation in den Provinzen Brandenburg und Pommern 1891 bis 1901. 1902. 8.
(160 S.)						4 M.
(Landw. Jahrbücher. XXXI. Bd. 1902. Ergänzungsband III.)

Metzner, R. Botanisch-gärtnerisches Taschen-Wörterbuch. 1896. 16.
(286 S.)						Geb. 2 M. 50 Pf.

Verlag von Paul Parey in Berlin SW., Hedemannstraße 10.

Meves' Spiritusberechner nach den neuesten Bestimmungen. Sechste Auflage. 1891. Taschenformat. (54 S.) 1 M.

Meyendorff, Baron von, Kaiserl. Russ. Ober-Stallmeister. Die Pferdezucht Rußlands. Mit 1 Karte. 1863. 8. (130 S.) (Vergriffen.) 3 M.

Meyer, A. Jäger-Vademecum. 1877. Taschenformat. (207 S.)
Geb. 2 M. 50 Pf.

Meyer, E., Produktenmakler. Bestimmungen und Usancen im Getreide-, Öl- und Spiritushandel. 1873. Taschenformat. (54 S.) 1 M.

Meyer, E., Schweinezucht, siehe „Mays Schweinezucht".

Meyer, E. H., Spargelzüchter in Braunschweig. Spargelbau und Konserve-gemüse nach Braunschweiger Methode. 1900. 8. (48 S.)
1 M. 12 Expl. 10 M.

Meyer, Dr. G., Oberlehrer in Dahme. Die geologischen Verhältnisse der Umgebung von Dahme (Mark) und ihre Beziehungen zur Landwirt-schaft. Mit 1 Karte. 1902. 8. (27 S.) 1 M. 50 Pf.

— — Lehrbuch der Botanik für Landwirtschaftsschulen. Zweite Auflage. Mit 291 Abb. 1901. 8. (218 S.) (Landw. Unterrichtsbücher.) Geb. 2 M.

— — Leitfaden der Botanik für landw. Winterschulen. Mit 248 Abb. 1899. 8. (161 S.) (Landw. Unterrichtsbücher.) Geb. 1 M. 50 Pf.

Meyer, G., Viehstall, siehe „Engel".

— — Baukunde, siehe „Schuberts Baukunde".

Meyer, H. A. Untersuchungen über die physikalischen Verhältnisse des westlichen Teiles der Ostsee. Mit 82 Tabellen. 1871. 4. (85 S.) 12 M.

Meyer, J., Assistent an der Fischzucht-Anstalt Hüningen. Die Süßwasserfische Mittel-Europas. Mit Abb. 1879. 8. (124 S.) 2 M. 50 Pf.

— — Der praktische Fischzüchter. Mit 35 Abb. 1877. 8. (112 S.) (Ver-griffen.) 2 M. 50 Pf.

Meyer, Spirituslokomobilen, siehe „Arbeiten der D. L.-G.". Heft 78.

Meyers Forstwirtschaft. Dritte Auflage, bearbeitet von Berlin, Reg.- und Forstrat zu Arnsberg. 1904. 8. (106 S.) (Landw. Unterrichtsbücher.)
Geb. 1 M. 20 Pf.

Meyers immerwährender Garten-Kalender. Dritte Auflage. 1898. 8. (202 S.) (Thaer-Bibliothek.) Geb. 2 M. 50 Pf.

Meyn, E., Ober-Landeskulturgerichts-Rat in Berlin. Die Preuß. Rentenguts-Gesetze. 1892. 8. (55 S.) (Vergriffen.) 1 M.

Michelsen, E., Direktor der Landwirtschaftsschule in Hildesheim. Vom Pflug zum Schwert. Kriegserinnerungen der landw. Lehranstalt in Hildesheim an das Jahr 1870/71. Vierte Auflage. 1891. 8. (114 S.) 1 M. 50 Pf.

— — und F. **Nedderich,** Oberlehrer in Hildesheim. Geschichte der deutschen Landwirtschaft. Vierte Auflage, neubearbeitet von F. Nedderich. 1902. 8. (272 S.) (Thaer-Bibliothek.) Geb. 2 M. 50 Pf.

Micklitz, R., Oberlandforstmeister in Wien. Forstliche Haushaltungskunde. Zweite Auflage. 1880. 8. (300 S.) 6 M.

Middeldorpf, Kgl. Oberförster. Die Vertilgung der Kiefernraupe durch Teer-ringe. 1872. 8. (52 S.) 1 M. 50 Pf.

Migula, Dr. W., in Karlsruhe. Bakterienkunde für Landwirte. Mit 30 Abb. 1890. 8. (144 S.) (Thaer-Bibliothek.)   Geb. 2 M. 50 Pf.

— — Wandtafeln für Bakterienkunde. 10 Farbendrucktafeln auf Kartonpapier, im Format von 69:85 cm, nebst Text. 1890.   In Mappe 30 M.

Mitschke-Collande, Dr. F. von. Der praktische Merinozüchter. 1883. 8. (436 S.)   10 M.

Mitteilungen der Deutschen Landwirtschafts-Gesellschaft. 4.

     XIX. Jahrgang. 1904. 52 Nummern. 10 M. Einzelne Nummern 50 Pf.

     XI.—XVIII. Jahrgang. 1896—1903.   à 10 M.

Mitteilungen der landw. Institute der Kgl. Universität in Breslau. Herausgegeben von Prof. Dr. K. von Rümker. 8.

Erster Band. Erstes Heft. Mit 10 Taf. 1899. (118 S.)	6 M.
Zweites Heft. Mit 1 Taf. 1899. (249 S.)	8 M.
Drittes Heft. Mit 2 Taf. 1900. (101 S.)	4 M.
Viertes Heft. Mit 4 Karten. 1901. (161 S.)	5 M.
Fünftes Heft. 1901. (219 S.)	6 M.
Zweiter Band. Erstes Heft. 1902. (247 S.)	6 M.
Zweites Heft. Mit 4 Taf. 1903. (187 S.)	6 M.
Drittes Heft. Mit 1 Taf. 1903. (207 S.)	6 M.

Mitteilungen des landw. Instituts der Universität in Leipzig. Herausgegeben von Geh. Rat Prof. Dr. W. Kirchner. 8.

     Erstes Heft. Mit 8 Taf. 1897. (170 S.)   5 M.

     Zweites Heft. Mit 19 Abb. 1901. (139 S.)   3 M. 50 Pf.

     Drittes Heft. 1902. (192 S.)   5 M.

Mitteilungen des landw. Instituts der Universität in Leipzig. Herausgegeben von Dr. A. Blomeyer, Prof. I. Heft. 1875. 8. (172 S.)   3 M.

Mitteilungen der Großh. Sächs. Lehranstalt für Landwirte an der Universität in Jena. Herausgegeben von Dr. G. Liebscher. 1884. 8. (164 S.)   4 M.

Mitteilungen der Großh. Sächs. Landw. Lehranstalt an der Universität in Jena. 1874. 8. (32 S.)   1 M.

Mitteilungen aus dem landw.-physiolog. Laboratorium der Universität Königsberg, siehe „Gisevius, Sortenanbauversuche".

Mitteilungen über die Arbeiten der Moor-Versuchs-Station in Bremen. 8.

     Zweiter Bericht. 1886. (216 S.) (Vergriffen.)   8 M.

     (Sonderabdruck aus: Landw. Jahrbücher. XV. Bd. 1886.)

     Der erste Bericht ist in den Landw. Jahrbüchern 1883 enthalten und nicht besonders erschienen.

— — Dritter Bericht. Herausgegeben von Prof. Dr. M. Fleischer. Mit 7 Taf. 1891. (590 S.) (Vergriffen.)   16 M.

     (Sonderabdruck aus: Landw. Jahrbücher. XX. Bd. 1891.)

— — Vierter Bericht. Herausgegeben von Dr. Br. Tacke. Mit 3 Abb. und 24 Taf. 1898. (557 S.)   18 M.

     (Landw. Jahrbücher. XXVII. Bd. 1898. Ergänzungsband IV.)

Mitteilungen der Vereinigung deutscher landw. Versuchs-Stationen. 8.

     Heft 1. Die Bestimmung der zitronensäurelöslichen Phosphorsäure in Thomasmehlen. Von Prof. Dr. Paul Wagner, Geh. Hofrat, Vorstand der landw. Versuchs-Station Darmstadt. 1903. (112 S.)   2 M. 50 Pf.

Mitteilungen der Verlagsbuchhandlung Paul Parey, Berlin SW., Hedemannstraße 10. 8. Erscheinen in zwanglosen Heften.

Werden auf Verlangen kostenlos zugesandt.

Mitteilungen der Versuchs-Station für Zuckerrohr zu Semarang auf Java:
Formen und Farben von Saccharum officinarum L. (Zuckerrohr).
21 chromolithographische Taf. von Dr. F. Soltwedel, weil. Direktor der
Versuchs-Station. Herausgegeben von Dr. F. Benecke. Mit Text. 1892.
Folio. In Leinenmappe 65 M.

Mitteilungen aus dem forstlichen Versuchswesen Österreichs, herausgegeben
von Dr. A. von Seckendorff, K. K. Prof. in Wien. I. Bd. Mit 24 Taf.
und 16 Abb. 1878. 4. (282 S.) 10 M.

Möbius, Dr. K., Prof. in Kiel. Die Auster und die Austernwirtschaft.
Mit 1 Karte und 9 Abb. 1877. 8. (126 S.) 4 M.

— — Austern- und Miesmuschelzucht. Mit 1 Taf. 1870. 8. (67 S.) 2 M.

Möhl, Dr. H. Witterungs-Erscheinungen. 1877. 8. (34 S.) 1 M.

Mohs, Dr. R. Zur Frage der Erbauung eines Rhein-Weser-Elbe-Kanals.
Mit Abb. 1899. 8. (64 S.) 1 M. 50 Pf.

Molin, Dr. R., Prof. in Wien. Leben und Zucht der Honigbiene. Mit 31 Abb.
1880. 8. (212 S.) 5 M.

Molnár, Weinbau, siehe „Czeh".

Möller, Dr. H., Prof. in Berlin. Anleitung zum Bestehen der Hufschmiede-
Prüfung. Nach den gesetzlichen Bestimmungen bearbeitet. Achte Auflage.
Mit 55 Abb. 1903. 8. (100 S.) Kart. 1 M.

— — Die Hufkrankheiten des Pferdes, ihre Erkennung, Heilung und Verhütung. Dritte Auflage. Mit 46 Abb. 1895. 8. (270 S.) Geb. 7 M.

— — Handbuch der Pferdekunde, siehe „Born".

Monatshefte des Allgemeinen Deutschen Jagdschutz-Vereins und der Deutschen
Versuchs-Anstalt für Handfeuerwaffen. 8.

I. Jahrgang 1895/96. 12 Hefte. 6 M.

II./III. Jahrgang 1896/98. Monatlich 2 Hefte. à 12 M.

Einzelne Hefte 50 Pf.

Monilia-Krankheit der Kirschbäume. Farbendruckplakat mit Text. Herausgegeben
von Prof. Dr. B. Frank und Dr. Fr. Krüger. 1898. 50 Pf.
100 Expl. 45 M. 500 Expl. 200 M. Aufziehen 25 Pf. für das Expl.

Mönkemeyer, W., Inspektor des bot. Gartens in Leipzig. Die Sumpf- und
Wasserpflanzen. Mit 126 Abb. 1897. 8. (189 S.) Geb. 5 M. 50 Pf.

— — Taschenwörterbuch, siehe „Kohl".

— — Zimmergärtnerei, siehe „Rümplers Zimmergärtnerei".

Monostori, C., Prof. in Budapest. Die Schweine Ungarns. Mit Abb. und
10 Taf. 1891. 8. (99 S.) Kart. 4 M.

Moorgebiete, Die, des Herzogtums Bremen. Mit 1 Karte. 1877. 8. (107 S.) 6 M.

Moor-Kommission, Zentral-, siehe „Protokolle".

Moerder, J. von, russ. Pferderassen, siehe „Simonoff".

Morgen, A., Fütterung, siehe „Maercker".

Moritz, Reg.-Rat. Dr. Maßregeln zur Bekämpfung der Reblaus und anderer Rebenschädlinge im Deutschen Reiche. Bearbeitet in der biolog. Abteilung für Land- und Forstwirtschaft am Kais. Gesundheitsamte. 1902. 8. (370 S.) Geb. 4 M.

— — Die Rebenschädlinge. Zweite Auflage. Mit 48 Abb. 1891. 8. (92 S.) 2 M.

Moritz und Morris. Handbuch der Brauwissenschaft. Ins Deutsche übertragen von Dr. W. Windisch. Mit 49 Abb. 1893. 8. (491 S.) Geb. 12 M.

Moser, Dr. J. E., Prof. in Wien. Lehrbuch der Chemie für Land- und Forstwirte. 1870. 8. (355 S.) 7 M.

Moewes' Destillierkunst. Praktisches Handbuch der Likörfabrikation. Neunte Auflage. Mit 19 Abb. 1892. 8. (584 S.) Geb. 7 M.

Mühlen, Freiherr F. von, Revierförster. Anleitung zum rationellen Betriebe der Ausastung im Forsthaushalte. Mit 26 Abb. 1873. 8. (77 S.) 1 M. 50 Pf.

Müller, Dr. A., Prof. in Berlin. Gutachten über den Einfluß der Münchener Spüljauche auf den Reinheitszustand der Isar. 1891. 8. (30 S.) 1 M.

— — Die Spüljauchenrieselung. 1875. 8. (48 S.) 1 M. 50 Pf.

Müller, Dr. G., Med.-Rat, Prof. in Dresden. Der kranke Hund. Anleitung zur Erkennung, Heilung und Verhütung der Hundekrankheiten. Zweite Auflage. Mit 69 Abb. 1903. 8. (212 S.) (Thaer-Bibliothek.) Geb. 2 M. 50 Pf.

— — Tierärztliche Rezeptier- und Dispensierkunde. Zweite Auflage. 1901. 8. (310 S.) Geb. 5 M. 50 Pf.

— — Der gesunde Hund. Naturgeschichte, Körperbau, Rassen, Aufzucht und Pflege. Mit 64 Abb. 1898. 8. (148 S.) (Thaer-Bibliothek.) Geb. 2 M. 50 Pf.

— — Landw. Giftlehre. Mit 48 Abb. 1897. 8. (171 S.) (Thaer-Bibliothek.) Geb. 2 M. 50 Pf.

— — Die Krankheiten des Hundes und ihre Behandlung. Mit 93 Abb. 1892. 8. (434 S.) Geb. 16 M.

Müller, R., Prof. in Tetschen-Liebwerd. Grundzüge der landw. Tierproduktionslehre. Mit 184 Abb. 1899. 8. (439 S.) Geb. 6 M.

— — Die Milchnutzung des Rindes im Kleinbetriebe. Zweite Auflage. Mit 65 Abb. 1897. 8. (127 S.) 2 M.

Müller, R., Schäfereidirektor. Ist die jetzige Staatshilfe für unsere so schwer geschädigte Viehzucht ausreichend? 1885. 8. (28 S.) 1 M.
(Sonderabdruck aus: Deutsche Landw. Presse. 1885.)

Mueller, Dr. Tr., Generalsekretär des Deutschen Landw.-Rats. Die amerikanische Bewässerungswirtschaft. Mit 21 Taf. 1894. 8. (132 S.) 5 M.

— — Usancen des börsenmäßigen Getreidehandels in Deutschland. 1893. 12. (24 S.) 50 Pf.
(Sonderabdruck aus: Mentzel und v. Lengerkes landw. Kalender 1893.)

Müller, W., in Berlin. Tierische Zuckerrübenschädlinge. Mit 42 Abb. 1893. 8. (90 S.) 1 M. 50 Pf.

Verlag von Paul Parey in Berlin SW., Hedemannstraße 10.

Müller, C. F., und G. **Schwarznecker.** Die Pferdezucht. 8.
  Erster Band. Anatomie und Physiologie, bearbeitet von C. F.
      Müller, Prof. in Berlin. Mit 266 Abb. 1879. (931 S.)
      21 M. In Halbleder geb. 23 M. 50 Pf.
  Zweiter Band. Rassen, Züchtung und Haltung des Pferdes von
      G. Schwarznecker. Vierte Auflage, durchgesehen von
      Dr. S. von Nathusius. Mit 88 Abb. und 40 Rasse-
      bildern. 1902. (610 S.)   Geb. 16 M.

Münster, G., Graf zu, Kgl. Sächs. Landstallmeister. Das Vollblutpferd als
  Regenerator. 1882. 8. (52 S.)   1 M. 50 Pf.

Münz und **Girard.** Die Stickstoffverluste im Stallmist, siehe „Vogel".

Murzel, P. F., Direktor der Winterschule in Saarlouis. Chemie. Dritte
  Auflage. 1900. 8. (143 S.) (Landw. Unterrichtsbücher.) Geb. 1 M. 40 Pf.

Nachrichten aus dem Klub der Landwirte zu Berlin. Herausgegeben vom
  Komitee. 1868—1903. 4. Erscheint in zwanglosen Nummern zum Preise
      von à 1 M.

Nachrichten vom Deutschen Landwirtschaftsrat, siehe „Zeitschrift für Agrarpolitik".

Nachrichten über die Moorgebiete im Regierungsbezirk Stettin. Mit 1 Karte.
  1881. 4. (72 S.)   6 M.

Nachweh, Hauptprüfung der Bindemäher, siehe „Arbeiten der D. L.-G." Heft 79.
  — — Feldmessen, siehe „Wüsts Feldmessen".

Nassal, J., Reitlehrer in Leipzig. Vier Reit-Quadrillen. 30 Figuren mit
  Text. 1898. 12.   Kart. 3 M.

Nathusius, Heinrich von (Althaldensleben). Die Zucht schwerer Arbeitspferde.
  Mit 2 lithographierten Taf. 1885. 8. (107 S.) (Vergriffen.)   4 M.
      (Sonderabdruck aus: Landw. Jahrbücher. XIV. Bd. 1885.)
  — — Das schwere Arbeitspferd mit besonderer Rücksicht auf den Clydesdale.
  Mit 1 Lichtdrucktafel und 28 Abb. 1882. 8. (188 S.)   4 M.
  — — Die Lage der Landes-Pferdezucht. 1872. 8. (136 S.) (Vergriffen.) 3 M.

Nathusius, Hermann von (Hundisburg). Vorträge über Viehzucht. 8.
  Erster Teil. Allgemeines. Zweite Auflage. Mit 13 Abb. 1890.
      (188 S.)   3 M.
  Zweiter Teil. Die Schafzucht. Herausgegeben von W. v. Nathusius-
      Königsborn. Mit 102 Abb. 1880. (468 S.)   10 M.
      In Halbleder geb. 12 M.
  Dritter Teil. Kleine Schriften und Fragmente. Nach dem Tode
      des Verfassers herausgegeben von W. v. Nathusius-
      Königsborn. Mit Abb. 1880. (378 S.)   8 M.
  — — Über die sogenannten Leporiden. Mit 4 lithographierten Taf. und 7 Abb.
  1876. 8. (71 S.)   8 M.
  — — Vorstudien für Geschichte und Zucht der Haustiere. Mit einem Atlas.
  1864. 8. (186 S.) (Vergriffen.)   20 M.
  — — Wandtafeln für Viehzucht, siehe „Wandtafeln für den naturw. Unterricht".

Verlagsbuchhandlung für Landwirtschaft, Gartenbau und Forstwesen.

Nathusius, Dr. S. von (Althaldensleben). Unterschiede zwischen der morgen- und abendländischen Pferdegruppe. 1891. 8. (161 S.)   5 M.

— — Hengste der Landgestüte, siehe „Arbeiten der D. L.-G." Heft 43.

— — Pferdezucht, siehe „Schwarzneckers Pferdezucht".

Nathusius, Wilhelm von, Landesökonomierat in Halle. Die Vorgänge der Ver- erbung bei Haustieren. Mit 10 Abb. und 4 Taf. 1891. 8. (86 S.) 3 M.
      (Sonderabdruck aus: Landw. Jahrbücher. XX. Bd. 1891.)

— — Heinrich von Nathusius. Ein Lebensbild. 1891. 8. (24 S.) 1 M. 50 Pf.
      (Sonderabdruck aus: Landw. Jahrbücher. XX. Bd. 1891.)

— — Die prohibitiven Körordnungen. 1881. 8. (32 S.)   1 M.

— — Hermann von Nathusius. 1880. 8. (25 S.)   1 M.

— — Untersuchungen über nicht celluläre Organismen. Mit 16 Taf. 1877. 4. (144 S.)   Kart. 30 M.

— — Das Wollhaar des Schafes. Mit 24 Taf. 1866. 8. (200 S.) 12 M.

— — Wollkunde, siehe „Wandtafeln für den naturw. Unterricht".

Nattermüller, O. Obst- und Gemüsebau. Zweite Auflage. Mit 71 Abb. 1900. 8. (135 S.) (Landw. Unterrichtsbücher.)   Geb. 1 M. 60 Pf.

Naudé, W., siehe „Acta borussica".

Nedderich, F., Geschichte der Landwirtschaft, siehe „Michelsen".

Nehring, Dr. A., Prof. in Berlin. Über die Gebißentwickelung der Schweine. Mit 15 Abb. 1888. 8. (54 S.)   1 M.
      (Sonderabdruck aus: Landw. Jahrbücher. XVII. Bd. 1888.)

— — Zoologische Sammlung der Kgl. Landw. Hochschule in Berlin. Katalog der Säugetiere. Mit 52 Abb. 1886. 8. (100 S.)   1 M. 50 Pf.

— — Fossile Pferde aus deutschen Diluvial-Ablagerungen. Mit 5 Taf. 1884. 8. (160 S.)   4 M.
      (Sonderabdruck aus: Landw. Jahrbücher. XIII. Bd. 1884.)

— — und Dr. E. **Schäff.** Gebißtafeln zur Altersbestimmung des Reh-, Rot- und Schwarzwildes. Mit 3 Taf. 1889. 8. (5 S.)   40 Pf.
      50 Stück 15 M. 100 Stück 20 M.

Neide, E., w. Kgl. Gartendirektor in Berlin. Ausgeführte Gartenanlagen. Herausgeg. von H. Geitner. 16 Taf. nebst Text. 1884. Folio. Kart. 20 M.

Neßler, Dr. J., Geh. Hofrat, Prof. in Karlsruhe. Naturwissenschaftl. Leit- faden für Landwirte, Winzer und Gärtner. Dritte Auflage. 1896. 8. (392 S.)   4 M. 50 Pf. Geb. 5 M.

Neuhauß-Selchow, S., Ökonomierat. Sonst und Jetzt in der Landwirtschaft auf leichtem Boden. 1894. 8. (100 S.)   1 M. 50 Pf.

— — Selchow contra Lupitz. Zweite Auflage. 1891. 8. (64 S.) 1 M.

— — Über Edelzucht auf Leistung nach Wahrnehmungen in der Praxis. Mit 4 Taf. und 1 Tabelle. 1888. 8. (34 S.) (Vergriffen.) 1 M. 25 Pf.
      (Sonderabdruck aus: Nachrichten aus d. Klub der Landwirte zu Berlin. 1888.)

— — Unsere Landwirtschaft und die amerikanische Konkurrenz. 1884. 8. (32 S.) (Vergriffen.)   1 M.
      (Sonderabdruck aus: Deutsche Landw. Presse. 1884.)

Ney, C. E., Kaiserl. Oberförster in Hagenau. Die Lehre vom Waldbau für Anfänger in der Praxis. 1885. 8. (504 S.)   9 M.

Verlag von **Paul Parey** in Berlin SW., Hedemannstraße 10.

Nielsen, Chr., Oberlehrer in Barel. Die Feldmeß- und Nivellierkunde und das Drainieren. Zweite Auflage. Mit 3 Taf. und 102 Abb. 1898. 8. (112 S.) (Landw. Unterrichtsbücher.) Geb. 2 M.

Nietner, Th., Kgl. Hofgärtner in Potsdam. Die Rose, ihre Geschichte, Arten, Kultur und Verwendung. Mit 102 Abb., 2 Gartenplänen und 12 Taf. 1880. 4. (282 und 160 S.) 30 M. Geb. mit Goldschnitt 35 M.

Daraus besonders abgedruckt:

— — Verzeichnis aller Gartenrosen. 1880. Taschenformat. (532 S.) Geb. 6 M.

— — Skizzenbuch, siehe dort.

Nitsche, Dr. H., Prof. in Tharand. Die Nonne (Liparis Monacha L.). Mit Abb. 1892. 8. (60 S.) 70 Pf. 100 Expl. 50 M.

(Sonderabdruck aus: Judeich-Nitsche, Forstinsektenkunde.)

— — Forstinsektenkunde, siehe „Judeich".

Noack, R., Hofgarteninspektor in Darmstadt. Der Obstbau. Vierte Auflage. Mit 90 Abb. 1903. 8. (183 S.) (Thaer-Bibliothek.) Geb. 2 M. 50 Pf.

Nobbe, Dr. F., Prof. in Tharand. Handbuch der Samenkunde. Mit 339 Abb. 1876. 8. (631 S.) 15 M. In Halbleder geb. 17 M.

— — Wider den Handel mit Wald-Grassamen. Mit 16 Abb. 1876. 8. (32 S.) 1 M.

(Sonderabdruck aus: Landw. Jahrbücher. V. Bd. 1876.)

— — Landw. Versuchs-Stationen, siehe „Versuchs-Stationen".

— — Lehrbuch der Botanik für Forstmänner, siehe „Döbners Botanik".

— — Vorschriften für Samenprüfungen, siehe „Vorschriften".

Nobbescher Keim-Apparat. (Aus gebranntem Ton.) Einzelpreis ohne Kiste 3 M. 12 Expl. 30 M.

Die Kiste wird besonders berechnet für

Expl.	1.	2.	3/5.	6.	12.
Mark	1.	1,50.	2,50.	3.	4.

Nonne, Die (Fichtenspinner). Farbendruckplakat mit Text. 1890. 50 Pf. 100 Expl. 45 M. 500 Expl. 200 M. Aufziehen 25 Pf. für das Expl.

Nördlinger, Dr. H., Forstrat, Prof. in Tübingen. Lehrbuch des Forstschutzes. Mit 222 Abb. 1884. 8. (520 S.) 10 M. In Halbleder geb. 12 M.

Nördlinger, Dr. Th., Forstamtsassistent in Tübingen. Der Einfluß des Waldes auf die Luft- und Bodenwärme. 1885. 8. (100 S.) 3 M.

Nordmann, M. G. Agrarier! helft euch selbst! 1899. 8. (106 S.) 3 M.

Notwendigkeit, Die, einer Reform des tierärztlichen Unterrichts- und Prüfungswesens. 1874. 8. (28 S.) 1 M.

Notz, F. von, Oberleutnant. Nachtrag zur „Geschichte des Kaiser Franz-Garde-Grenadier-Regiments Nr. 2", siehe „Puttkamer".

Nowacki, Dr. A., Prof. in Zürich. Praktische Bodenkunde. Vierte Auflage. Mit 10 Abb. u. 1 Taf. 1904. 8. (191 S.) (Thaer-Bibliothek.) Geb. 2 M. 50 Pf.

— — Anleitung zum Getreidebau. Dritte Auflage. Mit 147 Abb. 1899. 8. (279 S.) (Thaer-Bibliothek.) Geb. 2 M. 50 Pf.

— — Jagd oder Ackerbau. 1885. 8. (108 S.) 2 M.

Oberländer. Eine Jagdfahrt nach Ostafrika. Mit dem Tagebuch eines Elefantenjägers. Mit 21 Originalzeichnungen von W. Kuhnert und vielen Aufnahmen nach der Natur. 1902. 8. (406 S.) Geb. 15 M.

Obstwickler. Farbendruckplakat mit Text. Herausgeg. von der Kgl. Lehr-Anstalt
für Wein-, Obst- und Gartenbau zu Geisenheim a. Rhein. Bearbeitet von
Dr. G. Lüstner. 1902.   50 Pf.
    100 Expl. 45 M. 500 Expl. 200 M. Aufziehen 25 Pf. für das Expl.

Offenberg, L., Reg.-Rat zu Düsseldorf. Das Waldschutzgesetz vom 6. Juli 1875,
Zusammenlegung und Enteignung und andere Mittel zur Aufforstung,
Walderhaltung und Waldpflege im privaten Wald- und Ödlandsbesitz. 1901.
8. (245 S.)   Kart. 3 M. 50 Pf.

Ohlendorff, H. von. Die Behandlung des Pferdes. Ein Lehr- und Nachschlagebuch für Fuhrwerksbesitzer, Kutscher und Stallburschen. 1902. 8.
(77 S.)   Geb. 1 M. 50 Pf.

Oldenburg, F., Reg.- und Ökonomierat. Die Pferdezucht im landw. Betriebe. Gekrönte Preisschrift. 1901. 8. (195 S.) (Thaer-Bibliothek.)
                                                     Geb. 2 M. 50 Pf.

Oldenburg, Dr., in Bonn. Rheinlands Pferdezucht im Lichte der Statistik.
Mit 3 Karten. 1902. 8. (31 S.)   2 M.
    (Sonderabdruck aus: Landw. Jahrbücher. XXXI. Bd. 1902.)

Olszewski, F., Lehrer in Heiligenbeil. Lehrbuch der Landwirtschaft für
ländliche Fortbildungsschulen. 1888. 8. (259 S.)   Geb. 3 M. 50 Pf.

Oemler, P. Antike Landwirtschaft. 1872. 8. (59 S.) (Vergriffen.) 1 M. 50 Pf.

Ompteda, L. Freiherr von. Rheinische Gärten von der Mosel bis zum
Bodensee. Mit 55 Abb. 1886. 8. (190 S.)   Geb. 20 M.

— — Anleitung zur Pfirsichzucht. Mit 8 Taf. 1879. 8. (81 S.) 2 M. 50 Pf.

Opel, Dr. F. M. E. Lehrbuch der forstlichen Zoologie. Neue Ausgabe.
Mit 18 Abb. 1885. 8. (483 S.)   5 M.

Organisation, Die, eines meteorologischen Dienstes im Interesse der Land-
und Forstwirtschaft. 1879. 8. (40 S.)   1 M.
    (Sonderabdruck aus: Landw. Jahrbücher. VIII. Bd. 1879.)

Orth, Dr. A., Geh. Reg.-Rat, Prof. in Berlin. Kalk- und Mergel-Düngung.
1896. 8. (224 S.)   Kart. 2 M.

— — Die Hohenzollern in ihren Beziehungen zur Landeskultur. 1878. 8.
(16 S.) (Vergriffen.)   30 Pf.

— — Zur Kenntnis des Bodens und seines Gewerbes. 1872. 8. (51 S.) 1 M.

— — Geognostische Durchforschung des schlesischen Schwemmlandes. 1872.
8. (361 S.)   9 M.

— — Bodenkunde, siehe „Wandtafeln für den naturwissenschaftl. Unterricht".

Oschmann, Spirituskraftwagen, siehe „Arbeiten der D. L.-G." Heft 86.

Osterheld, F., Kgl. Forstmeister in Langenberg. Die erfolgreiche Bekämpfung
der Kiefernschütte. 1898. 8. (21 S.)   60 Pf.
    (Sonderabdruck aus: Forstwissenschaftl. Zentralblatt. 1898.)

Ota-Aitobe, Dr. J., Dozent in Sapporo, Japan. Über den japanischen
Grundbesitz. 1890. 8. (91 S.)   2 M. 50 Pf.

Oetken, Fr. Die Landwirtschaft in den Vereinigten Staaten von Nord-
amerika. 1893. 8. (848 S.)   10 M.

— — Zur französischen Pferdezucht, siehe „Berichte über Land- und Forstwirtschaft". Heft 1.

Dettingen, B. von, Stutbuch von Trakehnen, siehe dort.

Otto, A. Die Milch und ihre Produkte. Mit 145 Abb. und 2 Taf. 1892. 8. (181 S.) (Thaer-Bibliothek.) Geb. 2 M. 50 Pf.

Otto, Dr. R., Lehrer in Proskau. Grundzüge der Agrikulturchemie. Mit 44 Abb. 1899. 8. (356 S.) (Landw. Unterrichtsbücher.) Geb. 4 M.

Ottos Rosenzucht im freien Lande und in Töpfen. Zweite Auflage, neubearbeitet von C. P. Straßheim. Mit 38 Abb. und 10 Rosentaf. 1890. 8. (130 S.) Geb. 4 M.

Pabst, H. W. von. Lehrbuch der Landwirtschaft. Siebente Auflage, neubearbeitet von Dr. W. von Hamm. Neue Ausgabe. Mit 231 Abb. 1885. 8. (611 und 571 S.) In Leder geb. 20 M.

—— Landw. Taxationslehre. Dritte Auflage, umgearbeitet von Dr. W. von Hamm. 1881. 8. (212 S.) 5 M.

Pagenstecher, Dr. H. A., Prof. in Heidelberg. Allgemeine Zoologie. Zweite Ausgabe. Mit 847 Abb. 2 Bde. 1881. 8. (2253 S.) 20 M.

Palandt, H. W., Inspektor in Hildesheim. Der Haselstrauch und seine Kultur. Mit 2 Farbendrucktafeln. 1881. 8. (40 S.) Kart. 2 M. 50 Pf.

Pankowski, M., Zwierze domowe, siehe „Steuert".

Parey, P. Deutsches Herdbuch, siehe „Herdbuch".

Passon, Dr. M., Assistent an der landw. Versuchs-Station in Posen. Agrikulturchemisch-analytisches Taschenbuch. 1898. 8. (32 S.) 1 M.

Pathe, C. H. Die Maulbeerbaumzucht und der Seidenbau. Zweite Auflage. Mit 9 Abb. und 2 Farbendrucktafeln. 1865. 8. (125 S.) (Thaer-Bibliothek.) (Vergriffen.) Geb. 2 M. 50 Pf.

Patzig, Prof. B., Oberlehrer in Marienburg. Viehzucht. Fünfte Auflage. Mit 107 Abb. 1902. 8. (199 S.) (Landw. Unterrichtsbücher.) Geb. 1 M. 60 Pf.

Pelter, J., Auseinandersetzungsangelegenheiten, siehe „Glatzel und Sternberg".

Perels, Dr. E., Prof. in Wien. Handbuch des landw. Wasserbaues. Zweite Auflage. Mit 341 Abb. und 4 Farbendrucktafeln. 1884. 8. (660 S.) (Vergriffen.) (Siehe „Friedrich, Wasserbau".) Geb. 20 M.

—— Die Dampf-Bodenkultur. Mit 5 Taf. 1870. 8. (47 S.) 1 M.

—— Die landw. Maschinen und Geräte auf der Pariser Welt-Ausstellung 1867. Mit 15 Taf. und 80 Abb. 1867. 4. (160 S.) 12 M.
(Berichte über den landw. Teil der Pariser Welt-Ausstellung. II. Teil.)

—— Die Fortschritte auf dem Gebiete des landw. Maschinenwesens 1863 bis 1865. Mit 14 Taf. und 76 Abb. 1865. 4. (148 S.) (Vergr.) 10 M.

Perels' Ratgeber bei Wahl und Gebrauch landw. Geräte und Maschinen. Achte Auflage, neubearb. von Dr. W. Strecker, Prof. in Leipzig. Mit 167 Abb. 1902. 8. (279 S.) (Thaer-Bibliothek.) Geb. 2 M. 50 Pf.

Perfall, A., Freiherr von. Ein Weidmannsjahr. Mit Originalzeichnungen von Ch. Kröner, E. Singer, K. Wagner u. a. 1896. 4. (115 S.) 6 M. Geb. 8 M.

Persede, Dr. K., Direktor der landw. Winterschule in Zülpich. Anleitung zur Bekämpfung des Unkrautes. 1896. 8. (48 S.) 1 M.

Peter, Dr. A., Prof. in Göttingen. Botanische Wandtafeln. 50 in Farbendruck ausgeführte Tafeln im Format von 70 : 90 cm nebst Text.

Preis jeder Tafel 2 M. 50 Pf.

Verzeichnis der erschienenen 50 Tafeln.

1. Cucurbitaceae.	17. Bromeliaceae.	34. Hydrocharitaceae.
2. Violaceae.	18. Commelinaceae, Alis-	35. Cruciferae.
3. Papaveraceae.	maceae.	36. Umbelliferae.
4. Liliaceae, Amarylli-	19. Primulaceae.	37. Oxalidaceae, Balsami-
daceae.	20. Polygonaceae.	naceae.
5. Palmae.	21. Resedaceae.	38. Campanulaceae.
6. Typhaceae, Spargania-	22. Rubiaceae.	39. Nymphaeaceae.
ceae.	23. Solanaceae.	40. Droseraceae.
7. Aceraceae.	24. Hippocastaneae.	41. Ericaceae.
8. Myristicaceae.	25. Borragineae.	42. Scrophulariaceae.
9. Salicaceae.	26. Compositae.	43. Lythraceae.
10. Cactaceae.	27. Sileneae, Caryophylla-	44. Lentibulariaceae.
11. Sarraceniaceae, Nepen-	ceae.	45. Rosaceae.
thaceae.	28. Cyperaceae.	46. Orchideae.
12. Corylaceae, Betulaceae.	29. Passifloreae.	47. Caryophyllaceae, Alsi-
13. Myrtaceae, Lecythideae.	30. Ranunculaceae.	neae.
14. Labiatae.	31. Euphorbiaceae.	48. Malvaceae.
15. Fumariaceae.	32. Rafflesiaceae.	49. Oleaceae.
16. Coniferae.	33. Vitaceae (Ampelidae).	50. Papilionaceae.

Petermann, Dr. A., Direktor der landw. Versuchs-Station in Gemblour. Des
matières fertilisantes. 1880. 8. (48 S.)   2 M.

— — Über den landw. Wert der sogen. zurückgegangenen Phosphorsäure.
1880. 8. (27 S.)   50 Pf.

(Sonderabdruck aus: Landw. Versuchs-Stationen. XXIV. Bd.)

Petermann, Dr. C. F., Lehrer in Dahme. Ein Wort über die allgemeine
Grammatik und deren Berücksichtigung auf Schulen. 1877. 8. (30 S.) 60 Pf.

Peters, F., Oberroßarzt in Schwerin. Die Formveränderungen des Pferdehufes
bei Einwirkung der Last. 1883. 8. (67 S.)   2 M.

Petersen, Absatzverhältnisse für Molkereiwaren, s. „Arbeiten d. D. L.-G." Heft 31.

Petri, C., Lehrer an der landw. Lehranstalt in Hohenwestedt. Das Schriftwerk des Landwirts. Anleitung zur Abfassung schriftlicher Arbeiten.
Dritte Auflage. 1903. 8. (275 S.) (Thaer-Bibliothek.) Geb. 2 M. 50 Pf.

— — Taxationslehre. Zweite Auflage. 1903. 8. (150 S.) (Landw.
Unterrichtsbücher.)   Geb. 1 M. 60 Pf.

— — Der Gutssekretär. Praktische, durch Beispiele erläuterte Anleitung zur
Abfassung aller schriftlichen Arbeiten des Landwirts in Beruf und Verwaltung. Mit 610 Mustern und Formularen. Zweite Auflage. 1902.
8. (336 und 453 S.)   Geb. 10 M.

— — Volkswirtschaftslehre. 1901. 8. (102 S.) (Landw. Unterrichtsbücher.)   Geb. 1 M. 20 Pf.

— — Landw. Buchführer. 1896. Folio. (153 S.)   Geb. 4 M.

— — Selbstverwaltungsämter. Leitfaden zur Vorbereitung für staatliche
und kommunale Ehrenämter des Landwirts. Zweite Auflage. 1896. 8.
(88 S.) (Landw. Unterrichtsbücher.)   Geb. 1 M. 20 Pf.

Petzold, E., Direktor des Arboretum in Muskau. Die Anpflanzung und Behandlung von Alleebäumen. 1878. 8. (79 S.)   1 M. 50 Pf.

Pfeiffer, Stallmist-Konservierung, siehe „Arbeiten der D. L.-G." Heft 73.

Pferdezucht, Die, siehe „Müller und Schwarznecker, Pferdezucht".

Verlag von Paul Parey in Berlin SW., Hedemannstraße 10.

Pläne zu den Lehrbüchern für den Unterricht in der Geographie, Geschichte, Zoologie, Botanik, Physik, Chemie und Mineralogie an Landwirtschafts-schulen. 1876. 8. (96 S.) 2 M. 50 Pf.

Plankammer, Gärtnerische. Herausgegeben von M. Bertram, Fr. Bouché und C. Hampel. Folio. Drei Hefte mit je 12 Taf. nebst Text. 1892 bis 1894. Kart. à 8 M.

Pohl, J., Prof. in Mödling. Handbuch der landw. Rechnungsführung. Zweite Auflage. 1894. 8. (390 S.) Geb. 8 M.

Pomologie, Deutsche. Chromolithographische Abbildung, Beschreibung und Kultur-anweisung der empfehlenswertesten Sorten Äpfel, Birnen, Kirschen, Pflaumen, Aprikosen, Pfirsiche und Weintrauben. Herausgegeben von W. Lauche, Kgl. Garteninspektor in Potsdam. 300 Farbendrucktafeln nebst Text. 1887. 8. Sechs Bände. Kart. à 12 M.

Die sechs Bände der „Deutschen Pomologie" umfassen:

Äpfel. Erste Folge. 50 Farbendrucktafeln nebst Text. (Vergriffen.)
Äpfel. Zweite Folge. 50 Farbendrucktafeln nebst Text. (Vergriffen.)
Birnen. Erste Folge. 50 Farbendrucktafeln nebst Text. (Vergriffen.)
Birnen. Zweite Folge. 50 Farbendrucktafeln nebst Text.
Kirschen, Pflaumen und Zwetschen. 50 Farbendrucktafeln nebst Text.
Aprikosen, Pfirsiche und Wein. 50 Farbendrucktafeln nebst Text.

— — Auswahl. 100 Farbendrucktafeln nebst Text, enthaltend: 30 Äpfel, 30 Birnen, 10 Kirschen, 10 Pfirsiche, 5 Aprikosen, 10 Pflaumen, 5 Wein-trauben. (Vergriffen.) Geb. 25 M.

Pott, Dr. E., Privatdozent in München. Die landw. Futtermittel. 1889. 8. (730 S.) Geb. 15 M.

Pott, Dr. R., Privatdozent in Jena. Lehrbuch der anorganischen Chemie für Landwirte. 1878. 8. (164 S.) 4 M.

Presse, Deutsche Landwirtschaftliche. Redigiert von Dr. Otto H. Müller. XXXI. Jahrgang. 1904. Vierteljährlich 5 M.
Direkt unter Kreuzband in Deutschland und Österreich-Ungarn viertelj. 6 M.
Direkt unter Kreuzband im Weltpostverein jährlich 30 M.
Einzelne Nummern 25 Pf.
Sammelmappe 3 M.
Einbanddecke für das Halbjahr 3 M.
Jeden Mittwoch und Sonnabend erscheint eine Nummer in der Stärke von 2½—3 Bogen in Folio mit Abb. Wöchentlich zwei Handelsbeilagen, monatlich eine Farbendrucktafel, monatlich eine Beilage „Zeitschriftenschau".
I.—VII. Jahrgang. 1874—1880. Redigiert von O. Hausburg. à 20 M.
VIII.—XIX. Jahrgang. 1881—1892. Redigiert von Dr. Th. Kraus. à 20 M.
XX.—XXX. Jahrgang. 1893—1903. Redigiert von Dr. Otto H. Müller. à 20 M.

Weihnachts-Nummer 1891. „Auf dem Lande". 2 M.
Jubiläums-Nummer 1894. „Die Landwirtschafts-Wissenschaft 1869—1894." (Vergriffen.) 2 M.

(Siehe auch Seite 90.)

Presse, Deutsche Landw. (Siehe auch Seite 89.)

 Preisschriften und Sonderabdrücke der „Deutschen Landw. Presse":

              Einzelpreis 50 Pf.

    25 Expl. 10 M. 50 Expl. 18 M. 100 Expl. 30 M.

1. Spargelbau. Von Dr. Buerstenbinder, Braunschweig.
2. Heubereitungsarten. Von Dr. Böhmer, Robewitz.
3. Schweineaufzucht bis zur Reife. Von H. Schmidt, Wonsowo. (Vergriffen. Siehe „Schmidt".)
4. Futter und Füttern des Rindes. Von H. Steffen, Petershagen. (Vergriffen.)
5. Züchtung und Ertragserhöhung im Getreidebau. Von Beseler und Rümker.
6. Schlachten in der Gutswirtschaft. Von Frau Amtsrat F.
7. Die Düngungsfrage. Von H. Steffen, Petershagen.
8. Was jeder Landwirt vom Verfahren in Rechtssachen wissen muß. Von Amtsrichter Löwenherz, Papenburg. (Vergriffen. Siehe „Löwenherz".)
9. Bekämpfung des Unkrautes. Von Dr. Karbe, Schwerinsburg.
10. Die Kälbermast. Von H. Heine, Posen.
11. Fünf Jahre viehlose Wirtschaft in Maulbeerwalde. Betriebsbericht des Besitzers K. Wodarg.
12. Betrachtungen und kritische Bemerkungen über unsere Mästung. Von E. Schaaf. (Vergriffen.)
13. Welche Einrichtungen der Besitzer sind geeignet, ländliche Arbeiter vom Zug nach der Stadt zurückzuhalten? Von W. Preuß, Berlin.
14. Wie vermeidet der Landwirt unnötige Kosten in gerichtlichen Angelegenheiten? Von Amtsrichter Löwenherz, Köln.
15. Rentable Hühnerzucht. Von Karoline Schultze.
16. Körpermessungen an Rindern und Schweinen. Von Dr. Lydtin, Baden-Baden, und Ökonomierat Junghanns, Hochburg.
17. Beschirrungs- und Anspannungs-Grundsätze bei Pferden. Von Major a. D. R. Schoenbeck.
18. Die Wirkung der einzelnen Nährstoffe bei der Mast des erwachsenen Rindes. Von Geh. Hofrat Prof. Dr. O. Kellner.

Preuß, W., Landwirt in Berlin. Welche Einrichtungen der Besitzer sind geeignet, ländliche Arbeiter vom Zug nach der Stadt zurückzuhalten? 1894. 8. (32 S.)   50 Pf.

    25 Expl. 10 M. 50 Expl. 18 M. 100 Expl. 30 M.

 (Preisschriften und Sonderabdrücke der „Deutschen Landw. Presse". Nr. 13.)

Preußens landw. Verwaltung in den Jahren 1875—1877. Bericht des Ministers für Landwirtschaft an S. M. den Kaiser und König. 1878. 8. (381 S., 31 Anlagen und 13 Taf.)   20 M.

 (Landw. Jahrbücher. VII. Bb. 1878. Ergänzungsband I.)

— — — — in den Jahren 1878—1880. 1882. (623 S.) 20 M.

 (Landw. Jahrbücher. XI. Bb. 1882. Ergänzungsband I.)

             (Siehe auch Seite 91.)

Verlag von Paul Parey in Berlin SW., Hedemannstraße 10.

Preußens landw. Verwaltung. (Siehe auch Seite 90.)

— — — — in den Jahren 1881—1883. 1885. (851 S.)   25 M.
    (Landw. Jahrbücher. XIV. Bd. 1885. Ergänzungsband I.)

— — — — in den Jahren 1884—1887. 1888. (816 S.)   25 M.
    (Landw. Jahrbücher. XVII. Bd. 1888. Ergänzungsband II.)

Frißps Geflügelzucht. Vierte Auflage, neubearbeitet von E. Sabel, Oberstleutnant a. D. Mit 39 Abb. 1899. 8. (236 S.) (Thaer-Bibliothek.)
                                Geb. 2 M. 50 Pf.

Primke, H., Ökonomie-Inspektor. Anleitung zur praktischen Ausführung der
landw. Arbeiten. 12.

    I. Die Hofverwaltung. 1898. (68 S.)   50 Pf.
    II. Die Feldarbeiten. 1899. (88 S.)   50 Pf.
    III. Die Viehpflege. 1899. (67 S.)   50 Pf.
    IV. Die Meierei. 1901. (66 S.)   50 Pf.

Probescheren, Das, von Merinoschafen auf der Ausstellung zu Breslau 1888.
Mit Abb. 1889. 8. (103 S.)   2 M.
    (Sonderabdruck aus: Jahrbuch der Deutschen Landw.-Gesellschaft. III. Bd.)

Protokolle der Zentral-Moor-Kommission. 8.

    1.—11. Sitzung. 1876—1879. 1882. (166 S.)   10 M.
    12. und 13., 14., 15. und 16., 17., 18., 19., 20. Sitzung. 1880—1886.
      (102, 194, 87, 192, 108, 176, 296 S.) (15.—20. Sitzung vergr.) à 8 M.
    21. und 22. Sitzung. 1888. (50 S.)   3 M.
    23. Sitzung. 1889. (77 S.) (Vergriffen.)   3 M.
    24., 25. und 26., 27. Sitzung (vergr.) 1890—1892. (125, 91, 153 S.) à 8 M.
    28. Sitzung. 1893. (37 S.)   2 M.
    29. Sitzung. 1893. (143 S.)   8 M.
    30. Sitzung. 1893. (44 S.)   3 M.
    31. Sitzung. 1894. (69 S.)   4 M.
    32., 33. Sitzung. 1895. (144, 101 S.)   à 8 M.
    34. Sitzung. 1895. (83 S.)   6 M.
    35. Sitzung. 1896. (202 S.)   10 M.
    36. Sitzung. 1896. (22 S.)   3 M.
    37. Sitzung. 1897. (216 S.)   10 M.
    38. Sitzung. 1897. (24 S.)   6 M.
    39. Sitzung. 1898. (275 S.)   10 M.
    40. Sitzung. 1898. (84 S.)   8 M.
    Inhaltsverzeichnis der 1.—40. Sitzung. 1899. (70 S.)   3 M.
    41. Sitzung. 1899. (285 S.)   10 M.
    42. Sitzung. 1899. (148 S.)   6 M.
    43. Sitzung. 1899. (29 S.)   2 M.
    44. Sitzung. 1900. (191 S.)   10 M.
    45. Sitzung. 1900. (36 S.)   3 M.
    46. Sitzung. 1901. (208 S.)   12 M.
    47. Sitzung. 1902. (39 S.)   1 M.
    48. Sitzung. 1902. (221 S.)   10 M.
    49. Sitzung. 1902. (16 S.)   2 M.
    50. Sitzung. 1903. (268, 300 S.)   15 M.

Prout, J. Lohnender Ackerbau ohne Vieh. Aus dem Englischen übertragen von A. Küster. Vierte Auflage. 1901. 8. (84 S.)　1 M. 50 Pf.

Publikationen der K. K. Gartenbau-Gesellschaft in Steiermark zu Graz. Heft 1. Ein Schulgarten für größere Städte. 1889. 8. (35 S.) (Vergr.) 60 Pf. Heft 2. Verhandlungen über Schulgärten. 1890. 8. (33 S.) Kostenlos.

Pusch, Dr. G., Landestierzuchtdirektor und Prof. in Dresden. Wandtafeln zur Beurteilung des Rindes. 18 Lithographien im Format von 130 : 170 cm. Drei Abteilungen, deren jede in Mappe.　90 M.
　　　I. Abteilung, Taf. I—VI. 1901.　　　　30 M.
　　　II. Abteilung, Taf. VII—XII. 1902.　　30 M.
　　　III. Abteilung, Taf. XIII—XVIII. 1902.　30 M.
— — Die Beurteilungslehre des Rindes. Mit 327 Abb. 1896. 8. (388 S.)　　　　　　　　　　　　　Geb. 10 M.

Puton, A. Die Forsteinrichtung im Nieder- und Hochwaldbetriebe. Nach der dritten französischen Auflage bearbeitet von E. Liebeneiner, kgl. Preuß. Forstassessor. Mit Abb. 1894. 8. (144 S.)　3 M. 50 Pf.

Puttkamer, Hannely von. Die ländliche Schlächterei. 1893. 8. (48 S.) 1 M.

Puttkamer, E. von, Major a. D. Geschichte des Kaiser Franz Garde-Grenadier-Regiments Nr. 2. Dritte Auflage. Mit 8 Plänen. 1902. 8. (287 S.)　　　　　　　　　　　　Geb. 8 M.
— — Nachtrag zur zweiten Auflage. Bearbeitet von F. von Rotz, Oberleutnant im Regiment. 1900. (36 S.)　　　　　80 Pf.

Pütz, Dr. H., Prof. in Halle. Die äußeren Krankheiten der landw. Haussäugetiere. Mit 90 Abb. 1880. 8. (478 S.)　　　8 M.
— — Lehrbuch der Veterinär-Pathologie und -Therapie. Mit 17 Abb. 1874. 8. (423 S.)　　　　　　　　　　　8 M.
— — Die Maul- und Klauenseuche. 1874. 8. (48 S.)　80 Pf.

Raabe, Dr. O., Halle a. S. Vierzig Jahre Brotgetreidebau. Ein Beitrag aus der Praxis zur Frage der Kornzölle. 1901. 8. (52 S.) 1 M. 20 Pf.
　　　　　　　　　　　　　　　　　　20 Expl. 20 M.
— — Die Kornhaus-Genossenschaft, E. G. m. b. H., zu Halle a. S. 1901. 8. (35 S.)　　　　　　　　　　　　50 Pf.
— — Die volkswirtschaftliche Bedeutung der Pacht. 1891. 8. (92 S) 2 M.

Radde, A. G. Die Champignon-Zucht. Mit Abb. 1901. (45 S.) 75 Pf.

Ramm und **Parey,** Rinder-Merkbuch, siehe „Rinder-Merkbuch".

Raesfeld, F. von, Forstmeister in Born. Aus der Weidmannstasche. Jagdliche Zeit- und Streitfragen. 1900. 8. (230 S.)　Geb. 5 M.
— — Das Rotwild. Naturbeschreibung, Hege und Jagd des Edelwildes in freier Wildbahn. Mit 100 Abb. und 6 Taf. 1899. 8. (394 S.)
　　　　　　　　　　　　　　　　　　Geb. 14 M.

Ratzeburg, Dr. J. T. C. Forstwissenschaftl. Schriftsteller-Lexikon. 1874. 4. (516 S.)　　　　　　　　　　　　　6 M.
— — Die Waldverderbnis. 2 Teile mit 61 Taf. und zahlreichen Abb. 1866—1868. 4. (762 S.)　　　　　　　　Geb. 25 M.

(Siehe auch Seite 98.)

Verlag von Paul Parey in Berlin SW., Hedemannstraße 10.

Ratzeburg, Dr. J. T. C. (Siehe auch Seite 92.)
— — Die Ichneumonen der Forstinsekten. 3 Teile. Mit 7 Kupfertafeln. 1844—1852. 4. (732 S.) (Vergriffen.) Geb. 20 M.
— — Die Forstinsekten. 3 Teile. Mit 55 kolorierten Kupfertafeln. 1840. 4. (247, 252, 314 S.) Geb. 50 M.
— — Waldverderber, siehe „Judeich und Nitsche, Forstinsektenkunde".

Raumer, C. von, Hauptmann a. D. Das Petersensche Be- und Entwässerungssystem. Mit 9 Abb. 1870. 8. (32 S.) 50 Pf.

Rausch, J., Oberforstrat in Gotha. Hilfstafeln zur Ermittelung des Massengehaltes von Blochen, Stämmen und Stangen. Zweite Auflage. 1886. 8. (72 S.) Kart. 2 M.

Reblaus, Die. Farbendruckplakat mit Text. 1890. 50 Pf.
100 Expl. 45 M. 500 Expl. 200 M. Aufziehen 25 Pf. für das Expl.

Reblaus-Gesetze. Im amtlichen Auftrage zusammengestellt. 1890. 8. (117 S.) Kart. 1 M.

Rechts- und Verwaltungslexikon, siehe „Löwenherz".

Regner, A. von. Handbuch der landw. Gesetze Österreichs. 1877. 8. (402 S.) 6 M.

Reichenbachia. Chromolithographische Abbildung, Beschreibung und Kulturanweisung der schönsten Orchideen. Herausgegeben von F. Sander in St. Albans. gr. Folio.
Vier Bände mit je 48 Taf. nebst Text. 1889—1894. (Vergriffen.) 800 M.

Reinhard, Lic. theol. Der landw. Bauernverein des Saalkreises und seine 25 jährige Wirksamkeit. 1884. 8. (252 S.) 4 M.

Reinke, Dr. J., Prof. in Göttingen. Lehrbuch der allgemeinen Botanik. Mit 295 Originalabb. und 1 Taf. 1880. 8. (584 S.) 12 M.
— — Untersuchungen aus dem botanischen Laboratorium der Universität in Göttingen. 8.

Erstes Heft. Die Zersetzung der Kartoffel durch Pilze. Von J. Reinke und G. Berthold. Mit 9 Taf. 1879. (100 S.) 8 M.

Zweites Heft. Studien über das Protoplasma. Von J. Reinke und H. Rodewald. 1881. (202 S.) 10 M.

Drittes Heft. Studien über das Protoplasma. Zweite Folge. Von J. Reinke und L. Krätzschmar. Mit 1 Taf. 1883. (76 S.) 6 M.

Reiser, Dr. E., prakt. Tierarzt in Cannstatt-Stuttgart. Vergleichende Untersuchungen über die Skelettmuskulatur von Hirsch, Reh, Schaf und Ziege. Mit 4 Taf. 1903. 8. (41 S.) 3 M.

Rettlechner, Dr. E., Prof. in Klosterneuburg. Lehrbuch der landw. Maschinenlehre. Mit 133 Abb. 1869. 8. (269 S.) 6 M.

Remy, Dr. Th. Untersuchungen über das Kalidüngerbedürfnis der Gerste. 1898. 8. (83 S.) 2 M.
— — Hopfenpflanze, siehe dort.

Reorganisation, Die, der bayrischen Staatsforstverwaltung. 1884. 8. (40 S.) 50 Pf.
(Sonderabdruck aus: Forstwissenschaftliches Zentralblatt. VI. Bd.)

Reuß j. L., Prinz Heinrich XXVIII. Der korrekte Diener. Mit Abb. 1900. 8. (51 S.)   Geb. 2 M. 50 Pf.

— — Der korrekte Kutscher. Zweite Aufl. Mit 51 Abb. 1897. 8. (93 S.) Geb. 3 M.

Reuter, M., Bezirkstierarzt, und **K. Sauer,** Oberamtsrichter in Karlstadt a. M. Die Gewährleistung bei Viehveräußerungen nach dem Bürgerl. Gesetzbuch. 1900. 8. (394 S.)   Geb. 6 M.

— — Margarinegesetzgebung, siehe „Full".

Richter, A., Birkhahnbalz, siehe „Jagdbilder".

— — Jagdpostkarten, siehe dort.

Richter, Prof. (Tharand). Die Hagelversicherungs-Gesellschaften Deutschlands. 1878. 8. (94 S.) (Vergriffen.)   1 M. 20 Pf.

— — Denkschrift des Deutschen Landwirtschaftsrates zur Reform der deutschen Zettelbanken. 1872. 8. (45 S.)   1 M.

Richter-Zorn. Der Landwirt als Tierarzt. Dritte Auflage, bearbeitet von E. Zorn, Korps-Roßarzt a. D. in Magdeburg. Mit 256 Abb. 1892. 8. (616 S.)   Geb. 9 M.

Riedel'sches Wirtschaftsbuch für den mittleren und kleinen Landwirtschaftsbetrieb. Fünfte Auflage. 1900. Folio. (128 S.) Kart. 2 M. 50 Pf. 20 Expl. 40 M.

Riegler, W. Neue Grüne Sachen. Gedichte aus dem Wald- und Jägerleben in Hochdeutsch und Mundart. 1901. 8. (68 S.)   Geb. 2 M. 50 Pf.

Rieses Wohnungsgärtnerei. Mit 216 Abb. 1887. 8. (344 S.) Geb. 5 M.

Riesenthal, O. von. Das Weidwerk. Mit 13 Farbendrucktafeln und 69 Abb. 1880. 8. (1016 S.)   20 M. In Halbleder geb. 23 M.

Rimpau, T. H. Die Bewirtschaftung des Rittergutes Cunrau. Mit 3 Abb. 1887. 8. (48 S.) (Vergriffen.)   1 M. 50 Pf.

Rimpau, W., Amtsrat in Schlanstedt. Kreuzungsprodukte landw. Kulturpflanzen. Mit 14 Lichtdrucktafeln. 1891. 8. (39 S.) (Vergriffen.) Geb. 7 M.   (Sonderabdruck aus: Landw. Jahrbücher. XX. Bd. 1891.)

— — Weizenbau, siehe „Risler".

Rinder-Merkbuch, Deutsches. Einrichtung, Führung und Leistung der hervorragendsten Zuchten Deutschlands, Hollands und der Schweiz. Herausgegeben von Dr. Ramm, Prof. in Poppelsdorf, und Dr. Parey, Verlagsbuchhändler in Berlin. Mit 102 Rinder-Porträts und 8 Farbendrucktafeln. 1898. 8. (129 S.) (Vergriffen.)   Kart. 2 M. 50 Pf.   10 Expl. 20 M. 50 Expl. 80 M. 100 Expl. 150 M.

Rindviehzucht, Die, nach ihrem jetzigen rationellen Standpunkt. 8.

    Erster Band. Anatomie und Physiologie. Von Fürstenberg-Leisering. Zweite Auflage, neubearbeitet von E. F. Müller, Prof. in Berlin. Mit 373 Abb. 1876. (795 S.) 18 M.   In Halbleder geb. 20 M. 50 Pf.

    Zweiter Band. Rassen, Züchtung und Ernährung des Rindes und Milchwirtschaft. Von Dr. O. Rohde, weil. Prof. in Eldena. Dritte Auflage, neubearbeitet von Dr. E. F. Eisbein in Hebbesdorf. Mit 40 Rassebildern in Farbendruck, 2 Taf. und 144 Abb. 1885. (692 S.) 18 M.   In Halbleder geb. 20 M. 50 Pf.

Verlag von Paul Parey in Berlin SW., Hedemannstraße 10.

Risler, E. Der Weizenbau. Übersetzt und mit Anmerkungen versehen von W. Rimpau, Amtsrat zu Schlanstedt. Mit 24 Abb. 1888. 8. (203 S.) (Thaer-Bibliothek.) (Vergriffen.)   Geb. 2 M. 50 Pf.

Riß, Louise, in Herrmannshof. Die Blumenbindekunst. Mit 157 Abb. 1893. 8. (276 S.)   Geb. 6 M.

Roeder, O., Kgl. Baurat in Berlin. Die Meliorationen im Havellande. Mit 1 Karte. 1878. 8. (60 S.)   6 M.

Röder, Dr. O., Prof. in Dresden. Chirurgische Operationstechnik für Tierärzte und Studierende. Mit 67 Abb. 1904. 8. (154 S.) Geb. 5 M.

Rodewald, Dr. W., Generalsekretär. Festschrift zur Feier des 75jährigen Bestehens der Oldenburgischen Landw.-Gesellschaft. Mit 5 Karten. 1894. 8. (473, LII S.)   10 M.

Rohde, Dr. O., weil. Prof. in Eldena. Die Schafzucht. 1879. 8. (172 S.) (Thaer-Bibliothek.) (Vergriffen.)   Geb. 2 M. 50 Pf.

— — Das französische Merinoschaf. Mit 8 lith. Taf. 1864. 4. (28 S.) 4 M.

— — Kenntnis des Wollhaares. Mit 1 Taf. 1857. 8. (135 S.) (Vergr.) 1 M. 60 Pf.

— — Rassen, Züchtung und Ernährung des Rindes, siehe „Rindviehzucht", II. Bd.

Rohdes Schweinezucht. Vierte Auflage. Mit Abb. und 39 Rassebildern. 1892. 8. (340 S.)   Geb. 12 M.

Rohde, Dr. W., Chemiker. Die Salzlager in Staßfurt. 1873. 8. (69 S.) 1 M.

Rohlwes' Gesundheitspflege und Heilkunde der landw. Haussäugetiere. Des Vieharzneibuches 22. Auflage, neubearbeitet von Dr. G. Felisch in Inowrazlaw. Mit Abb. 1891. 8. (417 S.)   Geb. 6 M.

Rokitansky, A. E., Forstmeister. R. Feistmantels allgemeine Waldbestandestafeln. Zweite Auflage. 1877. 8. (162 S.) 3 M. 60 Pf.

Roloff, Dr. F., Geh. Medizinalrat in Berlin. Der Milzbrand, seine Entstehung und Bekämpfung. 1883. 8. (48 S.)   1 M.

— — Die Schwindsucht, fettige Degeneration, Skrofulose und Tuberkulose bei Schweinen. 1875. 8. (48 S.)   1 M.

Römer, K., Landwirtschaftsinspektor in Ladenburg. Die landw. Geflügelhaltung. Zweite Aufl. Mit 17 Abb. und 16 Rassebildern. 1896. 8. (64 S.) 1 M. 50 Pf.

Rörig, Mitteilungen aus dem landw. Laboratorium, siehe „Berichte des landw. Instituts Königsberg".

— — Die Fritfliege, siehe „Flugblätter".

— — Halmfliege, siehe „Halmfliege".

— — Hopfenkäfer, siehe „Hopfenkäfer".

— — Magenuntersuchungen laub- und forstwirtschaftlich wichtiger Vögel, enthalten in: Arbeiten aus der Biolog. Abteilung am Kais. Gesundheitsamt, Bd. I, Heft 1; Bd. IV, Heft 1.

— — Anlage von Niststätten, siehe „Flugblätter".

— — Die Weißlinge, siehe „Weißlinge".

— — und **Appel,** Bekämpfung der Feldmäuse, siehe „Flugblätter".

Roquette, O. Deutsches Lesebuch für höhere Lehranstalten. 1877. 8.
    Erster Teil. Dichtungen. (335 S.) 2 M. 50 Pf. Geb. 2 M. 90 Pf.
    Zweiter Teil. Prosa. (267 S.)   2 M. Geb. 2 M. 40 Pf.

Rosenjahrbuch. Herausgegeben von F. Schneider II. Erster Jahrgang. Mit
  17 Abb. 1883. 8. (239 S.)   Kart. 7 M.

Roth, Dr. E., Prof. in München. Geschichte des Forst- und Jagdwesens in
  Deutschland. 1879. 8. (678 S.)   12 M. In Halbleder geb. 14 M.

Roth, Dr. R., Direktor der landw. Schule in Chemnitz. Landw. Betriebslehre. Sechste Auflage. 1903. 8. (126 S.) (Landw. Unterrichtsbücher.)   Geb. 1 M. 50 Pf.

— — Landw. Berechnungen. Zweite Auflage. 1903. 8. (112 S.) (Landw.
  Unterrichtsbücher.)   1 M. 50 Pf.

— — — — Lösungen. Zweite Auflage. 1903. (15 S.)   50 Pf.

Roth, Hauptmann J., Dr. A. **Berger** und Graf O. **Zedlitz.** Deutsches Weidwerk unter der Mitternachtssonne. Bilder aus dem nördlichen
  Norwegen und Spitzbergen. Mit Abb. 1902. 8. (178 S.) Geb. 8 M.

Rothe, Klimatologie, siehe „Lorenz und Rothe".

Rubens, F. Schädliche Insekten für Obst- und Weinbau. 1872. 8. (64 S.) 1 M.

Rueff, Dr. A., Direktor der Kgl. Tierarzneischule in Stuttgart. Allgemeine Tierzuchtlehre. 1878. 8. (136 S.) (Thaer-Bibliothek.) (Vergriffen.)
                                                         Geb. 2 M. 50 Pf.

— — Die Beschlagkunde. Mit 68 Abb. 1876. 8. (186 S.) (Thaer-
  Bibliothek.) (Vergriffen. Siehe „Behrens".)   Geb. 2 M. 50 Pf.

— — Bau und Einrichtungen der Stallungen unserer nutzbaren Haustiere.
  Mit 84 Abb. 1875. 8. (338 S.)   6 M.

— — Das Scheren unserer Haustiere. 1873. 8. (32 S.)   50 Pf.

— — Bau und Verrichtungen des Körpers unserer Haustiere. Dritte
  Auflage. Mit 30 Abb. 1870. 8. (118 S.)   1 M 50 Pf.

— — siehe auch unter „Baumeister".

Rußland, Dr. G., Dozent in Zürich. Leitfaden der Agrarpolitik. 1894. 8.
  (61 S.)   1 M. 20 Pf.

— — Aus der Praxis eines landw. Großbetriebes im Pinzgau. 1893. 8.
  (55 S.) (Vergriffen.)   1 M. 50 Pf.
      (Sonderabbruck aus: Landw. Jahrbücher. XXII. Bd. 1893.)

Rußland, Dr. W., Der Hallimasch, siehe „Flugblätter".

Rümker, Prof. Dr. K. von. Führer durch den landw.-botanischen Garten
  der Kgl. Universität Breslau. 1903. 8. (93 S.)   1 M.
      (Sonderabbruck aus: Mitteilungen der landw. Institute der Kgl. Uni-
      versität Breslau. Bd. II. Heft 2.)

— — Rübenbau und Zuckerkonvention. 1903. 8. (31 S.) 1 M. 20 Pf.
      (Sonderabbruck aus: Blätter für Zuckerrübenbau.)

— — Tagesfragen aus dem modernen Ackerbau. 8.
      Erstes Heft. Der Boden und seine Bearbeitung. 1901. (57 S.) 80 Pf.
                          20 Expl. 14 M. 50 Expl. 30 M.
      Zweites Heft. Grundfragen der Düngung. 1902. (40 S.)   80 Pf.
                          20 Expl. 14 M. 50 Expl. 30 M.

— — Die Ausbildung des praktischen Landwirts. 1896. 8. (38 S.)
  (Vergriffen.)   1 M.

(Siehe auch Seite 97.)

Verlag von Paul Parey in Berlin SW., Hedemannstraße 10.

Rümker, Dr. K. von. (Siehe auch Seite 96.)

— — Das landw. Versuchswesen und die Tätigkeit der landw. Versuchs-Stationen Preußens im Jahre 1892. 1893. 8. (244 S.)   5 M.
(Landw. Jahrbücher. XXII. Bd. 1893. Ergänzungsband III.)

— — — — im Jahre 1893. 1895. 8. (347 S.)   6 M.
(Landw. Jahrbücher. XXIV. Bd. 1895. Ergänzungsband I.)

— — — — im Jahre 1894. 1896. 8. (480 S.)   10 M.
(Landw. Jahrbücher. XXV. Bd. 1896. Ergänzungsband II.)

— — — — im Jahre 1895. 1897. 8. (710 S.)   20 M.
(Landw. Jahrbücher. XXVI. Bd. 1897. Ergänzungsband III.)

— — — — 1896 und ff. siehe „Immendorff".

— — Anleitung zur Getreidezüchtung. 1889. 8. (183 S.) (Vergriffen.) 3 M.

— — Benkendorf und seine Nebengüter. 1887. 8. (58 S.) (Vergriffen.) 1 M. 50 Pf.
(Sonderabdruck aus: Landw. Jahrbücher. XVI. Bd. 1887.)

— — Ertragserhöhung, siehe „Beseler, Züchtung".

— — Mitteilungen der landw. Institute, siehe „Mitteilungen".

Rümpler, Dr. A. Die käuflichen Düngestoffe. Vierte Auflage. Mit 32 Abb. 1897. 8. (248 S.) (Thaer-Bibliothek.)   Geb. 2 M. 50 Pf.

— — Zuckerfabrikation, siehe „Stohmanns Zuckerfabrikation".

Rümpler, Th., Generalsekretär in Erfurt. Die Sukkulenten (Fettpflanzen und Kakteen.) Herausgegeben von Prof. Dr. K. Schumann in Berlin. Mit 139 Abb. 1892. 8. (263 S.)   Geb. 8 M.

— — Die Gartenblumen. Zweite Auflage. Mit 154 Abb. 1888. 8. (209 S.) (Thaer-Bibliothek.)   Geb. 2 M. 50 Pf.

— — Die schönblühenden Zwiebelgewächse. Mit 160 Abb. 1882. 8. (460 S.) 10 M.

— — Illustrierte Gemüse- und Obstgärtnerei. Mit 400 Abb. 1879. 8. (524 S.)   10 M. In Halbleder geb. 12 M.

— — Der landw. Obstbau. Zweite Auflage. 1872. 8. (40 S.)   50 Pf.

— — Gartenbau-Lexikon, siehe dort.

— — Amerikanische Weintrauben, siehe „Babo und Rümpler, Weintrauben".

Rümplers Zimmergärtnerei. Dritte Auflage, umgearbeitet von W. Mönkemeyer, Garteninspektor in Leipzig. Mit 131 Abb. 1895. 8. (276 S.) (Thaer-Bibliothek.)   Geb. 2 M. 50 Pf.

Ruß, Geh. Reg.-Rat. Das Deichwesen an der unteren Elbe. Mit 5 Karten. 1870. 8. (105 S.)   12 M.

Sabel, E., Geflügelzucht, siehe „Pribyl".

Salfeld, Dr., Ökonomierat, Direktor der landw. Winterschule in Lingen. Betriebseinrichtung kleinerer Wirtschaften. 1897. 8. (42 S.) (Landw. Unterrichtsbücher.)   60 Pf.

Salomon, C., in Würzburg. Die Palmen für Gewächshaus- und Zimmerkultur. Mit 22 Abb. 1887. 8. (184 S.)   4 M.

Sand, H., Das deutsche Spiritus-Monopol. 1893. 8. (16 S.)   1 M.

San José-Schildlaus, Die. Farbendruckplakat mit Text. Im Auftrage des Kgl. preuß. Ministeriums für Landwirtschaft, Domänen und Forsten bearbeitet von Dr. B. Frank, Prof. in Berlin. 1898.   50 Pf.
100 Expl. 45 M. 500 Expl. 200 M. — Aufziehen 25 Pf. für das Expl.

Sauer, K., Oberamtsrichter in Karlstadt a. M. Der Landwirt und das neue
Prozeßverfahren. Erläuterung des Civil- und Strafprozesses in Beispielen aus dem täglichen Leben. Für Landwirte bearbeitet. 1902. 8.
(318 S.)   Geb. 4 M.

— — Der Landwirt und das neue bürgerliche Recht. Erläuterung des
bürgerl. Gesetzbuches in Beispielen aus dem täglichen Leben. Für Landwirte bearbeitet. 1900. 8. (232 S.)   Geb. 3 M. 50 Pf.

— — Viehveräußerungen, siehe „Reuter".

Schaaf, E., Oberinspektor in Schwoitsch. Betrachtungen über unsere Mästung.
1894. 8. (24 S.) (Vergriffen.)   50 Pf.
              25 Expl. 10 M. 50 Expl. 18 M. 100 Expl. 30 M.
       (Preisschriften u. Sonderabdrücke der „Deutschen Landw. Presse". Nr. 12.)

Schacht, Dr. H., Privatdozent in Berlin. Erfahrungen über Kultur der Zucker-
rübe. Mit 3 Abb. 1859. 8. (22 S.) (Vergriffen.)   60 Pf.

— — Bericht an das Kgl. Landes-Ökonomie-Kollegium über die Kartoffel-
pflanze. Mit 10 Taf. 1856. Folio. (30 S.)   9 M.

Schäff, Dr. E., Dozent an der landw. Hochschule in Berlin. Anleitung zum
Bestimmen der deutschen Tag-Raubvögel nach den Fängen. Mit 21 Abb.
1893. 8. (35 S.)   1 M.
          (Sonderabdruck aus: Deutsche Landw. Presse. 1893.)

— — Gebißtafeln, siehe „Nehring".

Schafzucht, Die, in Deutschland unter dem Einfluß der Wollproduktion Australiens.
Von einem australischen Schafzüchter. 1869. 8. (87 S.)   1 M. 50 Pf.

Schelle, Laubholzbenennung, siehe „Beißner".

Scheppler, C., Prof. in Aschaffenburg. Der Waldwegebau. Zweite Auflage.
Mit 107 Abb. 1873. 8. (267 S.)   Geb. 6 M.

Schiller, Verzeichnis der Bauentwürfe, siehe „Arbeiten der D. L.-G." Heft 12.

— — Elektrische Pfluganlagen, siehe „Arbeiten der D. L.-G." Heft 85.

Schindler, C., Dozent in Mariabrunn. Die Forst- und Jagdgesetze der
Österreichischen Monarchie. 1866. 8. (465 S.)   7 M.

— — Mathematische Aufgaben nebst ihren Lösungen. 1865. 8. (341 S.) 7 M.

— — Die K. K. Forstlehranstalt zu Mariabrunn. 1863. 8. (178 S.) 3 M.

— — Die Landwirtschaft in Schottland. Mit Abb. 1852. 8. (150 S.) 3 M.

Schindler, F., Prof. in Riga. Der Weizen in seinen Beziehungen zum Klima.
Mit 1 Taf. 1893. 8. (175 S.)   4 M.

Schlaberg, A., Kgl. Sächs. Oberst z. D. Die Dame als Reiterin. Zweite
Auflage. Mit 32 Abb. 1893. 8. (93 S.)   Geb. 3 M.

— — Sächs. Pferdezucht, siehe „Johne und Schlaberg".

Schlachten in der Gutswirtschaft. Von Frau Amtsrat F. 1890. 8. (32 S.) 50 Pf.
              25 Expl. 10 M. 50 Expl. 18 M. 100 Expl. 30 M.
       (Preisschriften und Sonderabdrücke der „Deutschen Landw. Presse". Nr. 6.)

Schlachtvieh-Versicherung. Bericht über die Verhandlungen einer von der Zentral-
stelle für Viehverwertung der preuß. Landwirtschaftskammern veranstalteten
Konferenz zur Vorbereitung eines obligatorischen Schlachtviehversicherungs-
gesetzes in Preußen im Oktober 1900 zu Berlin. 1901. 8. (160 S.)
                                                           2 M. 50 Pf.

Verlag von Paul Parey in Berlin SW., Hedemannstraße 10.

Schlicht, E. von, Kgl. Ökonomierat. Die Foraminiferen des Septharientones von Pieppuhl. Mit 38 lith. Taf. 1870. 4. (98 S.) Kart. 30 M.

Schliekmann, E., Kgl. Preuß. Oberforstmeister in Arnsberg. Handbuch der Staatsforstverwaltung in Preußen. Dritte Auflage. 1900. 8. (806 S.) Geb. 22 M.

Schlipfs populäres Handbuch der Landwirtschaft. Vierzehnte Auflage. Mit 466 Abb. und 17 Taf. 1902. 8. (628 S.) Geb. 7 M.

Schlotfeldt, E. Jagd-, Hof- und Schäferhunde. Mit 21 Abb. 1888. 8. (202 S.) (Thaer-Bibliothek.) Geb. 2 M. 50 Pf.

Schloesser, W., Hilfsarbeiter bei der Kaiserl. Normal-Eichungskommission. Die Siemensschen Spiritusmeßapparate. Mit Abb. 1891. 8. (64 S.) Kart. 1 M. 50 Pf.

Schlüter, A., Gestütsdirektor in Gudwallen. Training des Pferdes, für Sport, Zucht und Gebrauchszwecke. Zweite Auflage. Mit 18 Taf. 1898. 8. (162 S.) Geb. 7 M.

Schmidlins Gartenbuch. Vierte Auflage, neubearbeitet von Th. Nietner, Kgl. Hofgärtner in Potsdam, und Th. Rümpler, Generalsekretär in Erfurt. Mit 9 Gartenplänen und 751 Abb. Neuer Abdruck. 1892. 8. (1016 S.) Geb. 10 M. 15 Lieferungen à 60 Pf.

— — Blumenzucht im Zimmer. Illustrierte Prachtausgabe. Herausgegeben von F. Jühlke, Hof-Gartendirektor. Vierte Auflage. Mit 600 Abb. 1880. 8. (726 S.) 16 M. Geb. mit Goldschnitt 20 M.

— — Anleitung zum Botanisieren, siehe „Wünsche".

Schmidt, G. F. von. Die Schafzucht und Wollkunde. Dritte Auflage. Mit 25 Abb. und 8 Taf. 1869. 8. (260 S.) 4 M. 50 Pf.

Schmidt, H., Kgl. Domänenpächter, früher Direktor der Herrschaft Wonsowo. Zucht- und Mastschweine, ihre sachgemäße Haltung und Ernährung. 1902. 8. (95 S.) 1 M. 80 Pf.

— — Schweineaufzucht bis zur Reife. Zweite Auflage. 1901. 8. (29 S.) 60 Pf. 20 Expl. 10 M. 50 Expl. 22 M. 50 Pf. 100 Expl. 40 M.

— — Wie ist es möglich, Schweinezucht und -Haltung ertragreich zu machen? 1899. 8. (42 S.) 1 M.

(Sonderabdruck aus: Deutsche Landw. Presse. 1899.)

Schmidt, Joh., Bezirkstierarzt zu Dresden. Vergleichende anatomische Untersuchungen über die Ohrmuschel verschiedener Säugetiere. Mit 10 Taf. und 1 Abb. 1902. 8. (46 S.) 6 M.

Schmiedeberg, R. von. Das Rebhuhn. Naturgeschichte, Aufzucht und Fang. Mit Abb. 1896. 8. (108 S.) (Weidmannsbücher.) Kart. 1 M. 50 Pf.

Schmitt, Dr. E., Hofrat in Wiesbaden. Die Weine des Herzogl. Nassauischen Kabinetskellers. Mit 8 Taf. 1893. 4. (104 S.) Geb. 10 M.

Schmoller, G., siehe „Acta Borussica".

Schnees Encyklopädie der Landwirtschaft. Zweite Auflage. Mit 841 Abb. 2 Bände. 1864. 4. (1344 und 1516 S.) 30 M.

Schneidemühl, Dr. G., Privatdozent in Breslau. Maul- und Klauenseuche. 1893. 8. (64 S.) 1 M. 20 Pf.

Schneider, A., Kammergerichtsreferendar. Die deutsche Branntweinsteuer. 1890. 8. (332 S.)   Geb. 5 M.

Schneider, E., Mitglied des Ober-Landeskulturgerichts. Die Landeskultur-gesetzgebung des Preuß. Staates. 8.
     I. und II. Abschnitt. 1879. (352 S.)   10 M.
     Nachtrag zum Abschnitt II: Verfahren, enthaltend das Gesetz vom 18. Februar 1880 mit Motiven. 1880. (102 S.)   2 M.
     III. Abschnitt. Die preuß. Gesetze betreffend Gemeinheitsteilung, Servitutenablösung und Grundstücks-Zusammenlegung. 1882. (269 S.) 8 M.

Schneider II, F., Vorsitzender des Gartenbau-Vereins in Wittstock. Rangliste der edelsten Rosen. Dritte Auflage. 1883. 8. (165 S.) Geb. 4 M.
— — Rosenjahrbuch, siehe dort.

Schneider, Dr. F., Forstamtsassistent und Privatdozent in München. Die Be-stockungs-Verhältnisse der Staatswaldungen des fränkischen Jura. Mit einer Karte. 1902. 8. (97 S.)   3 M. 50 Pf.

Schneidewind, Untersuchungen über Kalidüngesalz, siehe „Arbeiten der D. L.-G." Heft 67 und 81.
— — Versuchsstation Halle, siehe „Bieler".

Schoßer, G., Landes-Rat der Provinz Schlesien. Die Landeskultur-Renten-banken in Preußen, Sachsen und Hessen. 1887. 8. (200 S)   5 M.

Schoenbeck, B., Stallmeister. Ratgeber beim Pferdekauf. Zweite Auflage. Mit 103 Abb. 1898. 8. (159 S.) (Thaer-Bibliothek.) Geb. 2 M. 50 Pf.
— — Die Widersetzlichkeiten des Pferdes. Mit 46 Abb. 1893. 8. (179 S.) (Thaer-Bibliothek.)   Geb. 2 M. 50 Pf.

Schoenbeck, R., Major a. D. Reit-ABC. Kurze Anleitung zum Erlernen des Reitens. Zweite Auflage. Mit 31 Abb. 1899. 8. (77 S.)
       Kart. 1 M. 50 Pf.
— — Beschirrungs- und Anspannungs-Grundsätze bei Pferden. Mit 11 Abb. 1898. 8. (28 S.)   50 Pf.
     25 Expl. 10 M. 50 Expl. 18 M. 100 Expl. 30 M.
     (Preisschriften und Sonderabdrücke der „Deutschen Landw. Presse". Nr. 17.)
— — Reiten und Fahren. Dritte Auflage. Mit 111 Abb. 1898. 8. (268 S.) (Thaer-Bibliothek.)   Geb. 2 M. 50 Pf.
— — Fahr-ABC. Kurze Anleitung zum Erlernen des herrschaftlichen Fahrens. Mit 66 Abb 1893. 8. (104 S.)   Kart. 1 M. 50 Pf.

Schönes Vieh. Rassenkunde in Farbendruckbildern, herausgegeben durch die „Deutsche Landw. Presse". 24 Farbendrucktafeln auf Karton im Format von 31 : 39 cm. 1892. (Vergriffen.)   In Mappe 20 M.
— — Neue Folge. 24 Farbendrucktafeln auf Karton im Format von 31 : 39 cm. 1895.   In Mappe 20 M.

Schönfeld, Dr. F., in Berlin. Die Herstellung obergäriger Biere. Mit 17 Abb. 1902. 8. (160 S.)   Geb. 4 M. 50 Pf.
— — Hefereinzucht, siehe „Delbrück".

Schoepffer, H., Falknerei, siehe „Friedrich II."

Schotte, Schutzvorrichtungen, siehe „Arbeiten der D. L.-G." Heft 57.

Verlag von Paul Parey in Berlin SW., Hedemannstraße 10.

Schröder, Seminarlehrer in Neukloster, und **A. Kull,** Tiermaler in Stuttgart. Biologische Wandtafeln zur Tierkunde. Vielfarbige Lithographien im Format von 86 : 106 cm.

I. Serie. 1903. Inhalt: Taf. 7. Eichhörnchen, 11. Wildschwein, 17. Mäusebussard, 32. Wasserfrosch, 37. Maikäfer. Preise der einzelnen Tafeln:

a) unaufgezogen, aber mit Leinwandrand zum Schutz gegen Einreißen versehen und mit Ösen zum Aufhängen. 2 M. 50 Pf.

b) aufgezogen auf Leinwand, mit Metallstäben fertig zum Aufhängen. 3 M. 50 Pf.

Auf Wunsch können die Tafeln auch roh geliefert werden. Preis wie bei a.

Bei Bezug einzelner Tafeln wird die nötige Kapselrolle mit 30 Pf. in Anrechnung gebracht, bei serienweisem Bezug wird die Verpackung in Kapselrolle bezw. Kiste nicht berechnet.

Weitere Serien in Vorbereitung. Ausführliche Prospekte auf Verlangen umsonst und postfrei.

Schröder, Dr. J. von, Chemiker der forstlichen Versuchs-Station in Tharand, und **C. Reuß,** städtischer Oberförster in Goslar. Die Beschädigung der Vegetation durch Rauch. Mit 5 Farbendrucktafeln und 2 Karten. 1883. 4. (333 und 35 S.) 24 M.

Schröße, Gärungstechnisches Jahrbuch, siehe „Jahrbuch".

Schrötter, von, Münzwesen, siehe „Acta Borussica".

Schuberg, K., Oberforstrat, Prof. in Karlsruhe. Zur Betriebsstatik im Mittelwalde. 1898. 8. (130 S.) 4 M.

— — Formzahlen und Massentafeln für die Weißtanne. Mit 8 Taf. 1891. 8. (105 S.) Kart. 6 M.

Schubert, A., Vorsteher einer höheren Mädchenschule in Berlin. Pflanzenkunde für höhere Mädchenschulen und Lehrerinnen-Seminare. 8.

I. Teil. (1. und 2. Kursus.) Mit 104 Abb. 1888. (168 S.) Geb. 2 M.

II. Teil. (3. und 4. Kursus.) Mit 267 Abb. 1889. (316 S.) Geb. 2 M. 50 Pf.

Schubert, Prof. A., landw. Baumeister zu Kassel. Die Geflügelställe, ihre Anlage und Einrichtung. Zweite Auflage. Mit 161 Abb. 1902. 8. (157 S.) (Thaer-Bibliothek.) Geb. 2 M. 50 Pf.

Schubert, Dr. F. C., weil. Kgl. Baurat in Poppelsdorf. Landw. Wasserbau. Mit 164 Abb. 1879. 8. (226 S.) 6 M. In Halbleder geb. 7 M. 50 Pf.

— — Landw. Wege- und Brückenbau. Mit 224 Abb. und 4 Taf. 1878. 8. (275 S.) 7 M. In Halbleder geb. 8 M. 50 Pf.

Schuberts landw. Baukunde. Sechste Auflage, neubearbeitet von Reg.-Baumeister G. Meyer in Buxtehude. Mit 189 Abb. 1898. 8. (239 S.) (Thaer-Bibliothek.) Geb. 2 M. 50 Pf.

— — landw. Rechenwesen. Vierte Auflage, neubearbeitet von H. Kutscher, Markscheider in Klausthal. Mit 172 Abb. 1891. 8. (192 S.) (Thaer-Bibliothek.) Geb. 2 M. 50 Pf.

Schuckmann, H. W. von. Weidmanns Wörterbuch. 1882. 8. (112 S.) Geb. 2 M.

Schulz, Dr. A., Geh. Medizinalrat. Die Organisation eines meteorologischen
Dienstes. 1879. 8. (16 S.)   50 Pf.

Schulz, Dr. R., Direktor in Marggrabowa. Deutsche Gedichte. Herausgegeben für den Unterricht an Landwirtschaftsschulen. 1896. 8. (266 S.)
(Landw. Unterrichtsbücher.)   Geb. 2 M.

Schulz-Lupitz, Dr. Die Kalidüngung auf leichtem Boden. Vierte Auflage.
Vierter Abdruck. 1902. 8. (99 S.)   1 M. 60 Pf.

— — Zwischenfruchtbau, siehe „Arbeiten der D. L.-G." Heft 7.

Schulze, K. Rentable Hühnerzucht. Mit 2 Rassebildern. 1897. 8. (40 S.) 50 Pf.
                         25 Expl. 10 M.   50 Expl. 18 M.   100 Expl. 30 M.

          (Preisschriften und Sonderabdrücke der „Deutschen Landw. Presse". Nr. 15.)

— — Anleitung zur rentablen Schweinezucht. 1896. 8. (47 S.) 1 M.

Schulze, Absatz der Molkereierzeugnisse, siehe „Arbeiten der D. L.-G." Heft 27.

— — Deutschlands Viehhandel, siehe „Arbeiten der D. L.-G." Heft 45 und 52.

Schulz, A. R., Gräflicher Fasanenjäger. Der Fasanengarten. Mit 12 Abb.
1872. 8. (79 S.)   2 M.

Schulze, B., Melassefuttermischungen, siehe „Arbeiten der D. L.-G." Heft 59.

Schulze, Dr. E., Prof. in Zürich. Eiweißumsatz im Pflanzenorganismus.
1880. 8. (60 S.)   1 M.

          (Sonderabdruck aus: Landw. Jahrbücher. IX. Bd. 1880.)

— — und E. **Steiger.** Untersuchungen der Samen von Lupinus luteus. 1889.
8. (86 S.)   2 M.

          (Sonderabdruck aus: Landw. Versuchs-Stationen. XXXVI. Bd.)

Schulze, W., Praktischer Gärtner in Erfurt. Gärtnerische Samenkunde.
1883. 8. (357 S.)   7 M.

Schumacher, H., Kgl. Preuß. Forstassessor. Die Buchennutzholzverwertung
in Preußen. 1888. 8. (118 S.)   3 M.

Schumacher, H., Körnerertrag, siehe „Materialien für Handelspolitik".

Schumacher, Dr. J., Amtsgerichtsrat in Köln, Prof. an der landw. Akademie Bonn-
Poppelsdorf. Das landwirtschaftliche Pachtrecht. Gemeinverständliche
Darstellung der geltenden Bestimmungen. 1901. 8. (215 S.) Geb. 6 M.

— — Landwirtschaftsrecht. Gemeinverständliche Darstellung der für den preuß.
Landwirt wichtigen Bestimmungen des bürgerlichen und öffentlichen Rechtes.
Zweite Auflage. 1900. 8. (960 S.)   Geb. 15 M.

— — Viehhandel und Viehprozeß. Dritte Auflage. 1900. 8. (134 S.) 2 M.

Schumann, K., Sukkulenten, siehe „Rümpler".

Schuster, H., in München. Anleitung zum Erkennen des Hagelschadens.
1897. 8. (56 S.)   1 M. 20 Pf.

Schwappach, Dr. A., Prof. in Eberswalde. Formzahlen und Massentafeln
für die Kiefer. Mit 3 Taf. 1890. 8. (46 S.) Kart. 2 M. 50 Pf.

Schwartz, J. von, Premier-Leutnant. Das Kgl. Preuß. Hauptgestüt Graditz.
Mit Stammtafeln und Situationsplänen. 1870. 8. (157 S.)   6 M.

Schwarz, Dr. F., Prof. in Eberswalde. Physiologische Untersuchungen über Dickenwachstum und Holzqualität von Pinus silvestris. Mit 9 Taf.
und 5 Textfiguren. 1899. 8. (371 S.)   Geb. 20 M.

— — Forstliche Botanik. Mit 456 Abb. u. 2 Taf. 1892. 8. (513 S.) Geb. 15 M.

Verlag von Paul Parey in Berlin SW., Hedemannstraße 10.

Schwarzneckers Pferdezucht. Rassen, Züchtung und Haltung des Pferdes. Vierte Auflage, durchgesehen und ergänzt von Prof. Dr. S. von Nathusius in Jena. Mit 88 Abb. und 40 Rassebildern. 1902. 8. (610 S.) Geb. 16 M.

Schweder, M., Hauptmann a. D. Die Kleinbahnen im Dienste der Landwirtschaft. 1895. 8. (82 S.) 1 M.

Schwerin, F. E. von, Landrat in Tarnowitz. Die Altersversorgung des Landwirts durch Lebensversicherung und durch Selbstversicherung. 1901 8. (23 S.) 60 Pf.

20 Expl. 10 M. 50 Expl. 22 M. 50 Pf. 100 Expl. 40 M.

Schwerz, J. N. von. Praktischer Ackerbau, unter Hinzufügung der Viehzucht. Neubearbeitet von Dr. B. Funk in Helmstedt. Mit 495 Abb. 1882. 8. (992 S.) 12 M. In Halbleder geb. 14 M.

Schwieger, P., Ortsschulinspektor. Die landw. Haushaltungsschule zu Nebra a. d. Unstrut. Mit 9 Abb. 1901. 4. (12 S.) 60 Pf.
(Sonderabdruck aus: Deutsche Landw. Presse. 1901.)

Seelhorst, Dr. C. von, Prof. in Göttingen. Das landw. Versuchsfeld der Universität Göttingen. Mit 4 Taf. und 2 Abb. 1903. 8. (40 S.)
1 M. 20 Pf.

— — Acker- und Wiesenbau auf Moorboden. Mit 11 Abb. und 4 Taf. 1892. 8. (292 S.) Geb. 8 M.

Seidenindustrie, Die preuß., siehe „Acta Borussica".

Semler, H., in San Francisco. Tropische und nordamerikanische Waldwirtschaft und Holzkunde. Mit 62 Abb. 1888. 8. (736 S.) Geb. 18 M.

Sering, Dr. M., Prof. in Berlin. Arbeiterfrage und Kolonisation in den östlichen Provinzen Preußens. Rede, gehalten am 26. Januar 1892. 8. (28 S.) 50 Pf.
(Sonderabdruck aus: Deutsche Landw. Presse. 1892.)

— — Die Vererbung des ländlichen Grundbesitzes, siehe „Vererbung".

Settegaft, Dr. H., Geh. Reg.-Rat, Prof. in Berlin. Die deutsche Viehzucht. Mit 44 Abb. 1890. 8. (190 S.) 5 M.

— — Die Lehre der Tierzucht. Dritte Auflage. Mit 48 Abb. 1888. 8. (74 S.) (Vergriffen.) 1 M.

— — Gegenwart und Zukunft der deutschen Merino-Wollproduktion. 1887. 8. (16 S.) 50 Pf.

— — Die deutsche Landwirtschaft vom kulturgeschichtlichen Standpunkte. 1884. 8. (38 S.) (Vergriffen.) 1 M.
(Sonderabdruck aus: Landw. Jahrbücher. XIII. Bd. 1884.)

— — Schultz-Lupitz und kein Ende. 1883. 8. (36 S.) (Vergriffen.) 1 M.

— — Die Viehzucht Frankreichs. 1879. 8. (48 S.) 2 M. 50 Pf.

— — Bildliche Darstellung des Baues und der Eigenschaften der Merinowolle. 4 lithographierte Taf. mit Text. 1869. 4. (14 S.) Kart. 5 M.

— — Die Zucht des Negrettischafes. Mit 4 Taf. 1861. 8. (64 S.) 2 M.

— — Die Individual-Potenz. 1861. 8. (32 S.) 60 Pf.

— — Mitteilungen aus Waldau. I. Heft. 1859. 8. (110 S.) 2 M.

— — Über Tierzüchtung. 1859. 8. (68 S.) (Vergriffen.) 1 M.

(Siehe auch Seite 104.)

Settegaſt, Dr. H. (Siehe auch Seite 103.)

— — Der Betrieb der Landwirtſchaft in Proskau. Mit 16 lithographierten
     Taf. 1856. 8. (139 S.)   Geb. 17 M.

— — und **Parey,** Deutſches Herdbuch, ſiehe „Herdbuch".

Siebert, A., Direktor des Palmengartens in Frankfurt a. M. Der Palmen-
     garten zu Frankfurt a. M. Mit 12 Taf., 1 Grundplan und 40 Abb.
     1895. 4. (124 S.)   Geb. 5 M.

— — Blumengärtnerei, ſiehe „Vilmorins Blumengärtnerei".

Siemens & Halske, A.-G. Die Elektrizität in der Landwirtſchaft. 1901.
     4. (57 S.)   Geb. 3 M.

Siemſſen, Verbrauch an Kalirohſalzen, ſiehe „Arbeiten der D. L.-G." Heft 16, 54.

Simonoff, Dr. L., Korreſpondent, und J. von **Moerder,** Kanzleidirektor der Kaiſerl.
     Ruſſ. Staats-Geſtütsverwaltung. Die Ruſſiſchen Pferderaſſen. Mit
     32 Farbendrucktafeln und 23 Abb. 1896. 8.   25 M.

Singer, M. Dictionnaire des roses. Zwei Bde. 1885. 8. (439 u. 363 S.) 10 M.

Skalweit, Dr. B., Berlin-Charlottenburg. Die ökonomiſchen Grenzen der
     Intenſivierung der Landwirtſchaft. Betriebswiſſenſchaftliche Unter-
     ſuchungen. 1903. 8. (72 S.)   3 M.

Skizzenbuch, Gärtneriſches. Herausgegeben von Th. Nietner, Kgl. Hof-
     gärtner in Potsdam. 60 Taf. mit Text. 1883. Folio.   Kart. 40 M.

       Daraus einzeln:

Heft I—VI. Mit je 10 Taf.   Kart. à 8 M.

Heft VII. (Ergänzungsheft.) Die Kgl. Gärten in Potsdam. 10 Licht-
     druckbilder. 1882. Folio.   Kart. 8 M.

Soltwedel-Benecke, Saccharum officinarum L., ſiehe „Mitteilungen der Verſuchs-
     Station für Zuckerrohr".

Sombart-Ermsleben, Mitglied des Reichstages. Die Fehler im Parzellierungs-
     Verfahren der preuß. Staatsdomänen. 1876. 8. (41 S.)   1 M.

— — und Reg.-Rat F. **Frank.** Die landw. Enquete im Königreich Preußen.
     1885. 8. (78 S.)   2 M.

       (Sonderabdruck aus: Landw. Jahrbücher. XIV. Bd. 1885.)

Sorauer, Dr. P., Dirigent der pflanzenphyſiologiſchen Verſuchs-Station in Proskau.
     Atlas der Pflanzenkrankheiten. 48 Farbendrucktafeln nebſt Text. Folio.
     Heft I—VI. Mit je 8 Taf. 1887—1893.   In Mappe à 20 M.

— — Die Schäden der einheimiſchen Kulturpflanzen. 1888. 8. (250 S.)
                                        Geb. 5 M.

— — Handbuch der Pflanzenkrankheiten. Zweite Auflage. 8.

     Erſter Teil. Die nicht paraſitären Krankheiten. Mit 19 lith. Taf. und
              61 Abb. 1886. (920 S.)   Geb. 20 M.

     Zweiter Teil. Die paraſitären Krankheiten. Mit 18 lith. Taf. und 21 Abb.
              1886. (456 S.)   Geb. 14 M.

— — Die Obſtbaumkrankheiten. 1879. 8. (204 S.) (Thaer-Bibliothek.)
                                  Geb. 2 M. 50 Pf.

— — Keimungsgeſchichte der Kartoffelknolle. Mit 1 lithographierten Taf.
     1868. 8. (28 S.) (Vergriffen.)   2 M.

— — Froſtſchäden, ſiehe „Arbeiten der D. L.-G." Heft 62.

Verlag von Paul Parey in Berlin SW., Hedemannſtraße 10.

Sperling, H., Prof. Der Jagdhund. 16 Farbendrucktafeln nach Originalbildern. Mit Text. 1900. 4. (16 S.) Geb. 10 M.

— — Feine Nasen. 12 Farbendrucktafeln mit Jagdhundskizzen. 1890. Folio. In Mappe 20 M.

Spitzenberg, G. K., Kgl. Preuß. Forstaufseher. Die Spitzenbergschen Kulturgeräte. Zweite Auflage. 1898. 8. (108 S.) Geb. 2 M. 50 Pf.

Spöttle, Dr. J., Kreis-Kulturingenieur in Augsburg. Leitfaden für den kulturtechnischen Unterricht. Mit 33 Abb. 1892. 8. (62 S.) Kart. 1 M. 25 Pf.

Springwurmwickler. Farbendruckplakat mit Text. Herausgegeben von der Kgl. Lehranstalt für Wein-, Obst- und Gartenbau zu Geisenheim a. Rhein. Bearbeitet von Dr. G. Lüstner. 1902. 50 Pf.
100 Expl. 45 M. 500 Expl. 200 M. Aufziehen 25 Pf. für das Expl.

Stabbert-Parkitten, Fr. von. Was können die deutschen Landwirte tun, um sich über Wasser zu halten? 1894. 8. (32 S.) 50 Pf.

Stach, W., Oberförster. Raubzeugvertilgung. Mit 63 Abb. 1897. 8. (166 S.) (Weidmannsbücher.) Kart. 2 M. 50 Pf.

Stadelmann, Dr. R., Kgl. Ökonomierat. Friedrich der Große in seiner Tätigkeit für den Landbau Preußens. 1876. 8. (162 S.) 4 M.

Stammers Taschenkalender für Zuckerfabrikanten. XXVII. Jahrgang. 1893/1904. Herausgegeben von Dr. R. Frühling in Braunschweig und Dr. Henseling in Bienenburg. Taschenformat. In Leder geb. 4 M.
I.—XXVI. Jahrgang. 1878—1902/03. In Leder geb. à 4 M.

Statistik der Moore in der Provinz Schleswig-Holstein und Lauenburg. Bearbeitet von Baurat Runde. Mit 1 Karte. 1880. 4. (154 S.) 8 M.

Statuette Sr. Maj. des Kaisers in Hofjagduniform. Herausgegeben von der Jll. Jagdzeitung „Wild und Hund". Modelliert von Ed. Weber. Höhe mit Sockel 56 cm. In bronziertem Zinkguß 100 M.

Staudinger, Dr. J. von. Anleitung zum Fischen in Waldgewässern. Mit Abb. 1896. 8. (92 S.) (Weidmannsbücher.) Kart. 1 M. 50 Pf.

Stebler, Dr. F. G., in Zürich. Alp- und Weidewirtschaft. Handbuch für Viehzüchter und Alpwirte. Mit 421 Abb. 1903. 8. (471 S.) Geb. 12 M.
10 Lieferungen à 1 M. Einbanddecke 1 M. 20 Pf.

— — Der rationelle Futterbau. Fünfte Auflage. Mit 159 Abb. 1903. 8. (240 S.) (Thaer-Bibliothek.) Geb. 2 M. 50 Pf.

Steffen, H., Gutspächter. Die Düngungsfrage. 1891. 8. (31 S.) 50 Pf.
25 Expl. 10 M. 50 Expl. 18 M. 100 Expl. 30 M.
(Preisschriften u. Sonderabdrücke der „Deutschen Landw. Presse". Nr. 7.)

— — Futter und Füttern des Rindes. 1890. 8. (32 S.) (Vergr.) 50 Pf.
25 Expl. 10 M. 50 Expl. 18 M. 100 Expl. 30 M.
(Preisschriften u. Sonderabdrücke der „Deutschen Landw. Presse". Nr. 4.)

Stegemann, A., Rechtsanwalt in Melle. Der Viehhandel im Deutschen Reiche nach dem vom 1. Januar 1900 an geltenden Rechte. 1899. 8. (28 S.) 1 M.

Stegemann, Dr., Sekretär der Handelskammer für den Reg.-Bezirk Oppeln. Landwirtschaftskammern. 1892. 8. (32 S.) 1 M.
(Sonderabdruck aus: Landw. Jahrbücher. XXI. Bd. 1892.)

Steglich, Dr. B., Landwirtschaftslehrer in Rochlitz. Anleitung zum Plan- und Situationszeichnen. Mit 16 lith. Taf. 1884. 8. (48 S.) Kart. 2 M.

Stegmann, H. Die Kalk-, Gips- und Zementfabrikation. Mit 41 Abb. 1879. 8. (158 S.) (Thaer-Bibliothek.)   Geb. 2 M. 50 Pf.

Stein-Rochberg, Freiherr von. Zur Lösung der Grundkreditfrage. 1881. 8. (52 S.)   1 M.

Steins Orchideenbuch. Beschreibung und Kulturanweisung der empfehlens-wertesten Arten. Mit 184 Abb. 1892. 8. (602 S.)   Geb. 20 M.
       10 Lieferungen à 1 M. 80 Pf. Einbanddecke 1 M. 75 Pf.

Steinitzer, A., k. bayr. Hauptmann in Freising. Die Bedeutung des Zuckers als Kraftstoff für Touristik, Sport und Militärdienst. 1902. 8. (32 S.)   1 M. 25 Expl. 20 M.

Stenglein, M., Gärungstechniker in Berlin. Betriebsanleitung für Kornbrannt-weinbrennereien. Mit 59 Abb. und 5 Taf. 1890. 8. (278 S.) 6 M.

— — Betriebsanleitung für Kartoffel-, Getreide- und Melassebrennereien. Zweite Auflage. Mit 25 Abb. 1890. 8. (109 S.)   2 M. 50 Pf.

Sterneberg, F. Auseinandersetzungsangelegenheiten, siehe „Glatzel und Sterneberg".

— — und J. Pelzer, Rentengutsgesetze, siehe „Glatzel und Sterneberg".

Steuert, Dr. L., Professor in Weihenstephan. Das Buch vom gesunden und kranken Haustier. Leichtverständlicher Ratgeber. Dritte Auflage. Mit 345 Abb. 1904. 8. (467 S.)   Geb. 5 M.

— — Nachbars Rat in Viehnöten, oder wie der Landwirt erkranktes Vieh pflegen und heilen soll. Zweite Auflage. Mit 77 Abb. 1902. 8. (147 S.)   Geb. 2 M. 50 Pf. 10 Expl. 22 M. 20 Expl. 40 M.

— — Nachbars Schweinezucht. Praktische Ratschläge. Mit 44 Abb. 1902. 8. (140 S.)   Geb. 2 M. 50 Pf. 10 Expl. 22 M. 20 Expl. 40 M.

— — Nachbars Pferdezucht. Praktische Ratschläge für mittlere und kleinere Züchter. Mit 75 Abb. 1901. 8. (138 S.)   Geb. 2 M. 50 Pf.
                                           10 Expl. 22 M. 20 Expl. 40 M.

— — Nachbars Rinderzucht. Praktische Ratschläge für Landwirte. Mit 59 Abb. 1901. 8. (132 S.) Geb. 2 M. 50 Pf. 10 Expl. 22 M. 20 Expl. 40 M.

— — Keine Seuchen im Dorfe mehr, oder wie man Viehseuchen verhüten und tilgen kann. Mit 50 Abb. 1900. 8. (143 S.) Geb. 2 M. 50 Pf.
                                           10 Expl. 22 M. 20 Expl. 40 M.

— — Keine Übervorteilungen im Viehhandel mehr! oder wie der Land-mann sein Vieh nach dem neuen Bürgerlichen Gesetzbuch kaufen und verkaufen soll. Mit 65 Abb. 1900. 8. (166 S.)   Geb. 2 M. 50 Pf.
                                           10 Expl. 22 M. 20 Expl. 40 M.

— — Geflügelpflege in Gesundheit und Krankheit. 1897. 8. (31 S.) 1 M.
       (Sonderabdruck aus: Buch vom gesunden und kranken Haustier, 1. Aufl.)

— — Die Rinderhaltung. Mit 24 farbigen Rassebildern und 728 Abb. 1895. 8. (800 S.)   Geb. 16 M.

— — und M. Jankowski. Zwierze domowe w stanie zdrowym i chorym. 1900. 8. (458 S.)   Geb. 5 M.
       (Polnische Übersetzung des „Buch vom gesunden und kranken Haustier".)

Stoeckel, C. M., Ökonomierat in Insterburg. Die Vollblutzucht im Kgl. Preuß. Hauptgestüt Grabitz. 1891. 8. (65 S.)　　　　　Kart. 2 M. 50 Pf.

— — Deutschlands Pferde im Jahre 1890. Bericht über die Pferdeausstellung in Berlin 1890. Mit 15 Pferdebildnissen. 1891. 4. (591 S.). 20 M.

— — Die Kgl. Preuß. Gestütverwaltung und die preuß. Landes-Pferdezucht. Mit 1 Lichtdrucktafel. 1890. 8. (153 S.)　　　　　Kart. 4 M.

— — Reiseskizzen. 1889. 8. (66 S.)　　　　　1 M. 50 Pf.

Stöckhardts angehender Pachter oder landw. Betrieb in Pacht und Eigenbesitz. Achte Auflage, bearbeitet von Dr. A. Backhaus, Prof. in Göttingen. 1892. 8. (560 S.)　　　　　Geb. 8 M.

Stohmann, Dr. F., Prof. in Leipzig. Die Stärkefabrikation. Mit 66 Abb. 1878. 8. (167 S.) (Thaer-Bibliothek.) (Vergriffen.) Geb. 2 M. 50 Pf.

Stohmanns Handbuch der Zuckerfabrikation. Vierte Auflage, neubearb. von Dr. A. Rümpler in Breslau. Mit 223 Abb. u. 5 Taf. 1899. 8. (645 S.) Geb. 24 M.

Stoklasa, Dr. J., Dozent in Prag. Chemische und physiologische Studien über die Superphosphate. Erster Teil. 1896. 8. (115 S.)　　　3 M.

Stoll, H., in Meckesheim. Der Spelz, seine Geschichte, Kultur und Züchtung. Mit 9 Abb. 1902. 8. (59 S.)　　　　　1 M. 20 Pf.

Stoll, Ökonomierat in Proskau. Wandtafel über Obstbau. Zweite Auflage. 1890.　　　　　1 M.
50 Expl. 45 M. 100 Expl. 80 M. 500 Expl. 350 M.

Stoelzer, C. von, Lehrer an der landw. Winterschule in Schweidnitz. Fütterungs-plan und Futterrationen. 1895. 8. (49 S.)　　　　　1 M.

Storp, Dr. F., Forstassessor. Umtriebsbestimmung der Kiefernbestände. 1889. 4. (25 S.)　　　　　1 M. 50 Pf.
(Sonderabdruck aus: Forstliche Blätter. 1889.)

Straßheim, C. P., Rosenzucht, siehe „Ottos Rosenzucht".

Strecker, Dr. W., Prof. in Leipzig. Erkennen und Bestimmen der Schmetterlingsblütler (Papilionaceen, kleeartigen Gewächse). Mit 107 Abb. 1902. 8. (180 S.)　　　　　Kart. 3 M.

— — Erkennen und Bestimmen der Wiesengräser. Dritte Auflage. Mit 68 Abb. 1900. 8. (117 S.)　　　　　Kart. 2 M. 25 Pf.

— — Die Kultur der Wiesen. 1894. 8. (55 S.)　　　　　1 M.

Struve, E. Der Hopfenhandel. Mit 3 Taf. 1891. 8. (136 S.)　　　4 M.

— — Die Aufhebung des Identitätsnachweises bei auszuführendem Getreide. 1890. 8. (38 S.)　　　　　1 M.
(Sonderabdruck aus: Wochenschrift für Brauerei. 1890.)

— — Geschichte des Bieres, siehe „Delbrück".

Struve, Dr. J., Kamerland in Holstein. Die Kremper Marsch in ihren wirtschaftlichen Verhältnissen. 1903. 8. (114 S.)　　　　　2 M. 50 Pf.
(Sonderabdruck aus: Landw. Jahrbücher. XXXII. Bd. 1903.)

Struve, K., in Samter. Elemente der Mathematik. 8.
I. Teil. Geometrie. Zweite Auflage. 1894. (59 S.)　　　75 Pf.
II. Teil. Allgemeine Zahlenlehre. 1879. (52 S.)　　　60 Pf.
III. Teil. Trigonometrie der Ebene. 1879. (30 S.)　　　40 Pf.
IV. Teil. Rechnen mit bestimmten Zahlen. 1882. (108 S.) 1 M. 20 Pf.

Stumpf, Dr. R., Prof. in Aschaffenburg. Anleitung zum Waldbau. Vierte
  Auflage. Mit Abb. 1870. 8. (398 S.) (Vergriffen.)   6 M. 40 Pf.
Stumpfe, Dr. E. Der landw. Groß-, Mittel- und Kleinbetrieb. 1902.
  8. (287 S.)   7 M.
          (Landw. Jahrbücher. XXXI. Bd. 1902. Ergänzungsband I.)
Stutbuch, Ostpreußisches, für edles Halbblut Trakehner Abstammung. Heraus-
  gegeben vom Landw. Zentral-Verein in Insterburg. 8.
          Erster Band. 1890. (466 S.)   Geb. 10 M.
          Zweiter Band. 1892. (1080 S.)   Geb. 20 M.
          Dritter Band. Zwei Teile. 1897. (1729 S.)   Geb. 18 M.
— — Supplement für 1892. 1893. (200 S.)   Geb. 3 M.
— — Supplement für 1893. 1894. (209 S.)   Geb. 3 M.
— — Supplement für 1894. 1895. (524 S.)   Geb. 4 M.
— — Supplement für 1895. 1895. (155 S.)   Geb. 2 M.
— — Supplement für 1897 und 1898. 1899. (183 S.)   Geb. 2 M.
— — Supplement für 1899. 1900. (136 S.)   Geb. 2 M.
— — Supplement für 1900. 1901. (138 S.)   Geb. 2 M.
— — Supplement für 1901. 1902. (112 S.)   Geb. 2 M.
Stutbuch des Kgl. Preuß. Haupt-Gestüts Trakehnen von J. P. Frenzel.
  Herausgegeben vom Landw. Zentralverein. 1878. 8. (1205 S.) Geb. 20 M.
— — — Erster Nachtrag. 1882. (252 S.)   Geb. 7 M.
— — — Zweiter Nachtrag. 1888. (198 S.)   Geb. 6 M.
— — — Dritter Nachtrag. 1893. (335 S.)   Geb. 8 M.
— — Zweiter Band. Bearbeitet von B. von Oettingen, Landstallmeister. Nebst
  31 Familientafeln in besonderer Mappe. 1901. 8. (LIII, 677 S.) Geb. 20 M.
Stutzer, Dr. A., Prof. in Königsberg. Die Behandlung und Anwendung
  des Stalldüngers. Zweite Auflage von: „Die Arbeit der Bakterien
  im Stalldünger". Mit 19 Abb. 1903. 8. (168 S.)   3 M.
— — Zucker und Alkohol. Die Eigenschaften von Zucker und Alkohol in
  physiologischer, sozialer und volkswirtschaftlicher Beziehung. 1902. 8.
  (60 S.)   1 M. 50 Pf. 20 Expl. 25 M.
— — Der Chilisalpeter als Düngemittel. Herausgegeben von Dr. P. Wagner,
  Prof. in Darmstadt. 1886. 8. (113 S.) (Vergriffen.)   1 M. 20 Pf.
Sudeck, Abschätzungs-Verfahren, siehe „Arbeiten der D. L.-G." Heft 47.
Suminski, Graf, Premier-Leutnant. Die eigenen Offizierpferde in der Armee.
  1896. 8. (92 S.)   2 M.
Sylva-Tarouca, E. Graf. Kein Heger, kein Jäger! Handbuch der Wild-
  hege. Mit Abb. 1899. 8. (238 S.)   Geb. 3 M. 50 Pf.
Tacke, Mitteilungen der Moor-Versuchs-Station Bremen, siehe „Mitteilungen".
— — Kalisalze, siehe „Maercker".
Tageszeitung für Brauerei. Eigentum des Vereins: Versuchs- und Lehranstalt
  für Brauerei in Berlin. Fol.
          Wöchentliche Beilage: Wochenschrift für Brauerei (siehe diese).
  II. Jahrgang. 1904. Täglich eine Nummer mit Ausnahme der auf Sonn-
  und Feiertage folgenden Tage.

(Siehe auch Seite 109.)

Verlag von Paul Parey in Berlin SW., Hedemannstraße 10.

Tageszeitung für Brauerei. (Siehe auch Seite 108.)
Ausgabe A. Tageszeitung mit Wochenschrift. Nur durch die
Post zu beziehen.   Preis jährlich 20 M.
Ausgabe B. Tageszeitung allein. Nur durch die Post zu be-
ziehen.   Preis vierteljährlich 2,50 M.
— — Einbanddecken zur Tageszeitung für das Halbjahr mit Porto 3 M. 50 Pf.

Tapken, A., Amtstierarzt in Varel. Geburtshilfe. Für Landwirte bearbeitet.
Zweite Auflage. Mit 32 Abb. 1899. 8. (158 S.) (Thaer-Bibliothek.)
                              Geb. 2 M. 50 Pf.

Taschenberg, Dr. E. L., Prof. in Halle a. S. Was da kriecht und fliegt.
Bilder aus dem Insektenleben. Zweite Auflage. Mit 85 Abb. 1878.
8. (656 S.)   Kart. 10 M.

Taschenkalender für Fleischbeschauer und Trichinenschauer. IV. Jahrgang. 1904. Unter Mitwirkung von Prof. Dr. M. Schlegel in Freiburg und Kreistierarzt Dr. R. Fröhner in Fulda herausgegeben von Dr.
A. Johne, Geh. Med.-Rat, Prof. in Dresden. Mit Abb. Taschenf. Geb. 2 M.
Daraus besonders: Tagebuchhefte für den Beschauer.   à 20 Pf.
— — für Zuckerfabrikanten, siehe „Stammer".

Taubert, Fr. Betrieb der Nutztaubenzucht. Mit 1 Titelbild und Abb. 1884.
8. (42 S.) (Vergriffen.)   1 M.

Teichert, O., weil. Lehrer in Potsdam. Gärtnerische Veredelungskunst.
Dritte Auflage, neubearbeitet von A. Fintelmann. Mit 33 Abb. 1900.
8. (158 S.) (Thaer-Bibliothek.)   Geb. 2 M. 50 Pf.
— — Geschichte der Ziergärten und der Ziergärtnerei. 1865. 8. (234 S.)
                              4 M.

Tepper-Laski, K. von. Rennreiten. Praktische Winke für Rennreiter und
Manager. Zweite Auflage. Mit 28 Taf. 1903. 8. (184 S.) Geb. 6 M.
— — Aktuelles vom Rennsport. 1896. 8. (42 S.)   1 M. 50 Pf.

Tereg, J., Prof. an der tierärztl. Hochschule zu Hannover. Grundriß der
Elektrotherapie für Tierärzte. Mit 93 Abb. 1902. 8. (222 S.) Geb. 7 M.
— — Die Lehre von der tierischen Wärme. 1890. 8. (172 S.)   5 M.
(Sonderabdruck aus: Ellenberger, Handbuch der Physiologie der Haussäugetiere.)

Thaer, Dr. A., Geh. Rat, Prof. in Gießen. System der Landwirtschaft.
Zweite Auflage. 1896. 8. (436 S.)   Geb. 10 M.
— — Die Wirtschaftsdirektion des Landgutes. Dritte Auflage. 1896. 8.
(153 S.) (Thaer-Bibliothek.)   Geb. 2 M. 50 Pf.
— — Die landw. Unkräuter. Farbige Abbildung, Beschreibung und Ver-
tilgungsmittel. Zweite Auflage. 24 Farbendrucktafeln nebst Text. 1893.
8. (32 S.)   Geb. 4 M.
— — Unter welchen Voraussetzungen ist es geraten, landwirtschaftlich benutzten
Boden aufzuforsten? 1890. 8. (18 S.) (Vergriffen.)   50 Pf.
(Sonderabdruck aus: Landw. Jahrbücher. XIX. Bd. 1890.)
— — Die altägyptische Landwirtschaft. Mit 6 Taf. 1881. 8. (36 S.) 3 M.
(Vergriffen.)
(Sonderabdruck aus: Landw. Jahrbücher. X. Bd. 1881.)

Thaers Grundsätze der rationellen Landwirtschaft. Neue Ausgabe
Herausgegeben von Dr. G. Krafft in Wien, Dr. C. Lehmann in Berlin,
Dr. A. Thaer in Gießen und Dr. H. Thiel in Berlin. Mit 8 litho-
graphierten Taf. 1880. 8. (1100 S.) 16 M. In Halbleder geb. 18 M.

Thaer-Bibliothek.　　　　　　　　　　　　　　Geb. à Bd. 2 M. 50 Pf.

1. Wolffs landw. Fütterungslehre.　　　　　　Siebente Auflage.

2. Landw. Buchführung von Geh. Rat Dr. Freiherr von der Goltz,
   Prof. in Poppelsdorf.　　　　　　　　　　　Neunte Auflage.

3. Wiesen- und Weidenbau von Dr. F. Burgtorf, Direktor in
   Herford. Mit 54 Abb.　　　　　　　　　　　Vierte Auflage.

4. Geschichte der deutschen Landwirtschaft. Bearbeitet von
   E. Michelsen und F. Nedderich.　　　　　　Vierte Auflage.

5. Käufliche Düngestoffe von Dr. A. Rümpler. Mit 32 Abb.
   　　　　　　　　　　　　　　　　　　　　　Vierte Auflage.

6. Landw. Rechenwesen von Dr. F. C. Schubert. Neubearbeitet von
   H. Kutscher in Klausthal. Mit 172 Abb.　Vierte Auflage.

7. Die Ziegelei von O. Bock, Ziegelei-Ingenieur in Berlin. Mit 190
   Abb. und 9 Taf.　　　　　　　　　　　　　Zweite Auflage.

8. Meyers immerwährender Gartenkalender.　Dritte Auflage.

9. Schuberts landw. Baukunde. Mit 189 Abb.　Sechste Auflage.

10. Landw. Futterbau von Dr. W. Löbe in Leipzig. Mit Abb.
    (Vergriffen, siehe Bd. 101.)　　　　　　Dritte Auflage.

11. Künstliche Fischzucht von M. von dem Borne auf Berneuchen.
    Mit 88 Abb.　　　　　　　　　　　　　　Vierte Auflage.

12. Der Petersensche Wiesenbau von Dr. E. Fuchs in Kappeln. Mit
    47 Abb. und 4 Farbendrucktafeln. (Vergriffen.)

13. Berlepsch's Bienenzucht. Mit 35 Abb.　Vierte Auflage.

14. Gemüsebau von B. von Uslar in Hildesheim. Mit 114 Abb.
    　　　　　　　　　　　　　　　　　　　　　Dritte Auflage.

15. Die Jagd und ihr Betrieb von A. Goedde, Herzoglicher Jäger-
    meister in Koburg. Mit Abb. (Vergriffen.)　Zweite Auflage.

16. Maulbeerbaumzucht und Seidenbau von C. H. Pathe. Mit
    9 Abb. und zwei Taf. (Vergriffen.)　　　Zweite Auflage.

17. Wolffs praktische Düngerlehre. Bearbeitet von Dr. H. C.
    Müller-Halle.　　　　　　　　　　　　　Vierzehnte Auflage.

18. Gärtnerische Veredelungskunst von O. Teichert, Garteninspektor
    in Potsdam. Mit 33 Abb.　　　　　　　　Dritte Auflage.

19. Rübenbau von F. Knauer in Gröbers. Herausgegeben von Prof.
    Dr. M. Hollrung in Halle. Mit 35 Abb.　Achte Auflage.

20. Tabaksbau von A. von Babo, Direktor in Klosterneuburg. Mit
    27 Abb.　　　　　　　　　　　　　　　　Dritte Auflage.

21. Perels-Strecker, Ratgeber bei Wahl und Gebrauch landw. Geräte
    und Maschinen. Mit 167 Abb.　　　　　　Achte Auflage.

22. Beschlagkunde von Dr. A. von Rueff, Direktor in Stuttgart.
    Mit 68 Abb. (Vergriffen, siehe Bd. 56.)

(Siehe auch Seite 111.)

Verlag von Paul Parey in Berlin SW., Hedemannstraße 10.

23. Goebbes Fasanenzucht. Mit Abb. Dritte Auflage.
24. Ernährung der landw. Kulturpflanzen von Dr. A. Mayer, Prof. in Wageningen. Zweite Auflage.
25. Gehölzzucht von J. Hartwig, Garteninspektor in Weimar. Mit 50 Abb. Zweite Auflage.
26. Obstbau von R. Noack, Hofgarteninspektor in Darmstadt. Mit 90 Abb. Vierte Auflage.
27. Gartenblumen von Th. Rümpler, Generalsekretär in Erfurt. Mit 154 Abb. Zweite Auflage.
28. Kartoffelbau von Dr. H. Werner, Prof. in Berlin. Vierte Auflage.
29. Be- und Entwässerung der Äcker und Wiesen von L. Vincent, Ök.-Rat in Regenwalde. Mit 20 Abb. Vierte Auflage.
30. Gewächshäuser und Mistbeete von J. Hartwig, Garteninspektor in Weimar. Mit 54 Abb. Zweite Auflage.
31. Rindviehzucht von Dr. B. Funk, Direktor in Zoppot. Mit 57 Abb. Fünfte Auflage.
32. Pferdestall von F. Eugel, Kgl. Baurat in Berlin. Mit 175 Abb. Zweite Auflage.
33. Viehstall von F. Engel, Kgl. Baurat in Berlin. Neubearb. von Reg.-Baumeister G. Meyer in Kattowitz. Mit 167 Abb. Dritte Auflage.
34. Kalk-Sand-Pisébau von F. Engel, Kgl. Baurat in Berlin. Bearbeitet von H. Hotop in Berlin. Mit 51 Abb. Vierte Auflage.
35. Wolffs Anleitung zur chemischen Untersuchung landw. wichtiger Stoffe. Mit 17 Abb. Vierte Auflage.
36. Praktische Desinfektionslehre von A. Zundel, Landestierarzt in Straßburg.
37. Lupinen- und Serrabella-Bau von W. Kette auf Jassen und C. E. von König auf Zörnigall. (Vergriffen.) Neunte Auflage.
38. Pribyls Geflügelzucht. Mit 39 Abb. Vierte Auflage.
39. Birnbaums landw. Taxationslehre. (Vergriffen.) Zweite Auflage.
40. Rümplers Zimmergärtnerei. Bearbeitet von W. Mönkemeyer. Mit 131 Abb. Dritte Auflage.
41. Reiten und Dressieren von D. F. Boetticher, Stallmeister. Herausgegeben von A. von Reuß. Mit 5 Abb. (Vergriffen, s. Bd. 68.)
42. Die Dynamite und ihre Anwendung in der Landwirtschaft von J. Trauzl in Wien. Mit 28 Abb.
43. Feldholzzucht und Korbweidenkultur von R. Fischer in Berlin (Vergriffen.)
44. Allgemeine Tierzuchtlehre von Dr. A. von Rueff, Direktor in Stuttgart. (Vergriffen.)
45. Stärkefabrikation von Dr. F. Stohmann, Prof. in Leipzig. Mit 66 Abb. (Vergriffen.)
46. Äußere Krankheiten der landw. Haussäugetiere von E. Zorn, Korpsroßarzt in Hannover. Mit 53 Abb. (Siehe auch Seite 112.)

Thaer-Bibliothek. (Siehe auch Seite 111.)

47. Innere Krankheiten der landw. Haussäugetiere von F. Groß-
    wendt, Oberroßarzt in Hannover.

48. Physiologie und Pathologie der Haussäugetiere von Dr.
    F. Flemming, Tierarzt in Lübz.

49. Kalk-, Cement- und Gips-Fabrikation von H. Stegmann in
    Braunschweig. Mit 41 Abb.

50. Wirtschaftsdirektion des Landgutes von Dr. A. Thaer, Prof.
    in Gießen.   Dritte Auflage.

51. Wirtschaftsfeinde aus dem Tierreich von Dr. G. von Hayek,
    Prof. in Wien. Mit 155 Abb.

52. Milchwirtschaft von Dr. W. Löbe in Leipzig. Mit 43 Abb.
                                     (Dritte Auflage in Vorbereitung.)

53. Heilungs- und Tierarzneimittellehre von Dr. F. Flemming,
    Tierarzt in Lübz. (Vergriffen.)

54. Schafzucht von Dr. O. Rohde, Prof. in Greifswald. (Vergriffen.)

55. Geschichte des Gartenbaus von O. Hüttig, Gartenbaudirektor.

56. Englischer Hufbeschlag von H. Behrens, Lehrschmied in Rostock.
    Mit 100 Abb.   Zweite Auflage.

57. Mays Schweinezucht. Mit 33 Abb.   Fünfte Auflage.

58. Obstbaumkrankheiten von Dr. P. Sorauer in Proskau.

59. Agrikultur-chemische Analysen von Dr. L. Grandeau. Mit
    46 Abb. (Vergriffen.)

60. Forstkulturen von C. Urff, Kgl. Forstmeister in Neuhaus. Mit
    34 Abb.   Zweite Auflage.

61. Urbarmachung und Verbesserung des Bodens von Ökonomierat
    Dr. R. Buerstenbinder, Generalsekretär in Braunschweig. (Vergriffen.)

62. Wüsts Anleitung zum Feldmessen und Nivellieren. Durchgesehen
    von Dr. A. Nachtweh, Prof. in Halle. Mit 127 Abb. Fünfte Auflage.

63. Anleitung zum Getreidebau von Dr. A. Nowacki, Prof. in Zürich.
    Mit 147 Abb.   Dritte Auflage.

64. Die landw. Ankaufs- und Verkaufs-Genossenschaften von
    H. von Mendel.

65. Krankheiten der landw. Nutzpflanzen von Dr. R. Wolf. Mit
    50 Abb.

66. Weizenbau von E. Risler. Übersetzt von W. Rimpau, Amtsrat
    in Schlanstedt. Mit 24 Abb. (Vergriffen.)

67. Behandlung der Lokomobilen von L. P. Lázár in Budapest. Mit
    133 Abb.

68. Reiten und Fahren von R. Schoenbeck, Kgl. Preuß. Major. Mit
    111 Abb.   Dritte Auflage.

69. Jagd-, Hof- und Schäferhunde von E. Schlotfeldt. Mit 21 Abb.
                                         (Siehe auch Seite 113.)

Verlag von Paul Parey in Berlin SW., Hedemannstraße 10.

Thaer-Bibliothek. (Siehe auch Seite 112.)

70. Hopfenbau und Hopfenbehandlung von C. Fruwirth, Prof.
    in Wien. Mit 32 Abb.

71. Die Braugerste von H. Heine in Karlsruhe. Mit 11 Abb.

72. Samen und Saat von Dr. W. Loebe in Leipzig. Mit 30 Abb.

73. Der Bauernhof von G. Jaspers, Generalsekretär in Osnabrück.
    Mit 21 Abb. und 17 Taf.

74. Bakterienkunde für Landwirte von Dr. W. Migula in Karlsruhe.
    Mit 30 Abb.

75. Die Geflügelställe von Prof. A. Schubert, landw. Baumeister zu
    Kassel. Mit 161 Abb.   Zweite Auflage.

76. Ratgeber beim Pferdekauf von B. Schoenbeck, Stallmeister. Mit
    103 Abb.   Zweite Auflage.

77. Die Milch und ihre Produkte von A. Otto. Mit 145 Abb. und 2 Taf.

78. Zoologie für Landwirte von Dr. J. Ritzema Bos, Prof. in Amster-
    dam. Mit 234 Abb.   Dritte Auflage.

79. Rechtsbeistand des Landwirts von M. Löwenherz, Amtsge-
    richtsrat in Köln.   Dritte Auflage.

80. Die Eingeweidewürmer der Haussäugetiere von Dr. J. Dewitz.
    Mit 141 Abb.

81. Praktische Bodenkunde von Dr. A. Nowacki, Prof. in Zürich.
    Mit 10 Abb. und 1 Farbendrucktafel.   Vierte Auflage.

82. Plan- und Situationszeichnen von H. Kutscher, Markscheider
    in Clausthal. Mit 24 Farbendrucktafeln.

83. Der Landwirt als Kulturingenieur von F. Zajicek, Prof. in
    Mödling. Mit 196 Abb.   Zweite Auflage.

84. Widersetzlichkeiten des Pferdes von B. Schoenbeck, Stallmeister.
    Mit 46 Abb.

85. Grundriß der Bierbrauerei von Dr. C. J. Lintner, Prof. in
    München. Mit 35 Abb.   Zweite Auflage.

86. Anleitung zur Apfelweinbereitung von Dr. E. Kramer in Klagen-
    furt. Mit 46 Abb.

87. Weinbau von Ph. Held, Garteninspektor. Mit 105 Abb.

88. Süßwasserfischerei von M. von dem Borne. Mit 204 Abb.

89. Teichwirtschaft von M. von dem Borne. Mit 63 Abb.
                                                    Vierte Auflage.

90. Das Schriftwerk des Landwirts von C. Petri, Landwirtschafts-
    lehrer in Hohenwestedt.   Dritte Auflage.

91. Der kranke Hund von Dr. G. Müller, Med.-Rat, Prof. in Dresden.
    Mit 69 Abb.   Zweite Auflage.

92. Landw. Giftlehre von Dr. G. Müller, Prof. in Dresden. Mit 47 Abb.

93. Leitfaden der Betriebslehre von Dr. Freiherr von der Goltz,
    Prof. in Poppelsdorf.   Zweite Auflage.

(Siehe auch Seite 114.)

Verlagsbuchhandlung für Landwirtschaft, Gartenbau und Forstwesen.

Thaer-Bibliothek. (Siehe auch Seite 113.)

94. Der Flachs, seine Kultur und Verarbeitung von R. Kuhnert, Landwirtschaftslehrer in Marburg. Mit 40 Abb.

95. Gesundheitspflege der landw. Haussäugetiere von Medizinalrat Dr. Johne in Dresden. Mit 159 Abb.

96. Anbau der Hülsenfrüchte von C. Fruwirth, Prof. in Hohenheim. Mit 69 Abb.

97. Anleitung zum Brennereibetrieb von Geh. Rat Prof. Dr. Maercker in Halle. Mit 78 Abb.   Zweite Auflage.

98. Der gesunde Hund von Dr. G. Müller, Prof. in Dresden. Mit 64 Abb.

99. Geburtshilfe von A. Tapken, Amtstierarzt in Barel. Mit 32 Abb.
                                                        Zweite Auflage.

100. Anwendung künstlicher Düngemittel von Geh. Rat Dr. P. Wagner, Prof. in Darmstadt.   Dritte Auflage.

101. Rationeller Futterbau von Dr. F. G. Stebler in Zürich. Mit 159 Abb.   Fünfte Auflage.

102. Pferdezucht von Regierungs- und Ökonomierat F. Oldenburg. Gekrönte Preisschrift.

103. Konservierung der Futterpflanzen von Dr. Fr. Albert, Prof. in Gießen.

104. Gärtnerische Betriebslehre von A. Bode in Altenburg.

Thaulow, Dr. G., Prof. in Kiel. Anthropologische Untersuchungen auf Expeditionen der Marine. 1874. 8. (17 S.)   1 M.

Thiel, Dr. H., Geh. Ober-Reg.-Rat in Berlin. Bewurzelung, siehe „Wandtafeln für den naturwissenschaftlichen Unterricht".

— — Landw. Jahrbücher, siehe „Jahrbücher".

— — Menzel und v. Lengerkes landw. Kalender, siehe „Menzel und v. Lengerke".

Thiesing, Kartoffeldüngung, siehe „Arbeiten der D. L.-G." Heft 35.

Thümen, F. von. Pilze und Pocken auf Wein und Obst. Mit 9 lithographierten Taf. 1885. 8. (225, 22 und 141 S.)   5 M.

Thünen, J. H. von. Der isolierte Staat in Beziehung auf Landwirtschaft und Nationalökonomie. Dritte Auflage, herausgegeben von H. Schumacher-Zarchlin. 1875. 8. (1276 S.) 18 M. In Halbleder geb. 20 M.

— — Ein Forscherleben. 1868. 8. (351 S.) (Vergriffen.)   6 M.

Thüngen, C. E. Freiherr von. Die Jahreszeiten des Weidmanns. Mit 4 Abb. 1885. 8. (220 S.)   3 M.

— — Der Hase, dessen Naturgeschichte, Jagd und Hege. Mit 20 Abb. 1878. 8. (431 S.)   7 M. Geb. 9 M.

Tichy, A. Die Forsteinrichtung in Eigenregie. 1884. 8. (37 S.) 1 M. 60 Pf.

Tiedemann, Lüftung der Viehställe, siehe „Arbeiten der D. L.-G." Heft 10.

Tieralbum, Landw. 76 Farbendruckbilder der wichtigsten Haustier-Rassen. Herausgegeben durch die „Deutsche Landw. Presse". 1899. Querfolio. (16 S. Text.)   Geb. 20 M.

Tier-Album, Landw., in Photographieen von H. Schnaebeli. (Vergriffen.)

Verlag von Paul Parey in Berlin SW., Hedemannstraße 10.

Tier-Statuetten. Im Auftrage des Kgl. Ministeriums für Landwirtschaft, Domänen und Forsten ausgeführt von Prof. W. Wolff in Berlin.

Name	Größe in cm		Gips-Ab-güsse ℳ.	Von Bronze ℳ.
	Länge	Höhe		
Shorthorn-Kuh	46	30	20	165
Shorthorn-Stier	44	28	20	180
Holländer Stier	43	31	20	—
Holländer Kuh	45	26	20	165
Harzer Stier	41	29	20	—
Harzer Kuh mit Kalb	38	28	20	—
Vollblut-Hengst Chamant	44	39	20	—
Halbblut-Hengst Malthefer	43	39	20	180
Vollblut-Hengst The Palmer	39	37	20	175
Halbblut-Stute Harke	39	36	20	175
Ardenner Hengst	43	32	20	180
Merino-Bock	29	22	15	135
Oxfordshire-Bock	32	23	15	135
Yorkshire-Eber	36	18	15	135
Berkshire-Sau	33	18	15	135

Die Preise der Gipsabgüsse verstehen sich einschließlich Verpackung und Kiste, bei den Bronzeabgüssen wird dieselbe besonders berechnet.

Titz, K., Die Lösung der landw. Kreditfrage. 1870. 8. (67 S.) 1 ℳ. 50 Pf.

Tolle, A., Wasserbau-Inspektor in Norden. Die Austernzucht und Seefischerei in Frankreich und England. Mit 18 Taf. 1871. 4. (24 S.) 4 ℳ.

Tollens, Dr. B., Prof. in Göttingen. Einfache Versuche für den Unterricht in der Chemie. Zweite Auflage. Mit 45 Abb. 1894. 8. (74 S.) 3 ℳ.

Toussaint, F. W. Entwurf eines Wasserrechtsgesetzes. 1876. 8. (150 S.) 2 ℳ.

Traubenwickler, Der. (Heu- oder Sauerwurm.) Farbendruckplakat mit Text. Herausgegeben von Ökonomierat R. Goethe in Geisenheim. 1892. 50 Pf. 100 Expl. 45 ℳ. 500 Expl. 200 ℳ. Aufziehen 25 Pf. für das Expl.

Trauzl, J., Ingenieur. Die Dynamite in der Landwirtschaft. Mit 28 Abb. 1876. 8. (125 S.) (Thaer-Bibliothek.) Geb. 2 ℳ. 50 Pf.

Trommer, Dr. C., Prof. Lehrbuch der Spiritusfabrikation. Zweite Ausgabe. Mit lithographierten Taf. und Abb. 1858. 8. (362 S.) 3 ℳ.

Tschirch, A. Untersuchungen über das Chlorophyll. Mit 3 Taf. 1884. 8. (155 S.) 8 ℳ.

— — Wandtafeln, siehe „Frank und Tschirch".

Tubeuf, C., Freiherr von. Brandkrankheiten des Getreides, enthalten in: Arbeiten a. d. Biolog. Abteilung am Kais. Gesundheitsamte, Bd. II, Heft 2.

— — Schüttekrankheit der Kiefer, enthalten in: Arbeiten a. d. Biolog. Abteilung am Kais. Gesundheitsamte, Bd. II, Heft 1. (Siehe auch „Flugblätter".)

— ← Birnenrost, siehe „Flugblätter".

— — Blasenrost, siehe „Blasenrost" und „Flugblätter".

— — Kirschen-Hexenbesen, siehe „Flugblätter".

Verlagsbuchhandlung für Landwirtschaft, Gartenbau und Forstwesen.

Tuberkulose, Bedeutung und Bekämpfung der, in Rindvieh- und Schweine-
beständen. 1896. 8. (8 S.)   20 Pf.
    10 Expl. 1 M. 80 Pf. 25 Expl. 4 M. 50 Pf. 50 Expl. 8 M. 100 Expl. 15 M.

Tuckermann, W. P., Kaiserl. Postbaurat und Privatdozent in Berlin. Die
Gartenkunst der italienischen Renaissancezeit. Mit 21 Lichtdrucktafeln und 52 Abb. 1884. 4. (187 S.)   Geb. 20 M.

Uhrmann, B., Direktor der landw. Schule in Annaberg. Mineralogie und
   Gesteinslehre. Zweite Auflage. Mit 26 Abb. 1900. 8. (65 S.)
   (Landw. Unterrichtsbücher.)   Geb. 1 M.

Ulmann, Dr. M., Landwirt. Kalk und Mergel. 1893. 8. (171 S.) (Vergriffen.)   Kart. 1 M. 50 Pf.

Unterrichtsbücher, Landwirtschaftliche. 8.
   Ackerbau von Dr. Drohsen und Dr. Gisevius. Sechste Auflage.
                                      Geb. 1 M. 60 Pf.
   Ackerbaulehre, Leitfaden der, von Dr. H. Biedenkopf. Zweite Auf-
    lage.   Geb. 1 M. 40 Pf.
   Düngerlehre von Direktor A. Conradi. Zweite Auflage.   60 Pf.
   Grundzüge der Agrikulturchemie von Dr. R. Otto.   Geb. 4 M.
   Bodenkunde von Direktor Dr. W. Lilienthal. Zweite Auflage.
                                        Geb. 1 M. 20 Pf.
   Bodenkunde von Direktor A. Wirtz.   50 Pf.
   Mineralogie und Gesteinslehre von Direktor B. Uhrmann.
    Zweite Auflage.   Geb. 1 M.
   Pflanzenbau von Dr. E. Birnbaum. Sechste Auflage, neubearbeitet
    von Dr. Gisevius.   Geb. 1 M. 60 Pf.
   Grundzüge der Pflanzenvermehrung von M. Löbner.   Geb. 70 Pf.
   Botanik, Lehrbuch der, von Dr. G. Meyer. Zweite Auflage. Geb. 2 M.
   Botanik, Leitfaden der, von Dr. G. Meyer.   Geb. 1 M. 50 Pf.
   Viehzucht von Prof. B. Patzig. Fünfte Auflage.   Geb. 1 M. 60 Pf.
   Tierzucht, Lehrbuch der, von Dr. H. Biedenkopf. Geb. 2 M. 80 Pf.
   Tierzuchtlehre von Direktor A. Conradi.   Geb. 1 M.
   Bau und Leben der landw. Haussäugetiere von Dr. E. Laur. Zweite
    Auflage.   Geb. 1 M. 20 Pf.
   Der Körper der landw. Haussäugetiere von Direktor Dr. Becker.
                                        Geb. 1 M. 40 Pf.
   Leitfaden der Zoologie von R. Hillmann und A. Wolschner.
                                        Geb. 1 M. 40 Pf.
   Fütterungslehre von Direktor A. Conradi. Zweite Aufl. Geb. 1 M. 20 Pf.
   Betriebslehre von Direktor A. Conradi. Dritte Auflage. Geb. 1 M.
   Betriebslehre von Direktor Dr. Roth. Sechste Auflage. Geb. 1 M. 50 Pf.
   Wirtschaftsbetrieb von Dr. P. Gabler.   Kart. 1 M. 20 Pf.
   Betriebseinrichtung von Dr. Salfeld.   60 Pf.
   Buchführung, Landmanns, von Direktor Dr. Clausen. Zweite
    Auflage.   Geb. 1 M. 20 Pf.
   Buchführung von Dr. P. Habernoll.   Geb. 1 M. 20 Pf

(Siehe auch Seite 117.)

Verlag von Paul Parey in Berlin SW., Hedemannstraße 10.

Unterrichtsbücher. (Siehe auch Seite 116.)

Selbstverwaltungsämter von C. Petri. Zweite Auflage.
Geb. 1 M. 20 Pf.

Taxationslehre von C. Petri. Zweite Auflage. Geb. 1 M. 60 Pf.

Wiesenbau von H. Kutscher. Zweite Auflage. Geb. 1 M. 20 Pf.

Geometrie, Feldmessen und Nivellieren von H. Kutscher.
Zweite Auflage. Geb. 1 M. 40 Pf.

Feldmeß- und Nivellierkunde von Ch. Nielsen. Zweite Auflage.
Geb. 2 M.

Feldmessen, Unterricht im, von M. Wilsdorf. Dritte Aufl. Geb. 1 M. 40 Pf.

Obst- und Gemüsebau von O. Nattermüller. Zweite Auflage.
Geb. 1 M. 60 Pf.

Meyers Forstwirtschaft. Dritte Auflage, bearbeitet von Reg.- und
Forstrat Berlin. Geb. 1 M. 20 Pf.

Physik von M. Hollmann. Fünfte Auflage. Geb. 1 M. 30 Pf.

Lehrbuch der Physik von Dr. Lautenschläger. Geb. 2 M. 80 Pf.

Mechanik, Wärmelehre und Witterungskunde von J. Bohn.
Geb. 1 M. 50 Pf.

Chemie von Direktor P. J. Murzel. Dritte Auflage. Geb. 1 M. 40 Pf.

Chemie von A. Maas. Zweite Auflage. Geb. 1 M. 80 Pf.

Chemie von W. Wellershaus.

    I. Anorganische Chemie. Zweite Auflage. Geb. 70 Pf.

    II. Organische Chemie. 50 Pf

Einfache landw. Untersuchungen von Dr. H. Biedenkopf. Geb. 1 M.

Rechenbuch von L. Lemke. Zweite Auflage.

    Erster Teil. Für die Unterklassen. Geb. 1 M. 40 Pf.

    Zweiter Teil. Für die Mittel- und Oberklassen. Geb. 2 M.

— — Lösungen (für beide Teile). 1 M.

Rechenbuch von P. Knak. Dritte Auflage. Geb. 1 M. 20 Pf.

— — Lösungen. 1 M.

Berechnungen, landw., von Direktor Dr. Roth. Zweite Auflage.
Geb. 1 M. 50 Pf.

— — Lösungen. 50 Pf.

Geometrie der Ebene von L. Bosse und H. Müller. Zweite
Auflage. Geb. 1 M. 20 Pf.

Stereometrie von Prof. L. Bosse und Prof. H. Müller. 50 Pf.

Algebra von L. Bosse und H. Müller. 1 M. 80 Pf.

Wirtschaftslehre, Grundzüge der, von Dr. B. Funk. Fünfte Auflage.
Geb. 1 M.

Volkswirtschaftslehre von C. Petri. Geb. 1 M. 20 Pf.

Landwirtschaftsgeschichte von Direktor Dr. Funk. Geb. 1 M.

Deutsche Gedichte, herausgegeben von Direktor Dr. R. Schultz. Geb. 2 M.

Deutsches Lesebuch von M. Hollmann und P. Knak. Zweite Auflage. Geb. 2 M.

Lehr- und Lesebuch von F. Deißmann, H. Jung, F. Kolb,
W. Scheid, R. Wobig. Dritte Auflage. Geb. 2 M.

Urff, C., Kgl. Forstmeister in Neuhaus. Forstkulturen und Behandlung von Forstbeständen. Zweite Auflage. Mit 34 Abb. 1898. 8. (173 S.) (Thaer-Bibliothek.)   Geb. 2 M. 50 Pf.

Urich, Forstmeister in Büdingen. Die deutsche Holzzollgesetzgebung. 1888. 8. (16 S.)   50 Pf.

         (Sonderabdruck aus: Forstwissenschaftliches Centralblatt. 1888.)

Aslar, B. von, Kunst- und Handelsgärtner. Der Gemüsebau. Dritte Auflage. Mit 114 Abb. 1898. 8. (188 S.) (Thaer-Bibliothek.)   Geb. 2 M. 50 Pf.

Vacher, M., Éleveur, et A. **Mallèvre,** Professeur. Ch. Bodmer, Photographe. Les Races Bovines en France. 38 Photographieen nebst Text.   In Mappe 125 M.

Vanha, J., Prof. in Prerau, und Dr. J. **Stoklasa** in Prag. Die Rüben-Nematoden. Mit 5 Taf. 1896. 8. (96 S.)   3 M.

Vererbung, Die, des ländlichen Grundbesitzes im Königreich Preußen. Herausgegeben von Prof. Dr. M. Sering. 8.

     Bis jetzt erschienen:

     Heft 1. Oberlandesgerichtsbezirk Köln. Bearbeitet von Dr. W. Wygodzinski. Mit 4 Karten. 1897. (201 S.) (Vergriffen.) 5 M.

     Heft 2. Oberlandesgerichtsbezirk Frankfurt a. M. Bearbeitet von Dr. R. Hirsch. Mit 2 Karten. 1897. (123 S.) 3 M. 50 Pf.

     Heft 3. Die Hohenzollernschen Lande. Bearbeitet von Dr. R. Hirsch. Mit 1 Karte. 1898. (106 S.) (Vergriffen.)   3 M.

     Heft 4. Oberlandesgerichtsbezirk Cassel. Bearbeitet von Reg.-Rat Holzapfel. Mit 2 Karten. 1899. (135 S.) 3 M. 50 Pf.

     Heft 5. Oberlandesgerichtsbezirk Hamm. Bearbeitet von L. Graf von Spee. Mit 3 Karten. 1898. (235 S.) 6 M. 50 Pf.

     Heft 6. Provinz Hannover. Bearbeitet von Dr. Fr. Großmann. Mit 3 Karten. 1897. (279 S.) (Vergriffen.)   7 M.

     Heft 8. Provinz Sachsen. Bearbeitet von Dr. M. Grabein. Mit 1 Karte. 1900. (181 S.)   4 M. 50 Pf.

     Heft 10. Provinz Pommern. Bearbeitet von Reg.-Assess. Dr. Housselle und Landwirt Dr. P. Hillmann. Mit 2 Karten. 1900. (181 S.)   5 M.

     Heft 11. Provinz Westpreußen. Bearbeitet von Dr. F. Busch. Mit 1 Karte. 1898. (102 S.)   2 M. 50 Pf.

     Heft 13. Provinz Posen. Bearbeitet von Dr. Fr. Großmann. Mit 1 Karte. 1898. (107 S.)   2 M. 50 Pf.

     Heft 14. Provinz Schlesien. Bearbeitet von Dr. G. Doyé in Breslau. Mit 1 Karte. 1900. (123 S.)   3 M. 50 Pf.

     Band I, die Hefte I—IV umfassend. Mit 7 Karten. 1899. (XV, 201, 123, 106, 135 S.)   15 M.

        (Landw. Jahrbücher. XXVIII. Bd. 1899. Ergänzungsband I.)

     Band II, die Hefte V und VI umfassend. Mit 6 Karten. 1900. (XIII, 235, 279 S.)   13 M. 50 Pf.

        (Landw. Jahrbücher. XXIX. Bd. 1900. Ergänzungsband III.)

Verlag von Paul Parey in Berlin SW., Hedemannstraße 10.

Verhandlungen der Kommission zur Förderung der Pferdezucht in Preußen im Monat Mai 1881. 1881. 8. (160 S.) 4 M.

— — im Monat April 1888. 1888. 8. (300 S.) 7 M.

Verhandlungen, Die, der Kreditkommission des Bundes der Landwirte vom 17. bis 19. Juli 1894. 1895. 8. (125 S.) 2 M.

Verhandlungen, Die, des Kgl. Preuß. Landes-Ökonomie-Kollegiums seit seiner Reorganisation im Jahre 1859. In der Reihenfolge der Sitzungen und nach den behandelten Materien zusammengestellt von Dr. E. Filly. 1873. 8. (30 S.) (Vergriffen.) 1 M.

> Die Verhandlungen des Kgl. Landes-Ökonomie-Kollegiums seit 1842, I.—XVII. Sitzungsperiode, erschienen in den Annalen der Landwirtschaft, XVIII. und XIX. Sitzungsperiode (1872—1873) in den Landw. Jahrbüchern, I. und II. Jahrgang, XX.—XXIV. (1874—1878) und I.—VI. Sitzungsperiode (1879—1894) des reorganisierten Kgl. Landes-ÖkonomieKollegiums in den Ergänzungsbänden zu den Landw. Jahrbüchern. Siehe dort.
>
> Der Jahresbericht über den Zustand der Landes-Kultur in Preußen für die Jahre 1871—1872 erschien in den Landw. Jahrbüchern, I. und II. Jahrgang. Die ferneren Berichte, vom Jahre 1875 ab unter dem Titel: Beiträge zur landw. Statistik, sind enthalten in den Ergänzungsbänden zu den Landw. Jahrbüchern. Siehe dort.

Verhandlungen des Kgl. Preuß. Landes-Ökonomie-Kollegiums über den Entwurf eines bürgerlichen Gesetzbuches. 1889. 8. (1017 S.) 12 M.

(Landw. Jahrbücher. XVIII. Bd. 1889. Ergänzungsband II.)

Verhandlungen der Delegierten von Schlachtviehhofverwaltungen. 1893. 8. (168 S.) 2 M. 50 Pf.

Veröffentlichungen aus den Jahres-Veterinär-Berichten der beamteten Tierärzte Preußens. Zusammengestellt von Bermbach, Departementstierarzt. 4.

I. Jahrgang. 1900. 2 Teile. Mit 24 Taf. 1901. (94 und 50 S.) 5 M.

II. Jahrgang. 1901. 2 Teile. Mit 17 Taf. 1903. (148 u. 99 S.) 7 M. 50 Pf.

III. Jahrgang. 1902. 2 Teile. Mit 17 Taf. 1904. (203 u. 130 S.) 10 M.

Versuche über die Verdaulichkeit der Weizenkleie und des Wiesenheues. Referent: G. Kühn. 1883. 8. (214 S.) 5 M.

(Sonderabdruck aus: Landw. Versuchs-Stationen. XXIX. Bd.)

Versuchs-Stationen, Die, landwirtschaftlichen, Organ für naturwissenschaftliche Forschungen auf dem Gebiete der Landwirtschaft. Herausgegeben von Dr. Fr. Nobbe, Geh. Hofrat, Prof. in Tharand. 8.

LIX. Baud. 1903. 6 Hefte mit 30 Bogen Text und lithographierten Taf. 12 M. Einzelne Hefte 2 M.

I.—XIII. Baud.	1859—1870.	(Vergriffen.)
XIV.—XXV. Band.	1871—1880.	à 6 M.
XXVI.—XXIX. Band.	1881—1883.	à 12 M.
XXX.—XXXI. Band.	1884—1885.	Einzeln nicht verkäuflich.
XXXII.—XXXIV. Band.	1886—1887.	à 12 M.
XXXV. Baud.	1888.	20 M.
XXXVI. Band.	1889.	12 M.
XXXVII.—XXXVIII. Band.	1890—1891.	Einzeln nicht verkäuflich.
XXXIX.—XLI. Band.	1891—1892.	à 20 M.
XLII.—XLIII. Band.	1893—1894.	Einzeln nicht verkäuflich.

(Siehe auch Seite 120.)

Versuchs-Stationen. (Siehe auch Seite 119.)

XLIV. Band.	1894.		12 M.
XLV. Band.	1895.		20 M.
XLVI. Band.	1896.		Einzeln nicht verkäuflich.
XLVII.—L. Band.	1896—1898.		à 12 M.
LI. Band.	1899.		20 M.
LII.—LVIII. Band.	1899—1903.		à 12 M.

Register über Band I—XX. 1878. (96 S.)   2 M. 50 Pf.

Register über Band XXI—L. 1898. (193 S.)   5 M.

Band XIV—LVIII, 45 Bände,   für 500 M.

Band I—XIII, wenn infolge Ergänzung durch antiquarische Exemplare zufällig vorhanden, nach Vereinbarung.

Vibrans, Die Wirtschaft Lupitz, siehe „Arbeiten der D. L.-G." Heft 76.

Viehseuchen-Übereinkommen, Das, zwischen dem Deutschen Reich und Österreich-Ungarn vom 6. Dezember 1891. Mit einer Übersichtskarte von Österreich-Ungarn. 1893. 8. (29 S.)   Kart. 1 M. 50 Pf.

Vilmorins Blumengärtnerei. Beschreibung, Kultur und Verwendung des gesamten Pflanzenmaterials für deutsche Gärten. Dritte Auflage. Unter Mitwirkung von A. Siebert, Direktor des Palmengartens zu Frankfurt a. M., herausgegeben von A. Voß in Berlin. Mit 1272 Abb. und 400 Blumenbildern auf 100 Farbendrucktafeln. 2 Bde. 1896. 8. (1600 S.) Geb. 56 M.
      50 Lieferungen à 1 M.
      Zwei Einbanddecken 5 M.

— — Zweite Auflage. Herausgegeben von Th. Rümpler. Ergänzungsband: Die Neuheiten von 1877—1887. Mit 300 Abb. 1888. 8. (309 S.) 7 M.

Vincent, L., Kgl. Preuß. Ökonomierat in Regenwalde. Bewässerung und Entwässerung der Äcker und Wiesen. Vierte Auflage. Mit 20 Abb. 1899. 8. (152 S.) (Thaer-Bibliothek.)   Geb. 2 M. 50 Pf.

Virchow, Dr. R. Die Freiheit der Wissenschaft im modernen Staat. Zweite Auflage. 1877. 8. (32 S.) (Vergriffen.)   1 M.

Vogel, Dr. A., Prof., und Dr. E. Wein, Chemiker in München. Anleitung zur quantitativen Analyse landw. wichtiger Stoffe. Fünfte Auflage. 1879. 8. (77 S.)   2 M.

Vogel, Dr. J. H. Mittlere Zusammensetzung der Düngemittel und Gründüngungspflanzen. Wandtafel im Format von 75 : 100 cm. 1897. 2 M.

— — Die Versuchs-Station der Deutschen Landw.-Gesellschaft. Mit 13 Abb. 1896. 8. (25 S.)   1 M.

— — Die Stickstoffverluste im Stallmist und deren Verminderung. Von Müntz und Girard. Referat. 1894. 8. (34 S.)   1 M.

— — Wert und Anwendung der Poudrette. 1894. 8. (11 S.)   50 Pf.

— — Die Wirkung der gasförmigen Zersetzungsprodukte faulender organischer Substanzen auf die Phosphorsäure. 1893. 8. (66 S.) 1 M.

— — Wirkung des Torfmulls, siehe „Arbeiten der D. L.-G." Heft 1.

— — Verwertung der Abfallstoffe, siehe „Arbeiten der D. L.-G." Heft 11.

— — Phosphorsäure, siehe „Arbeiten der D. L.-G." Heft 25.

Vogler, Dr. Th. A., Geh. Reg.-Rat, Prof. in Berlin. Grundlehren der Kultur-
technik. 8.

> Erster Band. Naturwissenschaftlicher und technischer Teil. Dritte Auf-
> lage. Mit 729 Abb. und 8 Taf. 1903. (1056 S.)
> In zwei Bände geb. 26 M.

> Zweiter Band. Kameralistischer Teil. Zweite Auflage. Mit 18 Abb.
> und 7 Taf. 1899. (462 S.) Geb. 13 M.

— — Geodätische Übungen für Landmesser und Ingenieure. Zweite
Auflage. 8.

> Erster Teil. Feldübungen. Mit 56 Abb. 1899. (270 S.) Geb. 9 M.

> Zweiter Teil. Winterübungen. Mit 25 Abb. 1901. (155 S.)
> Geb. 5 M. 50 Pf.

— — Abbildungen geodätischer Instrumente. 36 Lichtdrucktafeln nebst
Text. 1892. Fol. (77 S.) (Vergr.) Text und Taf. in Leinenmappe 12 M.

— — Johann Heinrich Lambert und die praktische Geometrie. Festrede,
gehalten am 25. Januar 1902. 8. (21 S.) 1 M.

Voigt, F. Die Rohmaterialien zur Bierproduktion. Mit 15 Abb. und
8 lithographierten Taf. 1872. 8. (58 S.) 3 M.

Volkmar, E., Fürstl. Wirtschaftsrevident. Die doppelte Buchführung auf
größeren Domänen. 1879. 8. (253 S.) 5 M.

Vorschriften, Technische, des Verbandes landw. Versuchs-Stationen im Deutschen
Reiche für die Samenprüfungen. 1903. 8. (10 S.) 50 Pf.
(Sonderabdruck aus: Landw. Versuchs-Stationen. Bd. LIX.)

Vorträge über Kalidüngung und Steigerung der Erträge. Gehalten von
Schultz-Lupitz; Grahl-Berlin; Maercker-Halle; Gruner-Berlin. 1883.
4. (62 S.) (Vergriffen.) 2 M.

Vorträge für praktische Landwirte. Herausgegeben von Dr. G. Liebscher,
Prof. in Göttingen. 1895. 8. (46 S.) 1 M.

Voß, A., in Berlin. Grundzüge der Gartenkultur. Mit 74 Abb. und
einer Karte. 1894. 8. (219 S.) Kart. 3 M. 50 Pf.

— — Blumengärtnerei, siehe „Vilmorins Blumengärtnerei".

Voßler, O., Prof. in Hohenheim. Der landw. Pflanzenwechsel. 1873. 8.
(131 S.) 2 M.

Vothmanns Gartenbau-Katechismus. Sechste Auflage, neubearbeitet von
J. Hartwig, Hofgärtner in Weimar. Mit 63 Abb. 1878. 8. (196 S.)
Kart. 2 M.

Vuylsteke, J., Prof. an der Universität Löwen. Die Bierbereitung in den
Vereinigten Staaten von Amerika. Ins Deutsche übertragen von Dr. W.
Windisch. 1893. 8. (61 S.) 3 M.

Wacquant-Geozelles, Staats von. Die Hüttenjagd. Mit 37 Abb. 1896. 8.
(200 S.) (Weidmannsbücher.) Kart. 2 M. 50 Pf.

Wagner, A., Garteninspektor in Stuttgart. Der praktische Planzeichner für
Gärtner. Zweite Auflage. 12 Farbendrucktafeln nebst Text. 1880.
Fol. (Vergriffen.) Kart. 8 M.

Wagner, K. Der Kampfschrei. Heliogravüre im Format von 41:60 cm.
Papiergröße 73:95 cm.

> Preis einschl. Kiste und Porto 10 M. Avant la lettre-Drucke 20 M.
> In Eichenholz gerahmt, Preis einschl. Kiste aber ohne Porto, 25 M.

— — Jagdpostkarten, siehe „Jagdpostkarten".

— — Im deutschen Walde, siehe „Jagdbilder".

Wagner, Dr. P., Geh. Hofrat, Prof. in Darmstadt. Die Anwendung künstlicher Düngemittel. Dritte Auflage. 1903. 8. (182 S.) (Thaer-
Bibliothek.)   Geb. 2 M. 50 Pf.

— — Die Anwendung künstlicher Düngemittel im Obst- und Gemüsebau.
Mit Abb. Vierte Auflage. 1900. 8. (96 S.)   1 M. 50 Pf.

— — Kurze Anleitung zur rationellen Stickstoffdüngung. Zweite
Auflage. Mit Abb. 1900. 8. (72 S.)   1 M. 20 Pf.

— — Düngungsfragen. 8.

> Erstes Heft.   Dritte Auflage. 1896. (40 S.)   1 M.
> Zweites Heft. Mit 6 Abb. 1896. (39 S.)   1 M.
> Drittes Heft. Zweite Auflage. Mit 18 Abb. 1896. (56 S.) 1 M. 20 Pf.
> Viertes Heft. Vierte Auflage. Mit Abb. 1901. (88 S.) 1 M. 50 Pf.

— — Die Bewertung der Thomasmehle. 1899. 8. (45 S.)   1 M.

— — Anwendung von Thomasmehl für Frühjahrsbestellung. 1897.
8. (20 S.)   50 Pf.

> (Sonderabdruck aus: Deutsche Landw. Presse. 1897.)

— — Forschungen auf dem Gebiete der Pflanzenernährung. Unter
Mitwirkung von Dr. R. Dorsch. 8.

> Erster Teil. Die Stickstoffdüngung der landw. Kulturpflanzen. 1892.
> (441 S.)   6 M.

— — Die Steigerung der Bodenerträge durch rationelle Stickstoffdüngung.
Zweite Auflage. Mit 2 Taf. 1889. 8. (76 S.) (Vergriffen.) 1 M. 60 Pf.

— — Einige praktisch wichtige Düngungsfragen. Siebente Auflage. 1887.
8. (132 S.) (Vergriffen.)   1 M. 20 Pf.

— — Düngung mit Ammoniak, siehe „Arbeiten der D. L.-G." Heft 80.

— — Phosphorsäure in Thomasmehlen, siehe „Mitteilungen der Vers.-Stationen".

Wahnschaffe, Dr. F., Geh. Bergrat, Kgl. Landesgeologe und Prof. in Berlin.
Anleitung zur wissenschaftlichen Bodenuntersuchung. Zweite Auflage.
Mit 54 Abb. 1903. 8. (190 S.)   Geb. 5 M.

Waldhecker, P., Reg.-Rat. Die preuß. Rentengutsgesetze. 1894. 8. (241 S.) 4 M.

Waldschmidt, J., Oberstleutnant a. D. Rationelle Ausbildung des Reiters
und Pferdes in der Kavallerie. Zweite Auflage. 1872. 8. (30 S.) 1 M.

— — Grundsätze der Pferdezucht. 1871. 8. (64 S.)   1 M.

Wandtafeln für den naturwissenschaftlichen Unterricht mit spezieller Berücksichtigung
der Landwirtschaft. Herausgegeben von H. von Rathusius-Hundisburg.

— — I. Serie: Viehzucht. Von H. von Rathusius-Hundisburg. 30
lithographierte Taf. im Format von 57 cm Höhe und 79 cm Breite nebst
einem Hefte Text. 1871.   In Mappe 30 M.

> (Siehe auch Seite 123.)

Verlag von Paul Parey in Berlin SW., Hedemannstraße 10.

Wandtafeln für den naturwissenschaftl. Unterricht. (Siehe auch Seite 122.)

— — II. Serie: **Wollkunde.** Von W. von Nathusius-Königsborn. 10 lithographierte Taf. im Format von 57 cm Höhe und 79 cm Breite nebst einem Hefte Text. 1873. (Vergriffen.) In Mappe 15 M.

— — III. Serie: **Pflanzenkunde.** Von L. Kny-Berlin. 100 in Farbendruck ausgeführte Taf. im Format von 69 : 85 cm. Neun Abteilungen, deren jede in Mappe nebst Text. 320 M.

    I. Abteilung, Taf. I—X. 1874. 24 M.
    II. Abteilung, Taf. XI—XX. 1876. 24 M.
    III. Abteilung, Taf. XXI—XXX. 1879. 30 M.
    IV. Abteilung, Taf. XXXI—XL. 1880. 30 M.
    V. Abteilung, Taf. XLI—L. 1882. 30 M.
    VI. Abteilung, Taf. LI—LXV. 1884. 50 M.
    VII. Abteilung, Taf. LXVI—LXXX. 1886. 50 M.
    VIII. Abteilung, Taf. LXXXI—XC. 1890. 40 M.
    IX. Abteilung, Taf. XCI—C. 1894. 42 M.

Inhaltsverzeichnis auf Verlangen.

— — IV. Serie: **Bewurzelung.** Von H. Thiel-Berlin. 53 Photographien auf 6 Taf. im Format von 67 cm Höhe und 90 cm Breite nebst einem Hefte Text. 1875. (Vergriffen.) In Mappe 100 M.

— — V. Serie: **Bodenkunde.** Von A. Orth-Berlin. 6 in Farbendruck ausgeführte Taf. im Format von 57 cm Höhe und 79 cm Breite nebst einem Hefte Text. 1875. In Mappe 20 M.

— — VI. Serie: **Landw. Maschinenwesen.** Von Dr. A. Wüst-Halle. 10 in Farbendruck ausgeführte Taf. im Format von 69 cm Höhe und 85 cm Breite. In Mappe 24 M.

Wandtafeln zur Beurteilung des Rindes, siehe „Busch".

— — Biologische, siehe „Schröder und Kull".

— — Botanische, siehe „Peter".

Warnecken, H. B., in Burgdamm. Behandlung der Weinrebe im Traubenhause. 1884. 8. (46 S.) 1 M.

Wasserkarte der Norddeutschen Stromgebiete. (Maßstab 1 : 200000.) Herausgegeben vom Kgl. Ministerium für Landwirtschaft, Domänen und Forsten. 42 Karten im Format von 86 : 67 cm in Mappe, nebst einem Textband: Flächeninhaltsverzeichnis der Stromgebiete. 1893. 4. (347 S.) 150 M. Versendungskiste 4 M.

Weber, Dr. C. A. Über die Vegetation und Entstehung des Hochmoors von Augstumal im Memeldelta. Mit 29 Abb. und 3 Taf. 1902. 8. (252 S.) 7 M.

— — Bekämpfung des Unkrautes, siehe „Arbeiten der D. L.-G." Heft 72.

Wedemeyer-Schönrade, von. Vorschläge zur Hebung der Landes-Pferdezucht. 1872. 8. (73 S.) 2 M.

Weeber, H. C. Leitfaden für Unterricht und Prüfung des Forstschutz- und technischen Hilfspersonals in den K. K. Österreichischen Staaten. Siebente Auflage. 1886. 8. (322 S.) (Vergriffen.) 5 M.

Wehnen, Dr., Lehrer in Helmstedt. Leitfaden der Chemie. Mit 57 Abb. und 1 Spektraltafel. 1883. 8. (270 S.) 5 M.

— — Boden und Steine. Mit 16 lith. Taf. 1882. 8. (226 S.) 4 M.

— — Bau, Leben und Nahrungsstoffe der Kulturpflanzen. Mit 31 Abb. 1881. 8. (93 S.) 2 M.

Wehrs, C. von, Gutsbesitzer. Die nützlichen Amphibien. 1872. 8. (32 S.) 50 Pf.

Weidmannsbücher. 8. Kartoniert.

Das Rebhuhn. Von R. von Schmiedeberg. 1 M. 50 Pf.

Die Waldschnepfe. Von Edward Czynk. 1 M. 50 Pf.

Fischen in Waldgewässern. Von Dr. J. von Staudinger. 1 M. 50 Pf.

Das Rehwild. Von A. Eulefeld. 2 M. 50 Pf.

Die Hüttenjagd. Von Staats von Wacquant. 2 M. 50 Pf.

Der Jäger als Sammler u. Präparator. Von C. v. Dombrowski. 1 M. 50 Pf.

Jagdrechtskunde für den preuß. Weidmann. Von Dr. Lehfeld. 2 M.

Die englischen Terriers. Von H. W. Gruner. 1 M. 50 Pf.

Waldhühnerjagd. Von Dr. W. Wurm. 1 M. 50 Pf.

Raubzeugvertilgung. Von Oberförster W. Stach. 2 M. 50 Pf.

Auf den Fuchs! Von Dr. W. Wurm. 1 M. 50 Pf.

Jagdwaffenkunde. Von Georg Koch. 6 M.

Das Sumpf- und Wasserflugwild. Von Edward Czynk. 2 M.

Die Kunst des Schießens mit der Schrotflinte. Von B. Deinert. 3 M.

Die Kunst d. Schießens mit d. Büchse. Von R. Wild-Queisner. 3 M. 50 Pf.

Weidmannsheil! Deutsches Jagdbuch. Neunter Abdruck. Prachtausgabe mit Abschußlisten und Jagdchronik. 1895. 4. (31 S.) Geb. 12 M.

Wein, Dr. E., in München. Die Sojabohne als Feldfrucht. 1881. 8. (50 S.) 1 M. (Journal für Landwirtschaft. XXIX. Bd. 1881. Ergänzungsband.)

— — Quantitative Analyse, siehe „Vogel".

Weinlaube, Die. Zeitschrift für Weinbau und Kellerwirtschaft. Herausgegeben von A. Freiherr von Babo in Klosterneuburg.

XXXVI. Jahrgang. 1904. 52 Nummern. Halbjährlich 6 M.
XIX.—XXXV. Jahrgang. 1887—1903. à 12 M.

Weinzierl, Dr. Th. Ritter von, in Wien. Der alpine Versuchsgarten des K. K. Ackerbau-Ministeriums. Erster Bericht. Mit 9 Lichtdrucktafeln und 1 Situationsplan. 1893. 8. (100 S.) 3 M. (Sonderabdruck aus: Landw. Versuchs-Stationen. XLIII. Bd.)

Weiske, Dr. Die Ernährungsvorgänge des Schafes. 1880. 8. (96 S.) 2 M. (Sonderabdruck aus: Landw. Jahrbücher. IX. Bd. 1880.)

Weißlinge, Die. Farbendruckplakat mit Text. Herausgegeben von Prof. Dr. G. Rörig. 1896. 50 Pf.

100 Expl. 45 M. 500 Expl. 200 M. Aufziehen 25 Pf. für das Expl.

Weizenhalmtöter, Der. Farbendruckplakat mit Text. Herausgegeben von der biolog. Abteilung am Kais. Gesundheitsamte. Bearbeitet von Geh. Reg.-Rat Prof. Dr. Frank. 1900. 50 Pf.

100 Expl. 45 M. 500 Expl. 200 M. Aufziehen 25 Pf. für das Expl.

Verlag von Paul Parey in Berlin SW., Hedemannstraße 10.

Wellershaus, W., Landwirtschaftslehrer. Chemie für Ackerbau- und landw. Winterschulen. 8. (Landw. Unterrichtsbücher.)
    I. Teil. Anorganische Chemie. Zweite Auflage. 1903. (43 S.) Geb. 70 Pf.
    II. Teil. Organische Chemie. 1897. (30 S.)   50 Pf.

Wender, Dr. N., Prof. in Czernowitz. Landwirtschaftliche Chemie. Lehrbuch für landw. Lehranstalten und zum Selbstunterricht. Mit 33 Abb. und 3 Taf. 1897. 8. (259 S.)   Geb. 5 M.

Wendorff, Dr. H. Zwei Jahrhunderte landw. Entwickelung auf drei gräflich Stolberg-Wernigeroder Domänen. 1890. 8. (210 S.) 5 M.

Werner, Dr. E. Das Viehversicherungswesen im Deutschen Reich. 1876. 8. (100 S.) (Vergriffen.)   2 M.

Werner, Dr. H., Geh. Reg.-Rat, Prof. in Berlin. Der Kartoffelbau. Vierte Auflage. 1902. 8. (205 S.) (Thaer-Bibliothek.)   Geb. 2 M. 50 Pf.
— — Die Rinderzucht. Körperbau, Schläge, Züchtung, Haltung und Nutzung des Rindes. Praktisches Handbuch. Zweite Auflage. Mit Abb. und 128 Taf. 1902. 8. (638 S.)   Geb. 20 M.
— — Handbuch des Futterbaues. Zweite Auflage. Mit 79 Abb. 1889. 8. (467 S.)   Geb. 10 M.
— — Die Hohenzollern und die Landwirtschaft. Rede, gehalten am 26. Januar 1895. 8. (16 S.)   50 Pf.
    (Sonderabdruck aus: Deutsche Landw. Presse. 1895.)
— — Betrieb der Landwirtschaft, siehe „Arbeiten der D. L.-G." Heft 51.
— — Getreidebau, siehe „Körnicke".
— — Landwirtschafts-Lexikon, siehe dort.
— — Richten von Rindern siehe „Lydtin".

Wessely, J., General-Domäneninspektor. Dienstunterricht für die Forst- und Jagdwachen in Österreich. Zweite Aufl. 1868. 8. (155 S.) (Vergr.) 2 M. 40 Pf.
— — Die Einrichtung des Forstdienstes in Österreich. Neue Ausgabe. 1866. 8. (577 und 230 S.)   12 M.
— — Die österreichischen Alpenländer und ihre Forste. 1853. 8. (618 und 291 S.)   15 M.

Wiebfeldt, Dr. Genossenschaftliche Getreideverwertung im Königreich Sachsen. 1902. 8. (47 S.)   1 M.
    25 Expl. 20 M. 50 Expl. 35 M. 100 Expl. 60 M.

Wilckens, Dr. M., Prof. in Wien. Untersuchung über das Geschlechtsverhältnis bei Haustieren. 1886. 8. (46 S.)   1 M. 50 Pf.
    (Sonderabdruck aus: Landw. Jahrbücher. XV. Bd. 1886.)
— — Die Alpenwirtschaft der Schweiz. Neue Ausgabe. Mit 65 Abb. 1885. 8. (387 S.)   6 M.
— — Form und Leben der landw. Haustiere. Neue Ausgabe. Mit 172 Abb. und 42 Taf. 1885. 8. (952 S.)   12 M.
— — Die Rinderrassen Mittel-Europas. Neue Ausgabe. Mit 12 Abb. und 70 Farbenholzschnitttafeln. 1885. 8. (200 S.)   10 M.
— — Untersuchungen über den Magen der wiederkäuenden Haustiere. Mit 6 lithographierten Taf. 1872. 4. (51 S.)   6 M.
— — Bodenkunde und Geologie. 1867. 8. (85 S.)   1 M. 50 Pf.

Wild-Queisner, R. Die Kunst des Schießens mit der Büchse. Mit 40 Abb.
und 6 Taf. 1903. 8. (100 S.) (Weidmannsbücher.) Geb. 3 M. 50 Pf.

Wild und Hund. Illustrierte Jagdzeitung. Redigiert von E. Stahlecker.
Wöchentlich 1 Nummer in Quartformat. Jährlich 24 Kunstbeilagen.
X. Jahrgang. 1904.   Vierteljährlich 2 M.

                                    Einzelne Nummern 25 Pf.

          Direkt unter Kreuzband vierteljährlich 2 M. 75 Pf.

                           Im Weltpostverein 3 M. 50 Pf.

          Einbanddecke 2 M. Sammelkasten 3 M. 50 Pf.

       I. Jahrgang. 1895. (Ganz selten.)   Geb. 50 M.

     II.—IX. Jahrgang. 1896—1903.   Geb. à 12 M.

— — Jagdpostkarten, siehe „Jagdpostkarten".

Wild- und Hund-Kalender. Taschenbuch für deutsche Jäger. Herausgegeben von der illustrierten Jagdzeitung „Wild und Hund".
      IV. Jahrgang. 1. Juli 1903 bis 30. Juni 1904. In Leinen geb. 2 M.
      I.—III. Jahrgang 1900/01 bis 1902/03.   à 2 M.

Wilder Jäger, siehe „Auf der Birsch" und „Auf flüchtigem Jagdroß".

Wilfarth, Vegetationsversuche, siehe „Arbeiten der D. L.-G." Heft 34.

— — Wirkung des Kaliums, siehe „Arbeiten der D. L.-G." Heft 68.

Wilhelm, Dr. G., Prof. in Graz. Landwirtschaftslehre. 8.
      I. Teil. Atmosphäre, Klima, Boden. 1886. (232 S.)   Kart. 4 M.
      II. Teil. Pflanzenbau. 1887. (489 S.)   Kart. 8 M.

— — Der Boden und das Wasser. 1861. 8. (88 S.)   1 M. 60 Pf.

Wilsdorf, Dr. G. Die Schweizer Saanenziege. Mit 2 Rassebildern. 1896.
8. (82 S.)   2 M. 50 Pf.

Wilsdorf, M., vorm. Direktor der landw. Schule zu Chemnitz. Handbuch zum
Unterricht im Feldmessen. Dritte Auflage, bearbeitet von Dr. G. Wilsdorf. 1904. 8. (47 S.) (Landw. Unterrichtsbücher.) Geb. 1 M. 40 Pf.

Windisch, Dr. K., in Geisenheim a. Rh. Wein-Gesetz. Gesetz, betreffend den
Verkehr mit Wein, weinhaltigen und weinähnlichen Getränken, vom 24. Mai
1901. 1902. 8. (159 S.)   Geb. 4 M.

— — Rebendüngungs-Kommission, siehe „Arbeiten der D. L.-G." Heft 70.

Windisch, Prof. Dr. W. Das Bier auf seinem Wege vom Faß ins Glas. Volks-
tümlicher Vortrag. 1903. 8. (64 S.)   50 Pf.

— — Das chemische Laboratorium des Brauers. Anleitung zur chemisch-
technischen Betriebskontrolle. Fünfte Auflage. Mit 80 Abb. 1902. 8.
(373 S.)   Geb. 15 M.

— — Anleitung zur Untersuchung des Malzes auf Extraktgehalt. Dritte
Auflage. 1901. 8. (86 S.)   Geb. 3 M. 50 Pf.

— — Enzyme, siehe „Green".

— — Handbuch der Brauwissenschaft, siehe „Moritz und Morris".

Winkler, G., Edler von Brückenbrand, weil. Prof. in Mariabrunn. Lehrbuch der Arithmetik und Algebra. Sechste Auflage, umgearbeitet
von Dr. F. Baur. 1866. 8. (430 S.)   6 M.

— — Lehrbuch der Geometrie. Fünfte Auflage, umgearbeitet von Dr.
F. Baur. Mit 6 Kupfertafeln. 1857. 8. (288 S.)   5 M. 60 Pf.

Verlag von Paul Parey in Berlin SW., Hedemannstraße 10.

Wirtz, A., Direktor der landw. Winterschule zu Odenkirchen. Bodenkunde. 1897. 8. (31 S.) (Landw. Unterrichtsbücher.) 50 Pf.

Wißmann, Dr. von, Gouverneur z. D., Major. In den Wildnissen Afrikas und Asiens. Jagderlebnisse. Mit 28 Vollbildern und 45 Abb. von W. Kuhnert. 1901. 4. (181 S.) Geb. 30 M.

Wittelshöfer, Dr. P. Das schweizer. Alkoholmonopol. 1895. 8. (47 S.) 1 M. (Sonderabdruck aus: Zeitschrift für Spiritusindustrie. 1895.)

Wittig, Dr. jur., Amtsrichter. Die Landwirtschaftskammern nach dem Gesetz vom 30. Juni 1894. 1895. 8. (95 S.) 1 M. 25 Pf.

Wittmack, Dr. L., Geh. Reg.-Rat und Prof. in Berlin. Die Wiesen auf den Moordämmen der Kgl. Oberförsterei Zehdenick. 8.

    Zweiter Bericht. 1892. (37 S.) 1 M.

    Dritter Bericht. 1893. (24 S.) 1 M.

    Vierter Bericht. 1894. (28 S.) 1 M.

    Fünfter Bericht. Mit 2 Taf. 1895. (28 S.) 1 M. 50 Pf.

    Sechster Bericht. 1896. (31 S.) 1 M.

    Siebenter und achter Bericht. 1898. (60 S.) 1 M. 50 Pf.

    Neunter und zehnter Bericht (Schluß). Mit 5 Taf. 1899. (45 S.) 1 M. 50 Pf.

(Sonderabdrücke aus: Landw. Jahrbücher. XXI.—XXVIII. Bd. 1892—1899.)
    Der erste Bericht ist nicht gesondert erschienen.

— — Friedrich Gottlob Schulze. 1890. 8. (16 S.) 50 Pf.
    (Sonderabdruck aus: Deutsche Landw. Presse. 1890.)

— — Über die botanische Wertschätzung des Heues. 1889. 8. (36 S.) 50 Pf.

— — Führer durch die Vegetabilische Abteilung des Museums der Kgl. landw. Hochschule in Berlin. Mit 25 Abb. und 1 Plan. 1886. 8. (85 S.) 1 M. 20 Pf.

— — Führer durch das Kgl. Landw. Museum in Berlin. Mit 1 Plan. 1873. Taschenformat. (60 S.) 50 Pf.

— — Gras- und Kleesamen. Mit 16 Abb. und 8 Taf. 1873. 8. (114 S.) (Vergriffen.) 4 M.

— — Gartenbau-Lexikon, siehe dort.

— — Gartenflora, siehe dort.

Wochenschrift für Brauerei. Eigentum des Vereins: Versuchs- und Lehranstalt für Brauerei in Berlin. Herausgegeben von Geh. Rat Prof. Dr. M. Delbrück, redigiert von Prof. Dr. W. Windisch. 4.

    XXI. Jahrgang. 1904. Wöchentlich eine Nummer. 20 M.
        Einzelne Nummer 60 Pf.

    I.—XX. Jahrgang. 1884—1902. 19 Bände (sehr selten). Geb. 418 M.
        Einzelne Jahrgänge werden abgegeben von 1887, 1890 bis 1903. Gebunden à 22 M.

Wocke, E., Obergärtner in Zürich. Die Alpen-Pflanzen in der Gartenkultur der Tiefländer. Mit 22 Abb. und 4 Taf. 1898. 8. (257 S.) Geb. 6 M.

Wobarg, K. Fünf Jahre viehlose Wirtschaft in Maulbeerwalde. 1893. 8. (23 S.) 50 Pf. 25 Expl. 10 M. 50 Expl. 18 M. 100 Expl. 30 M. (Preisschriften und Sonderabdrücke der „Deutschen Landw. Presse". Nr. 11.)

Wohltmann, Prof. Dr. F., Geh. Reg.-Rat. Chilisalpeter oder Ammoniak? Zweite Auflage. (Zugleich IV. Bericht des Instituts für Bodenlehre und Pflanzenbau der landw. Akademie Bonn-Poppelsdorf.) 1903. 8. (50 S.)   1 M. 25 Expl. 20 M. 100 Expl. 65 M.

Wölbling, Wanderausstellungen, siehe „Arbeiten der D. L.-G." Heft 42.

Woldt, A. Das metrische Maß und Gewicht. 1871. 12. (19 S.) (Vergriffen.) 25 Pf. (Sonderabdruck aus: Meutzel und von Lengerkes landw. Kalender. 1872.)

Wolf, Dr. R. Krankheiten der landw. Nutzpflanzen. Herausgegeben von Dr. W. Zopf. Mit 50 Abb. 1887. 8. (150 S.) (Thaer-Bibliothek.)   Geb. 2 M. 50 Pf.

Wölfer, Dr., Landwirtschaftslehrer in Dargun i. M. Grundsätze und Ziele neuzeitlicher Landwirtschaft. 1903. 8. (281 S.)   Geb. 4 M.

— — Kleine Mittel und praktische Winke für Landwirte zur Erhöhung der Reinerträge. 1900. 8. (34 S.)   1 M. 15 Expl. 10 M.

Wolff, Dr. E., Prof. in Hohenheim. Grundlagen für die rationelle Fütterung des Pferdes. 1885. 8. (155 S.)   5 M.

— — — Neue Beiträge. 1887. 8. (132 S.)   3 M. (Landw. Jahrbücher. XIV. Bd. 1887. Ergänzungsband III.)

— — Die Ernährung der landw. Nutztiere. 1876. 8. (552 S.)   16 M.

— — — Neue Beiträge. 1879. 8. (278 S.) (Vergriffen.)   6 M. (Landw. Jahrbücher. VIII. Bd. 1879. Ergänzungsband I.)

— — Aschen-Analysen von landw. Produkten. 1871. 4. (194 S.)   9 M.

— — — II. Teil. 1880. 4. (170 S.)   12 M.

— — Die landw.-chemische Versuchs-Station Hohenheim. 1871. 8. (121 S.)   2 M. 50 Pf.

— — Kurze Anleitung zur Untersuchung anorganischer Stoffe. 1867. 8. (48 S.)   1 M.

— — Die mittlere Zusammensetzung der Asche aller land- und forstwirtschaftlich wichtigen Stoffe. 1865. 8. (84 S.)   1 M. 50 Pf.

— — Koppes Ackerbau und Viehzucht, siehe dort.

— — W. Funke und C. Kreuzhage. Versuche über das Verdauungsvermögen verschiedener Schafrassen. 1872. 8. (39 S.)   2 M. (Sonderabdruck aus: Landw. Jahrbücher. I. Bd. 1872.)

Wolffs rationelle Fütterung der landw. Nutztiere. Siebente Auflage, neubearbeitet von Prof. Dr. C. Lehmann. 1899. 8. (253 S.) (Thaer-Bibliothek.)   Geb. 2 M. 50 Pf.

— — Anleitung zur chemischen Untersuchung landw. wichtiger Stoffe. Vierte Auflage, neubearbeitet von Dr. E. Haselhoff. Mit 17 Abb. 1899. 8. (186 S.) (Thaer-Bibliothek.)   Geb. 2 M. 50 Pf.

— — Düngerlehre. Vierzehnte Auflage, neubearbeitet von Dr. H. C. Müller-Halle. 1904. 8. (177 S.) (Thaer-Bibliothek.) Geb. 2 M. 50 Pf.

Wolffsche Tier-Statuetten, siehe „Tier-Statuetten".

Wollny, Dr. E., Prof. in München. Saat und Pflege der landw. Kulturpflanzen. Mit 38 Abb. 1885. 8. (833 S.)   Geb. 20 M.

— — Der Einfluß der Pflanzendecke auf die physikalischen Eigenschaften des Bodens. Mit 10 Taf. und 4 Abb. 1877. 8. (197 S.)   9 M.

Verlag von Paul Parey in Berlin SW., Hedemannstraße 10.

Wolschner, A., Zoologie, siehe „Hillmann".

Wörner, L., Lehrer der Mathematik. Theorie des Planzeichnens. Mit 16 lithographierten Taf. 1863. 4. (40 S.) Kart. 9 M.

Wortmann, Prof. Dr. J., in Geisenheim. Vorkommen und Wirkung lebender Organismen in fertigen Weinen. 1898. 8. (110 S.) 2 M. 50 Pf.
(Sonderabdruck aus: Landw. Jahrbücher. XXVII. Bd. 1898.)

— — Über künstlich hervorgerufene Nachgärungen von Weinen. 1897. 8. (26 S.) (Vergriffen.) 1 M.
(Sonderabdruck aus: Landw. Jahrbücher. XXVI. Bd. 1897.)

— — Anwendung und Wirkung reiner Hefen in der Weinbereitung. Mit 12 Abb. 1895. 8. (62 S.) 2 M. 50 Pf.

Wünsche, Prof. Dr. O. Anleitung zum Botanisieren und zur Anlegung von Pflanzensammlungen. Nach dem gleichnamigen Buche von E. Schmidlin neu bearbeitet. Vierte Auflage. Mit 245 Abb. 1901. 8. (384 S.) Geb. 4 M.

Wurm, Dr. W. Auf den Fuchs! Mit Abb. 1898. 8. (89 S.) (Weidmanns-bücher.) Kart. 1 M. 50 Pf.

— — Waldhühnerjagd. Mit Abb. 1897. 8. (79 S.) (Weidmannsbücher.) Kart. 1 M. 50 Pf.

Wurzellaus, Die, des Weinstocks (Phylloxera vastatrix). Mit 12 Abb. und 1 lithographierten Taf. 1880. 8. (23 S.) 50 Pf.

Wüst, Dr. A., Prof. in Halle. Landw. Maschinenkunde. Zweite Auflage. Mit 516 Abb. 1889. 8. (436 S.) (Vergriffen.) Geb. 12 M.
(Dritte Auflage in Vorbereitung.)

— — Konkurrenz von Reinigungs- und Sortier-Maschinen für Gerste und Rübensamen in Magdeburg. 1884. 8. (23 S.) 1 M.
(Sonderabdruck aus: Deutsche Landw. Presse. 1884.)

— — Wandtafeln für den Unterricht im landw. Maschinenwesen. 10 Farben-drucktafeln auf Kartonpapier im Format von 69 cm Höhe und 85 cm Breite. 1883. In Mappe 24 M.

— — Die Konkurrenzen von Lokomobilen bei der Magdeburger Ausstellung im Jahre 1880. 1881. 8. (39 S.) (Vergriffen.) 1 M.
(Sonderabdruck aus: Landw. Jahrbücher. X. Bd. 1881.)

— — Die Leistungen der Kartoffel-Erntemaschinen. Mit 7 Abb. 1878. 8. (40 S.) 1 M.

— — Die Leistungen der Mähemaschinen. Mit 50 Abb. 1875. 8. (126 S.) 3 M.

— — Jahresbericht über die Fortschritte im landw. Maschinenwesen, siehe dort.

Wüsts leichtfaßliche Anleitung zum Feldmessen und Nivellieren. Fünfte Auflage, durchgesehen von A. Nachtweh, Prof. in Halle a. S. Mit 127 Abb. 1901. 8. (160 S.) (Thaer-Bibliothek.) Geb. 2 M. 50 Pf.

Wychgram, Drainage-Anlagen, siehe „Arbeiten der D. L.-G." Heft 48.

Yamamoto, Dr. T., in Tokio. Die Rinderzucht Deutschlands. 1894. 8. (222 S.) 5 M.

Zabel, H., Kgl. Gartenmeister in Hann.-Münden. Die strauchigen Spiräen der deutschen Gärten. 1893. 8. (128 S.) 4 M.

— — Laubholzbenennung, siehe „Beißner".

Zabow, E. von. „Der Spiritus muß mehr bluten." 1886. 8. (47 S.) 1 M.

Zajíček, F., Prof. in Mödling. Der Landwirt als Kulturingenieur. Zweite Auflage. Mit 196 Abb. 1902. 8. (231 S.) (Thaer-Bibliothek.)
Geb. 2 M. 50 Pf.

— — Lehrbuch der praktischen Meßkunst. Zweite Auflage. Mit 192 Abb. und 3 Taf. 1901. 8. (242 S.) Geb. 6 M.

Zedlitz, O., Weidwerk, siehe „Roth, Weidwerk".

Zeitler, R. Die Niederjagd in Versen. Mit 74 Abb. 1898. 8. (225 S.)
Geb. 5 M.

Zeitschrift für Agrarpolitik. Organ des Deutschen Landwirtschaftsrats. 4.
II. Jahrgang. 1904. Monatlich 1 Nummer. Vierteljährlich 1 M. 50 Pf.
Einzelne Nummer 50 Pf.

Zeitschrift für die Landeskultur-Gesetzgebung der Preuß. Staaten. Herausgegeben vom Kgl. Ober-Landeskulturgericht. 8.
XXXV. Band. 1902. Drei Hefte.   6 M.
I.—XXXIV. Band, soweit vorhanden,   à 6 M.

Zeitschrift für Spiritusindustrie. Herausgegeben von Geh. Reg.-Rat Prof. Dr. M. Delbrück in Berlin.
XXVII. Jahrgang. 1904. Wöchentlich 1 Nummer in Fol.   25 M.
Einzelne Nummer 60 Pf.
I. Jahrgang. 1878. 24 Nummern in Quart.   25 M.
II.—IV. Jahrgang. 1879—1881. 24 Nummern in Quart. à 25 M.
V. Jahrgang. 1882. 24 Nummern in Quart.   25 M.
VI.—VII. Jahrgang. 1883—1884. Wöchentlich 1 Nummer in Quart.
à 25 M.
VIII. Jahrgang. 1885. (1. Januar bis 1. Oktober.) Wöchentlich 1 Nummer in Quart.   25 M.
IX. Jahrgang. 1886. (1. Oktober 1885 bis 31. Dezember 1886.) Wöchentlich 1 Nummer in Fol.   25 M.
X.—XXVI. Jahrgang. 1887—1903. Wöchentlich 1 Nummer in Fol. à 25 M.

Zeitschrift für Veterinär-Wissenschaft. Herausgegeben von Dr. H. Pütz, Prof. in Halle a. S.
I.—II. Jahrgang. 1873—1874.   à 5 M.
III. Jahrgang. 1875.   6 M.
IV.—V. Jahrgang. 1876—1877.   à 9 M.

Ziebarth, Dr. K., Geh. Justizrat und Prof. in Göttingen. Das Forstrecht. 1889. 8. (527 S.) Geb. 12 M.
Daraus einzeln:
I. Teil. Zivilrecht. 1887. (129 S.) (Vergriffen.) 2 M. 50 Pf.
II. Teil. Verwaltungsrecht. 1888. (191 S.)   4 M.
III./IV. Teil. Strafrecht und Prozeßrecht. 1889. (205 S.) 4 M. 50 Pf.

Zielke, B., Rittergutsbesitzer. Die Rinderzucht. Zweite Auflage. Mit 4 Rassebildern und Abb. 1874. 8. (56 S.)   1 M.

Zimmermann, A. Am Einsprung. Farbiges Jagdbild im Format von 24 zu 35 cm Bildfläche.   5 M.

Verlag von Paul Parey in Berlin SW., Hedemannstraße 10.

Zirngiebl, Dr. H., in Weihenstephan. Die Feinde des Hopfens aus dem Tier- und Pflanzenreich. Mit 32 Abb. 1901. 8. (64 S.) 1 M. 60 Pf.

Zorn, E., Kgl. Korps-Roßarzt in Hannover. Die äußeren Krankheiten der landw. Haussäugetiere. Mit 63 Abb. 1878. 8. (162 S.) (Thaer-Bibliothek.) Geb. 2 M. 50 Pf.

Zucker ein Nährstoff. 1898. 8. (16 S.) 50 Pf.

Zundel, A., Landestierarzt in Elsaß-Lothringen. Praktische Desinfektionslehre für Viehseuchen. 1877. 8. (179 S.) (Thaer-Bibliothek.) Geb. 2 M. 50 Pf.

Zuntz, Dr. N., Prof. in Berlin. Leistungen und Aufgaben der Tierphysiologie. Festrede am 26. Januar 1899. 8. (16 S.) 50 Pf.
(Sonderabdruck aus: Deutsche Landw. Presse. 1899.)

— — und Dr. C. **Lehmann**, Prof. in Berlin. Untersuchungen über den Stoffwechsel des Pferdes. Mit 3 Taf. 1889. 8. (156 S.) 4 M.
(Sonderabdruck aus: Landw. Jahrbücher. XVIII. Bd. 1889.)

— — und Dr. **Hagemann**, Prof. in Poppelsdorf. Untersuchungen über den Stoffwechsel des Pferdes. Neue Folge. Mit 1 Abb. und 7 Taf. 1898. 8. (438 S.) 14 M.
(Landw. Jahrbücher. XXVII. Bd. 1898. Ergänzungsband III.)

Zusammenlegung, Die, der Grundstücke des Gemeindebezirkes Remagen. Mit 2 Taf. 1889. 8. (4 S.) 2 M.
(Sonderabdruck aus: Landw. Jahrbücher. XVIII. Bd. 1889.)

Zwergcikade, Die. Farbendruckplakat mit Text. Herausgegeben von Dr. B. Frank, Prof. an der landw. Hochschule in Berlin. 1894. 50 Pf.
100 Expl. 45 M. 500 Expl. 200 M. Aufziehen 25 Pf. für das Expl.

Sach-Verzeichnis.

(Die Ziffer verweist auf die Seite.)

Verlag von Paul Parey in Berlin SW., Hedemannstraße 10.

Verlag von Paul Parey in Berlin SW., Hedemannstraße 10.

Verlag von Paul Parey in Berlin SW., Hedemannstraße 10.

Verlag von Paul Parey in Berlin SW., Hedemannstraße 10.

Landespferdezucht: Kuhlmann 68. Nathusius 83. Stoedel 107. Wedemeyer 123. Siehe auch „Pferdezucht".

Landmesser, Ausbildung der: Ausbildung 13. Friedersdorff 37.

— im Städtebau: Abendroth 5.

Landschaftsgärtnerei: s. Gartenkunst.

Landwirtschaft im Auslande: Berichte 18.

Landwirtschaft, Entwickelung der: Berichte des landw. Instituts Königsberg (5. Heft) 18.

— Lage der: Ermittelungen 32. Franz 36. Nordmann, Agrarier 85. Stabbert-Parkitten 105.

Landwirtschafts-Gesellschaft, Deutsche: Arbeiten 8/12. Jahrbuch 53. Mitteilungen 80.

— — Versuchs-Station: Vogel 120.

— -Kammern: Landw.-Kammer Halle 70. Stegemann 105. Wittig 127.

Landwirtschaftsschulen, Verzeichnis der: Mentzel, Kalender II. 78.

— Lehrbücher für: Pläne 89. Unterrichtsbücher 116/117.

— Schulordnung: Matzat, Entwurf 77.

Laubholzkunde: Beißner, Laubholzbenennung 16. Dippel, Handbuch 27. Hartwig, Gehölzbuch 46. Heß, Holzarten 49. Lauche, Dendrologie 71.

Lauchstädt, Versuchswirtschaft: Berichte 18/19.

Lehranstalten, Gärtnerische: Gartenkalender 40.

— Landwirtschaftl.: Mentzel, Kalender II. Teil 78.

Lehrbücher der Landwirtschaft: siehe „Handbücher".

Leipzig, ldw. Institut: Mitteilungen 80.

Leporiden: Nathusius, Herm. v. 83.

Lesebuch für Landwirte: Freyer, landw. Jahr 37. Heydenreich 49. Jenssen 61. Loeper 73.

— für Schulen: Deißmann 26. Hollmann und Knak 50. Roquette 95. Schultz, Gedichte 102.

Lexika: Forst- und Jagdlexikon 35. Gartenbaulexikon 39. Glaß, Weinlexikon 41. Hoffmann, Taschenlexikon der Pferdekunde 50. Landwirtschaftslexikon 70. Löwenherz, Rechts- und Verwaltungslexikon 74. Ratzeburg, Schriftsteller-Lexikon 92.

Lieberschatz, landw.: Bevensee 19.

Likörfabrikation: Gumbinner 44. Moewes, Destillierkunst 82.

Logarithmen: Breymann 23.

Lokomobilen: siehe „Maschinen".

Lupinenbau: Fruwirth, Hülsenfrüchte 38. Kette 65.

Lupinensamen: Schulze u. Steiger 102.

Lupinin: Baumert 14.

Lupitz, Die Wirtschaft: Arbeiten der D. L.-G. (Heft 76) 12. Siehe auch „Gründüngung".

Luxushunde: siehe „Hunde".

M.

Magenuntersuchungen von Vögeln: Rörig 95.

Mähemaschinen: siehe „Maschinen".

Maisbau: Lengerke 72.

Malz: siehe „Brauerei".

Mariabrunn, Forstlehranstalt: Schindler 98.

Marschwirtschaft: Auhagen 13. Gruner, Marschländereien 44. Maercker, Marscherben 75. Strube, Kremper Marsch 107.

Maschinen für Brauereien: Goslich 42. Lintner 73. Wochenschrift für Brauerei 127.

— für Brennereien: Bersch, Spiritusfabrikation 19. Freiesleben, Brennereibau 37. Lintner, Handbuch 73. Maercker-Delbrück, Handbuch 75. Zeitschrift für Spiritusindustrie 130.

— landw.: Arbeiten der D. L.-G. (Heft 6) 8, (Heft 57, 65) 11, (Heft 78, 79, 85, 86) 12. Bericht über Saatreinigungsmaschinen 17. Berichte über die Pariser Welt-Aus-

Deutsche Landwirtschaftliche Presse.

XXXI. Jahrg. 1904. Jeden Mittwoch und Sonnabend erscheint eine Nummer. Wöchentlich zwei Handelsbeilagen. Monatlich eine Farbendrucktafel und eine Beilage „Zeitschriftenschau". Preis vierteljährlich 5 M.

Zeitschrift für Agrarpolitik.

Organ des Deutschen Landwirtschaftsrats. Zentralblatt der deutschen landwirtschaftlichen Vertretungen. Herausgegeben von Dr. Dade. II. Jahrg. 1904. Monatlich eine Nummer Preis vierteljährlich 1 M. 50 Pf.

Landwirtschaftliche Jahrbücher.

Zeitschrift für wissenschaftliche Landwirtschaft und Archiv des Kgl. Pr. Landes-Ökonomie-Kollegiums. Herausgeg. von Ministerialdirektor Dr. Hugo Thiel-Berlin. XXXIII. Jahrg. 1904. Preis des Jahrgangs von 6 Heften mit in Summa 60—70 Bogen Text, lith. Tafeln etc. 28 M.

Journal für Landwirtschaft.

Herausgegeben von Geh. Reg.-Rat Professor Dr. Tollens in Göttingen. LII. Jahrgang. 1904. Preis des Jahrgangs von 4 Heften 10 M.

Die landwirtschaftlichen Versuchs-Stationen.

Organ für naturwissenschaftl. Forschungen auf dem Gebiete der Landwirtschaft. Herausgegeben von Dr. Fr. Nobbe, Geh. Hofrat und Professor, Vorstand der phys. Versuchs-Station zu Tharand. LX. Band. Preis des Bandes von 6 Heften mit in Summa 30 Bogen 12 M.

Zeitschrift für Landeskultur-Gesetzgebung.

Herausgeg. von dem Kgl. Pr. Ober-Landeskulturgericht. XXXV. Band. 3 Hefte. Preis 6 M.

Zeitschrift für Spiritusindustrie.

Organ des Vereins der Spiritusfabrikanten in Deutschland. Herausgegeben von Geh. Reg.-Rat Prof. Dr. M. Delbrück in Berlin. XXVII. Jahrg. 1904. Wöchentlich eine Nummer. Preis des Jahrgangs 25 M.

Tageszeitung für Brauerei.

Eigentum des Vereins: Versuchs- und Lehranstalt für Brauerei in Berlin. II. Jahrgang. 1904. Wöchentlich 6 Nummern. Wöchentliche Beilage: Wochenschrift für Brauerei. Ausgabe A: Tageszeitung mit Wochenschrift. Preis des Jahrgangs 20 M. Ausgabe B: Tageszeitung allein. Preis vierteljährlich 2 M. 50 Pf.

Wochenschrift für Brauerei.

Eigentum des Vereins: Versuchs- und Lehranstalt für Brauerei in Berlin. Herausgegeben von M. Delbrück, redigiert von W. Windisch. XXI. Jahrg. 1904. Wöchentlich 1 Nummer. Preis des Jahrgangs 20 M.

Die deutsche Essigindustrie.

Wochenschrift für das Gebiet der Alkohol-Essigfabrikation und verwandter Betriebszweige. Eigentum des Verbandes deutscher Essigfabrikanten. Herausgegeben vom Institut für Gärungsgewerbe in Berlin, Abteilung für Essigfabrikation. VIII. Jahrg. 1904. Wöchentlich 1 Nummer. Preis des Jahrgangs 15 M.

Die Weinlaube.

Zeitschrift für Weinbau und Kellerwirtschaft. Herausgeg. und redigiert von A. Frhr. von Babo in Klosterneuburg bei Wien. XXXVI. Jahrgang. 1904. Wöchentlich 1 Nummer. Preis des Jahrgangs 12 M.

Forstwissenschaftliches Centralblatt.

Unter Mitwirkung zahlreicher Fachleute aus Wissenschaft und Praxis herausgeg. von Oberforstrat Dr. H. von Fürst, Direktor der Kgl. forstlichen Hochschule in Aschaffenburg. XXVI. Jahrgang. 1904. 12 Hefte mit in Summa 40 Bogen bilden einen Jahrgang. Preis des Jahrgangs 14 M.

Wild und Hund.

Illustrierte Jagdzeitung. X. Jahrgang. 1904. Wöchentlich 1 Nummer. Jährlich 24 Kunstbeilagen. Preis vierteljährlich 2 M.